INTELIGÊNCIA EMOCIONAL
E A ARTE DE EDUCAR
NOSSOS FILHOS

JOHN GOTTMAN, Ph.D
COM
JOAN DeCLAIRE

INTELIGÊNCIA EMOCIONAL E A ARTE DE EDUCAR NOSSOS FILHOS

*Como aplicar os conceitos revolucionários
da inteligência emocional para uma compreensão
da relação entre pais e filhos*

Prefácio de
Daniel Goleman

*Tradução de
Adalgisa Campos da Silva*

69ª reimpressão

Copyright © 1997 by John Gottman

Título original
The Heart of Parenting

Capa
Tira-Linhas Studio

Revisão
Izabel Cristina Aleixo
Tereza de Fátima da Rocha
Henrique Tarnapolsky

cip-Brasil. Catalogação na fonte
Sindicato Nacional dos Editores de Livros, rj

G685i
    Gottman, John, Ph.D.
        Inteligência emocional e a arte de educar nossos
    filhos: como aplicar os conceitos revolucionários da in-
    teligência emocional para uma compreensão da relação
    entre pais e filhos / John Gottman e Joan DeClaire. – 1ª
    ed. – Rio de Janeiro: Objetiva, 2001.
        232p.

    Tradução de: The Heart of Parenting
    isbn 978-85-7302-125-7

      1. Psicologia – Inteligência. 2. Inteligência Emocional.
    3. Educação e Inteligência emocional. i. DeClaire, Joan
    (colab.). ii. Título.

CDD: 153

Todos os direitos desta edição reservados à
EDITORA SCHWARCZ S.A.
Praça Floriano, 19, sala 3001 — Cinelândia
20031-050 — Rio de Janeiro — rj
Telefone: (21) 3993-7510
www.companhiadasletras.com.br
www.blogdacompanhia.com.br
facebook.com/editoraobjetiva
instagram.com/editora_objetiva
twitter.com/edobjetiva

*À obra e à memória
do Dr. Haim Ginott*

AGRADECIMENTOS

A idéia dessa pesquisa sobre "metaemoção" foi concebida em 1984 quando John Gottman estava de licença, numa visita a Robert Levenson no laboratório de Paul Ekman em São Francisco. A pesquisa não poderia ter ido avante sem o apoio de Robert Levenson, que construiu o primeiro laboratório de psicofisiologia de Gottman. Este foi o primeiro estudo que fizemos naquele laboratório. A pesquisa também recebeu um grande apoio do Dr. Michael Guralnick, diretor do Center for Human Developmental Disabilities (CHDD), e das instalações principais do CHDD, particularmente do Laboratório de Desenvolvimento de Instrumentos da Universidade de Washington. A pesquisa foi subvencionada por duas bolsas do National Institute of Mental Health, de número MH42484 e MH35997, para o desenvolvimento dos temas "Desavenças conjugais, educação de filhos e desenvolvimento emocional da criança" e "O desenvolvimento da amizade entre crianças", respectivamente; pelo Prêmio por Mérito concedido pelo NIMH para extensão de prazo de pesquisa; e pelo Prêmio ao Cientista para Pesquisa concedido a John Gottman. Gottman também agradece o grande amor, a ajuda e o companheirismo intelectual de sua mulher, Julie Schwartz Gottman, vice-diretora dos grupos de treinamento de pais no Instituto Conjugal e Familiar de Seattle e que foi uma verdadeira parceira na criação dos filhos. Gottman também deseja agradecer o grande amor, paciência e capacidade de ensino de sua filha, Moriah. Obrigado a Mark Malone por seus comentários como leitor cuidadoso e pai dedicado. Obrigado à escritora Sonia Kornblatt por seus sensíveis comentários a respeito de nosso manuscrito.

NOTA

Achamos estranha a terminologia "ele ou ela" ou ele/ela. Os escritores tradicionalmente costumam evitar essa estranheza usando a forma masculina. Para nós, tal prática perpetua o preconceito sexual. Optamos então por alternar formas masculinas e femininas ao longo do texto. Esperamos que nosso livro seja tão útil para quem tem filhos quanto para quem tem filhas.

SUMÁRIO

Prefácio de Daniel Goleman, 13

Introdução, 15

CAPÍTULO 1 — Preparação emocional: A chave para a criação de filhos emocionalmente inteligentes, 19

CAPÍTULO 2 — Avaliando seu estilo parental, 43

CAPÍTULO 3 — Os cinco passos fundamentais da preparação emocional, 73

CAPÍTULO 4 — Estratégias de preparação emocional, 115

CAPÍTULO 5 — Casamento, divórcio e a saúde emocional de seu filho, 143

CAPÍTULO 6 — O papel crucial do pai, 167

CAPÍTULO 7 — Preparando emocionalmente seu filho à medida que ele cresce, 189

Apêndice — Livros infantis recomendados, 219

Notas, 225

Prefácio

Essa é uma época difícil para os filhos, e também para os pais. Houve uma enorme mudança na natureza da infância nesses últimos dez ou vinte anos. Essa mudança torna mais difícil para a criança aprender as lições básicas do coração e exige mais dos pais que costumavam transmitir essas noções a seus filhos queridos. Os pais precisam ser mais espertos para ensinar aos filhos noções emocionais e sociais básicas. Neste guia da paternidade competente, John Gottman mostra como.

Talvez essa necessidade jamais tenha sido tão premente. Vejam as estatísticas. Nas últimas décadas, o número de homicídios entre adolescentes quadruplicou, o número de suicídios triplicou, o de estupros dobrou. Por trás de estatísticas sensacionalistas como essas há um mal-estar emocional mais generalizado. Uma amostragem nacional feita com mais de duas mil crianças americanas, avaliadas por pais e professores — primeiro em meados da década de 70, depois no final da década de 80 —, verificou que as habilidades emocionais e sociais básicas da criança vêm decaindo a longo prazo. Em geral, as crianças estão mais nervosas e irritadiças, mais mal-humoradas, mais deprimidas e solitárias, mais impulsivas e desobedientes — decaíram em mais de quarenta itens.

Por trás dessa deterioração, há forças maiores. Antes de mais nada, a nova realidade econômica significa que agora os pais precisam trabalhar mais do que nas gerações passadas para sustentar a família — o que quer dizer que hoje a maioria dos pais tem menos tempo livre para passar com os filhos do que seus pais tinham para passar com eles. Cada vez mais famílias vivem longe dos parentes, muitas vezes em bairros em que os pais têm medo até de deixar seus filhos pequenos brincarem na rua, quanto mais de deixá-los ir à casa de um amigo. E as crianças estão passando cada vez mais tempo diante de uma tela de vídeo — seja assistindo à tevê, seja olhando para um monitor de computador — o que significa que elas não estão brincando com outras crianças.

Mas ao longo de toda a história da humanidade, foi com os pais, parentes e vizinhos e brincando com outras crianças que a criança aprendeu técnicas emocionais e sociais básicas.

As conseqüências para quem não aprende os fundamentos da inteligência emocional ficam cada vez mais funestas. Indícios sugerem, por exemplo, que as meninas que não aprendem a distinguir sentimentos como ansiedade e fome são mais propensas a distúrbios alimentares, ao passo que as que têm dificuldade de controlar os impulsos na primeira infância são mais propensas a engravidar no final da adolescência. Em meninos, a impulsividade dos primeiros anos pode anunciar uma grande tendência à delinqüência ou à violência. E, em todas as crianças, a inabilidade para lidar com a ansiedade e a depressão é um fator que aumenta o risco de abuso de drogas ou álcool no futuro.

Dada essa conjuntura, os pais precisam aproveitar ao máximo os preciosos momentos de convivência com seus filhos para treiná-los no exercício de habilidades humanas chaves como compreender pensamentos perturbadores e lidar com eles, autocontrole e empatia. Em *Inteligência emocional e a arte de educar nossos filhos*, John Gottman apresenta aos pais instruções de base científica mas eminentemente práticas para equipar os filhos com os instrumentos essenciais para a vida.

Daniel Goleman,
autor de *Inteligência emocional*

Introdução

Antes de ser pai, trabalhei quase vinte anos na área da psicologia do desenvolvimento, estudando a vida emocional da criança. Mas só em 1990, com a chegada de nossa filha Moriah, comecei realmente a entender o relacionamento entre pais e filhos.

Como muitos pais, eu nunca poderia imaginar a intensidade de meu sentimento por minha filha. Não fazia idéia da profundidade da excitação que sentiria quando ela aprendeu a sorrir, a falar, a ler um livro. Não previa a dose de paciência e atenção que ela exigiria de mim a cada minuto. Nem sabia que estaria disposto a lhe dar toda a atenção de que ela precisasse. Por outro lado, era surpreendente como às vezes eu me sentia frustrado, decepcionado e vulnerável. Frustrado quando não conseguíamos nos comunicar. Decepcionado quando ela se comportava mal. Vulnerável quando eu era obrigado a reconhecer quão perigoso era o mundo; que perder minha filha seria o mesmo que perder tudo.

Eu estava aprendendo sobre minhas emoções e, ao mesmo tempo, descobrindo coisas relacionadas a esse aprendizado em minha vida profissional. Como um judeu cujos pais fugiram da Áustria para escapar do Holocausto, sempre respeitei o esforço dos teóricos que rejeitavam o autoritarismo como método para educar uma criança moralmente saudável. A proposta desses teóricos era que a família fosse uma democracia e que pais e filhos agissem como sócios racionais e com igualdade de direitos. Mas minha experiência com dinâmica familiar começava a fornecer novos indícios de que, a longo prazo, o impacto das *interações emocionais* entre pais e filhos sobre o equilíbrio da criança poderia ser ainda maior.

Surpreendentemente, hoje, os conselhos que a sabedoria popular dá aos pais não mencionam o mundo da emoção. Eles se fundamentam em teorias educativas que abordam o mau comportamento infantil, mas não dão importância aos sentimentos que estão por trás deste mau comportamento. No entanto, o objetivo primordial da educação infantil não deveria ser apenas formar crianças obedientes e cordatas. Quase todos os pais almejam muito mais que isso para seus filhos. Desejam que eles sejam pessoas direitas e responsáveis que contribuam para a sociedade, que sejam suficientemente fortes para fazer suas próprias escolhas, que gozem o que conquistaram com o próprio talento, que aproveitem a vida e os prazeres da vida, que tenham bons amigos, façam bons casamentos e sejam bons pais.

Em minha pesquisa, descobri que o amor, por si só, não bastava. Muitos pais carinhosos e presentes às vezes tinham uma postura diante das próprias emoções e das de seus filhos que os impedia de conversar com as crianças quando estavam tristes ou com medo ou irritados. Embora o amor por si só não bastasse, a canalização desse amor para algumas técnicas básicas praticadas por pais como se fossem preparadores emocionais de seus filhos *era* suficiente. O segredo era o modo como os pais interagiam com os filhos quando as emoções se exacerbavam.

Temos estudado pais e filhos em experiências de laboratório muito detalhadas e acompanhado o desenvolvimento dos filhos. Após uma década de pesquisa em meu laboratório, minha equipe de pesquisadores encontrou um grupo de pais que fazia cinco coisas básicas quando as emoções de seus filhos se exaltavam. Chamamos essas cinco coisas de "preparação emocional". Descobrimos que os filhos cujos pais trabalhavam sua emoção encontravam-se numa trajetória de desenvolvimento inteiramente diferente da trajetória daqueles cujos pais não faziam isso.

Os preparadores emocionais conseguiram que seus filhos se tornassem o que Dan Goleman chama de pessoas "emocionalmente inteligentes". Essas crianças simplesmente tinham mais preparo emocional do que as que não haviam sido trabalhadas pelos pais. Este preparo incluía a capacidade de regular os próprios estados emocionais. Era quando estavam irritadas que as crianças se acalmavam melhor. Aquietavam mais rápido o coração. Como tinham um desempenho melhor na parte da fisiologia individual envolvida no processo de acalmar-se, eram menos sujeitas a doenças infecciosas. Tinham facilidade de concentração. Relacionavam-se melhor com os outros, mesmo em situações sociais difíceis que fazem parte da infância, como ser alvo de implicância, em que o excesso de emotividade atrapalha em vez de ajudar. Compreendiam melhor os outros. Tinham mais facilidade para fazer amigos. Saíam-se melhor em situações na escola que exigiam bom desempenho acadêmico.

Em resumo, desenvolveram um tipo de "QI" para as pessoas e o mundo dos sentimentos, ou inteligência emocional. Este livro vai lhe ensinar os cinco passos da preparação emocional para que você possa criar um filho emocionalmente inteligente.

Minha ênfase no elo emocional entre pais e filhos é resultado da abrangência de minha pesquisa. Que eu saiba, esta é a primeira pesquisa que confirma o trabalho de um de nossos mais brilhantes clínicos infantis, o psicólogo Dr. Haim Ginott, que escreveu e lecionou nas décadas de 50 e 60. Ginott viu como era importante conversar com uma criança que está com as emoções à flor da pele, e compreendeu os princípios básicos de como os pais devem fazer isso.

O treinamento da emoção nos dá uma estrutura baseada na comunicação emocional. Quando compreendem os filhos e os ajudam a lidar com sentimentos negativos como raiva, tristeza e medo, os pais constroem elos de lealdade e afeição. Neste contexto, embora os pais preparadores emocionais efetivamente imponham limites, a preocupação primordial já não é com o comportamento. Aceitação, obediência e responsabilidade vêm do amor e da ligação que a criança sente em sua família. Assim, as interações emocionais entre os membros da família passam a ser a base da transmissão de valores e da formação de pessoas corretas. A criança se comporta de acordo com padrões familiares porque seu coração lhe diz que o bom comportamento é o que se espera; que quem pertence ao clã tem de viver de acordo com determinados padrões.

Ao contrário de outras teorias sobre criação de filhos que oferecem um punhado de estratégias desconexas para controlar a criança, os cinco passos da preparação emocional oferecem uma estrutura que nos permite criar uma intimidade com nossos filhos à medida que eles se desenvolvem.

A novidade deste livro é que meus colegas e eu comprovamos com nossa investigação científica que as interações emocionais entre pais e filhos são de extrema importância. Agora sabemos com certeza que uma preparação emocional ministrada pelos pais faz uma diferença significativa no sucesso e na felicidade das crianças.

Nosso trabalho colocará nossa abordagem das emoções infantis num contexto que faça sentido para os pais de hoje, o que Ginott jamais mencionou nos anos 50. Com o aumento do índice de divórcios e da preocupação com problemas como a violência juvenil, a criação de um filho emocionalmente inteligente torna-se mais crucial que nunca. Nossos estudos esclarecem como os pais podem proteger os filhos dos riscos inerentes aos conflitos conjugais e à separação. Mostram também de que novas formas um pai emocionalmente ligado, seja ele casado ou divorciado, influencia o bem-estar dos filhos.

A chave para o sucesso na criação de um filho não está em teorias complexas, regras familiares elaboradas, nem em fórmulas de comportamento complicadas. Ela se baseia em seus sentimentos mais profundos de amor e afeição por seu filho e é demonstrada de maneira simples através de empatia e compreensão. Os bons pais começam agindo com o coração, e assim continuam a cada momento, segurando os filhos quando os ânimos se exaltam, quando eles estão tristes, irritados ou com medo. Em essência, ser pai ou mãe é estar presente nos momentos importantes. Este livro vai lhe mostrar este caminho.

John Gottman, Ph.D.

CAPÍTULO 1

PREPARAÇÃO EMOCIONAL:
A chave para a criação de filhos
emocionalmente inteligentes

DIANE JÁ ESTÁ ATRASADA para o trabalho quando tenta ensinar Joshua, de três anos, a vestir a jaqueta para poder levá-lo para a creche. Após um café da manhã às pressas e uma guerra para escolher que sapato usar, Joshua também está tenso. Está pouco ligando que a mãe tenha uma reunião em menos de uma hora. Quer é ficar em casa brincando, diz. Quando Diane argumenta que isso é impossível, Joshua se atira no chão e começa a chorar.

Emily, de sete anos, vira-se, aos prantos, para os pais cinco minutos antes de a *baby-sitter* chegar.

— Não está certo vocês me deixarem com uma pessoa que eu nem conheço — soluça ela.

— Mas Emily — explica o pai —, essa moça é amiga da sua mãe. E, além do mais, a gente já tinha comprado as entradas para esse concerto há muito tempo.

Ela chora:

— Mesmo assim não quero que vocês vão.

Matt, de quatorze anos, anuncia para a mãe que foi expulso da banda da escola só porque a professora sentiu cheiro de maconha no ônibus.

— Juro por Deus que não fui eu — diz Matt.

Mas as notas dele estão cada vez mais baixas e ele está andando com uma turma nova.

— Não acredito, Matt — diz ela. — E enquanto suas notas não melhorarem, você não vai sair.

Magoado e furioso, Matt sai correndo sem dizer palavra.

Três famílias. Três conflitos. Três crianças em diferentes fases do desenvolvimento. No entanto, esses pais enfrentam o mesmo problema — como lidar com os filhos quando os ânimos esquentam. Como a maioria, eles desejam ser justos com os filhos, tratá-los com respeito e paciência. Sabem que o mundo apresenta muitos desafios às crianças, e querem participar da vida dos filhos, orientando-os e apoiando-os. Querem ensinar os filhos a enfrentar os problemas e criar amizades fortes e saudáveis. Mas há uma grande diferença entre querer tratar bem os filhos e efetivamente ter os meios para consegui-lo.

Porque, para se educar bem um filho, o intelecto só não basta. Para se educar bem um filho, é preciso mexer com uma dimensão da personalidade que vem sendo ignorada na maioria dos conselhos dados aos pais nos últimos trinta anos. É preciso mexer com a emoção.

Na última década, a ciência descobriu muita coisa sobre o papel da emoção em nossa vida. Os pesquisadores verificaram que até mais do que o QI, a percepção emocional e a capacidade de lidar com os sentimentos determinam o sucesso e a felicidade da pessoa em todos os setores da vida, inclusive o das relações familiares. Para os pais, isso que muitos estão chamando de "inteligência emocional" significa perceber os sentimentos dos filhos e ser capaz de compreendê-los, tranqüilizá-los e guiá-los. Para os filhos, que aprendem com seus pais como funciona a emoção, inteligência emocional envolve a capacidade de controlar os impulsos, adiar a gratificação, motivar-se, interpretar as insinuações da sociedade e lidar com os altos e baixos da vida.

"A família é nossa primeira escola de aprendizado emocional", diz Dan Goleman, psicólogo e autor de *Inteligência emocional*, um livro que descreve com riqueza de detalhes a pesquisa científica que promoveu nossa crescente compreensão sobre esta matéria. "Neste cadinho íntimo, aprendemos como nos sentir em relação a nós mesmos e como os outros reagirão aos nossos sentimentos; como pensar sobre esses sentimentos e que escolhas temos ao reagir; como interpretar e expressar esperanças e medos. Essa formação emocional se dá não apenas através das coisas que os pais dizem e fazem aos filhos diretamente, mas também dos modelos que oferecem para lidar com os próprios sentimentos e com os que existem entre marido e mulher. Alguns pais são ótimos professores emocionais, outros são terríveis."[1]

Quais são as atitudes parentais que fazem a diferença? Como psicólogo e pesquisador estudioso das interações entre pais e filhos, passei boa parte dos últimos vinte anos procurando a resposta para essa pergunta. Trabalhando com equipes de pesquisadores na Universidade de Illinois e na Universidade de Washington, explorei exaustivamente dois temas de pesquisa. Estudamos 119 famílias e observamos como pais e filhos reagem uns aos outros quando os ânimos se exaltam.[2] Acompanhamos essas crianças desde os quatro anos até a adolescência. Paralelamente, estamos acompanhando 130 jovens casais que estão se tornando pais. Nossos estudos envolvem longas entrevistas com estes casais em que eles falam sobre sua vida conjugal, suas reações às experiências emocionais de seus filhos e sobre o papel que atribuem à emoção em suas vidas. Acompanhamos as reações fisiológicas das crianças durante tensas interações entre pais e filhos. Observamos e analisamos cuidadosamente reações emocionais dos pais à irritação e à tristeza de seus filhos. Posteriormente, entramos em contato com estas famílias para saber como estas crianças estavam em termos de saúde e desempenho acadêmico, desenvolvimento emocional e sociabilidade.

Nossos resultados contam uma história simples porém palpitante. Verificamos que basicamente há dois tipos de pais: os que orientam os filhos no mundo da emoção e os que não orientam.

Chamo os pais que se envolvem com o sentimento dos filhos de "preparadores emocionais". Assim como o preparador físico de um atleta, eles ensinam aos filhos estratégias para lidar com os altos e baixos da vida. Não se opõem às manifestações de raiva, tristeza ou medo dos filhos. Nem as ignoram. Ao contrário, aceitam as emoções negativas como coisas que fazem parte da vida e aproveitam os momentos de exaltação emocional para ensinar aos filhos importantes lições de vida e construir um relacionamento mais íntimo com eles.

— Quando Jennifer está triste, é uma oportunidade importante que a gente tem para se unir — diz Maria, mãe de uma das crianças de cinco anos de um de nossos estudos. — Digo a ela que quero conversar com ela, saber como ela está se sentindo.

Como muitos pais preparadores emocionais em nossos estudos, Dan, o pai de Jennifer, acha que é quando está triste ou irritada que a filha mais precisa dele. Mais do que qualquer outro tipo de interação entre os dois, acalmá-la "faz com que eu me sinta pai", diz Dan.

— Tenho de lhe dar apoio.... Tenho de dizer a ela que está tudo bem. Que ela não vai morrer por causa desse problema e provavelmente terá muitos outros mais.

Pode-se dizer que pais treinadores da emoção como Maria e Dan são "carinhosos" e "positivos" com a filha, o que na verdade são. Mas ser carinhoso e positivo com os filhos não basta para fazê-los desenvolver a inteligência emocional. Na verdade, é comum os pais serem bastante amorosos e atenciosos e, no entanto, não conseguirem lidar de forma eficiente com as emoções negativas dos filhos. Entre esses pais incapazes de ensinar inteligência emocional aos filhos, identifiquei três tipos:

1) Pais simplistas, que não dão importância, ignoram ou banalizam as emoções negativas da criança.

2) Pais desaprovadores, que são críticos das demonstrações de sentimentos negativos dos filhos e podem castigá-los por exprimirem as emoções.

3) Pais *laissez-faire*, que aceitam as emoções dos filhos e demonstram empatia por eles, mas não os orientam nem lhes impõem limites.

Para ilustrar como cada tipo de pai reage de maneira diferente aos filhos, imaginem Diane, cujo filhinho fez manha para não ir para a creche, em cada um desses papéis.

Se fosse uma mãe simplista, ela poderia dizer ao filho que é uma "bobagem" ele não querer ir para a creche, que não há razão para ele ficar triste por sair de casa. Depois ela pode tentar fazer com que ele esqueça a tristeza, talvez comprando-o com um biscoito ou conversando sobre as atividades divertidas programadas pela professora.

Como mãe desaprovadora, Diane poderia ralhar com Joshua por não querer colaborar, dizendo-lhe que estava cansada daquela manha e ameaçando bater nele.

Como mãe condescendente, Diane poderia abraçar Joshua quando o menino estava furioso e triste, demonstrar sua empatia, dizer-lhe que é perfeitamente natural que ele queira ficar em casa. Mas aí ela ficaria numa enrascada. Não quer ralhar com o filho, bater nele nem comprá-lo, mas ficar em casa também não é uma opção. Talvez ela acabasse fazendo um trato: brinco dez minutos com você, mas depois você vai sair sem chorar. Isto é, até amanhã de manhã.

E o que faria de diferente uma preparadora emocional? Ela poderia começar como a mãe condescendente, mostrando empatia, compreendendo a tristeza do menino. Mas iria além, orientando-o sobre o que fazer com os sentimentos desagradáveis. A conversa poderia ser mais ou menos assim:

Diane: Vamos vestir o casaco, Joshua. Está na hora de sair.

Joshua: Não! Não quero ir para a creche.

Diane: Não quer? Por quê?

Joshua: Porque eu quero ficar aqui com você.

Diane: Quer?

Joshua: É, eu quero ficar em casa.

Diane: Puxa, acho que sei exatamente o que você está sentindo. Às vezes me dá vontade de ficar encolhidinha na poltrona com você, vendo um monte de livros em vez de ir para a rua. Mas sabe de uma coisa? Eu prometi solenemente ao pessoal lá do escritório que chegaria às nove horas e não posso quebrar a promessa.

Joshua: (começando a chorar): Mas por quê? Isso é sujeira. Eu não quero ir.

Diane: Vem cá, Josh. (Pegando-o no colo.) Sinto muito, meu amor, mas a gente não pode ficar em casa. Aposto que você está aborrecido com isso, não está?

Joshua (balançando a cabeça): Estou.

Diane: E meio triste?

Joshua: É.

Diane: Eu também estou meio triste. (Ela o deixa chorar um pouco e continua a abraçá-lo, deixando-o desabafar.) Já sei o que a gente pode fazer. Vamos pensar no dia de amanhã, quando não tem trabalho nem creche. Vamos poder passar o dia todinho juntos. Tem alguma coisa especial que você queira fazer amanhã?

Joshua: Comer panqueca e ver desenho?

Diane: Claro, vai ser muito legal. Que mais?

Joshua: A gente pode levar meu carrinho no parque?

Diane: Acho que sim.

Joshua: E o Kyle também pode ir?

Diane: Vamos ver. A gente vai ter que perguntar à mãe dele. Mas agora está na hora de sair, tá bem?

Joshua: Tá.

À primeira vista, a mãe treinadora da emoção pode se confundir com a mãe simplista porque ambas levam Joshua a pensar em algo que não é ficar em casa. Mas há uma diferença importante. Como treinadora da emoção, Diane reconheceu a tristeza do filho, ajudou-o a nomeá-la, deu-lhe uma chance de vivenciar seus sentimentos e ficou com ele enquanto ele chorava. Não tentou fazê-lo pensar em outra coisa. Nem o repreendeu por estar triste, como a mãe desaprovadora. Mostrou-lhe que respeita seus sentimentos e considera válidos seus desejos.

Ao contrário da mãe condescendente, a mãe treinadora da emoção impôs limites. Perdeu um pouco mais de tempo para lidar com os sentimentos de Joshua, mas mostrou-lhe que não chegaria atrasada no escritório, "quebrando a promessa" feita aos colegas. Joshua ficou aborrecido, mas esse foi um sentimento com o qual tanto ele quanto Diane puderam lidar. E quando Joshua teve uma chance de identificar, vivenciar e aceitar a emoção, Diane mostrou-lhe que era possível deixar para trás aquela tristeza e antecipar o divertimento do dia seguinte.

Esta reação é parte do processo de preparação emocional que meus colegas de pesquisa e eu revelamos em nossos estudos das interações bem-sucedidas entre pais e filhos. O processo se dá em geral em cinco etapas. Os pais:

1) Percebem as emoções da criança.

2) Reconhecem na emoção uma oportunidade de intimidade ou aprendizado.

3) Ouvem com empatia, legitimando os sentimentos da criança.

4) Ajudam a criança a encontrar as palavras para identificar a emoção que ela está sentindo.

5) Impõem limites ao mesmo tempo em que exploram estratégias para a solução do problema em questão.

OS EFEITOS DA PREPARAÇÃO EMOCIONAL

O que muda quando a criança tem pais preparadores emocionais? Através da observação e da análise detalhadas de palavras, atos e respostas emocionais das famílias ao longo do tempo, descobrimos um contraste verdadeiramente significativo. Crianças que têm preparo emocional são fisicamente mais saudáveis e apresentam melhor desempenho acadêmico do que as que não têm.[3] Estas crianças se dão melhor com os amigos, têm menos problemas de comportamento e são menos propensas à violência. E o que é mais importante, têm menos sentimentos negativos e mais positivos. Em resumo, são mais saudáveis emocionalmente também.

Mas eis aí o resultado, para mim, mais surpreendente: as crianças com preparo emocional são mais maleáveis. Elas não deixam de ficar tristes, irritadas ou assustadas em circunstâncias difíceis, mas têm mais capacidade de se acalmar, sair da angústia e procurar atividades produtivas. Em outras palavras, são mais inteligentes emocionalmente.

De fato, nossa pesquisa demonstra que a preparação emocional até oferece às crianças uma proteção contra os efeitos nocivos de uma crise cada vez mais comum nas famílias americanas — o conflito conjugal e o divórcio.

Com mais da metade dos casamentos atualmente terminando em divórcio,[4] milhões de crianças estão sujeitas a problemas que muitos cientistas sociais associam à dissolução da família. Estes problemas incluem fracasso na escola, rejeição por outras crianças, depressão, complicações de saúde e comportamento anti-social. Isto tudo também pode afetar filhos de lares onde há conflito mesmo quando os pais não se divorciam. Nossa pesquisa mostra que os filhos que vêem os pais constantemente brigando têm mais dificuldade de fazer amigos.[5] Verificamos também que o conflito conjugal afeta o trabalho escolar da criança e torna a criança mais sujeita a doenças. Hoje sabemos que uma importante conseqüência social da epidemia de casamentos doentes e em vias de se dissolver é o aumento da violência e dos desvios comportamentais entre crianças e adolescentes.

Mas quando os pais treinadores da emoção estudados por nós viveram conflitos no casamento, separaram-se ou divorciaram-se, aconteceu algo diferente. Afora o fato de que essas crianças eram em geral "mais tristes" do que as outras que estudamos, o preparo emocional pareceu protegê-las dos efeitos deletérios experimentados por tantas outras que passaram por essa experiência. Conseqüências clássicas do divórcio e dos conflitos conjugais como baixo rendimento escolar, agressividade e problemas com os colegas não ocorrem em crianças que receberam treinamento da emoção. O que sugere que o treinamento da emoção oferece às crianças a primeira defesa comprovada contra o trauma emocional do divórcio.[6]

Embora obviamente essas descobertas sejam relevantes para famílias de casais com problemas ou recém-separados, esperamos que outras pesquisas revelem que o treinamento da emoção pode proteger a criança de uma série de outros conflitos, perdas e angústias.

Outra coisa surpreendente que descobrimos em nossa pesquisa tem a ver com o pai. Ficou comprovado que o pai que adota o estilo de preparador emocional contribui enormemente para o desenvolvimento emocional da criança. Quando o pai leva em conta os sentimentos dos filhos e tenta ajudá-los a resolver os problemas, os filhos saem-se melhor na escola e nas relações pessoais. Em compensação, o pai emocionalmente distante — aquele que é rude, crítico ou que faz pouco das emoções dos filhos — pode prejudicá-los. É mais provável que seus filhos tenham baixo rendimento escolar, briguem mais com os colegas e sejam menos saudáveis. (Essa ênfase no pai não significa que o envolvimento da mãe não seja importante também para o desenvolvimento emocional da criança. Os efeitos da interação da mãe com os filhos são significativos. Mas nossos estudos indicam que a influência do pai pode ser muito mais *extrema,* seja este efeito bom ou mau.)

Numa época em que um índice alarmante de 28%[7] das crianças americanas estão sendo criadas só pela mãe, a importância da presença paterna na vida de uma criança não pode ser desprezada. Não devemos presumir, porém, que é melhor um pai qualquer do que nenhum pai. Ao mesmo tempo em que um pai emocionalmente presente pode ser altamente benéfico para a vida da criança, um pai frio e cruel pode ser extremamente nocivo.

Nossa pesquisa mostra que pais treinadores da emoção podem ajudar os filhos a tornarem-se adultos mais saudáveis e bem-sucedidos. Porém essa técnica não é absolutamente uma "cura" para graves problemas familiares que exigem a ajuda de um terapeuta profissional. E diferentemente dos que propõem outras teorias sobre a criação de filhos, não vou prometer que o treinamento da emoção seja uma panacéia para todos os problemas normais da vida em família. Praticar o treinamento da emoção não garante o fim das brigas em família, das agressões verbais, dos sentimentos feridos, da tristeza nem da tensão. O conflito é inerente à vida em família. No entanto, quando adotar o treinamento da emoção, você vai se aproximar mais de seus filhos. E, quando houver mais intimidade e respeito em sua casa, os problemas entre os membros da família parecerão mais fáceis de suportar.

E, finalmente, o treinamento da emoção não significa o fim da disciplina. Na verdade, quando há intimidade entre você e seus filhos, seu envolvimento na vida deles é maior e, conseqüentemente, sua influência sobre eles é mais forte. Você está em posição de ser firme quando for necessário ser firme. Quando vê seus filhos errando ou sendo relapsos, você os adverte. Não tem medo de impor limites. Quando se decepciona com eles, quando sabe que eles podem fazer melhor, você não tem medo de lhes dizer isso. E porque existe um elo emocional entre você e seus filhos, o que você diz é importante. Eles respeitam as suas opiniões e não querem desagradar você. Assim, o trabalho de preparação emocional pode ajudar você a orientar e motivar realmente seus filhos.

Esse trabalho exige uma boa dose de dedicação e paciência, mas essencialmente é um trabalho de treinamento como outro qualquer. Se quer ver seu filho ser um grande jogador de beisebol, você não foge do jogo. Vai para a quadra e começa a trabalhar com ele. Do mesmo modo, se quer ver seu filho lidar com os sentimentos e as tensões e desenvolver relacionamentos sadios, você não cala nem ignora demonstrações de emoção negativa. Une-se a seu filho e oferece orientação.

Avós, professores e outros adultos podem servir de preparadores emocionais para uma criança, mas os pais estão em melhor posição para o desempenho desta função. Afinal de contas, eles é que sabem de acordo com que regras querem que seus filhos joguem. E são eles que estão presentes quando as coisas se complicam. O problema pode ser a cólica do bebê, como habituá-lo a usar a privada, a guerra entre irmãos ou aquele bolo no baile de formatura, mas seu filho está contando com você para saber o que fazer. Então é melhor você vestir o boné de preparador e ajudá-lo a ganhar o jogo.

COMO O PREPARO PODE REDUZIR
OS RISCOS DE SEU FILHO

Não resta dúvida de que os pais de hoje enfrentam problemas que os de antigamente não enfrentavam. Enquanto nos anos 60 a preocupação dos pais podia ser se o filho ia beber na noite da formatura, hoje passou a ser com a venda de cocaína nas escolas de segundo grau. Há pouco, os pais temiam a possibilidade de suas filhas adolescentes engravidarem. Atualmente, já na quinta série, estão falando de AIDS com os filhos. Há apenas uma geração, só havia guerras entre gangues rivais em áreas urbanas perigosas. Os conflitos terminavam em pancadaria ou, eventualmente, em facada. Hoje, proliferam gangues juvenis em bairros de classe média. E com o aumento do tráfico de drogas e de armas, as brigas costumam acabar em tiroteios fatais.

O índice de crimes violentos contra jovens aumenta num ritmo assustador. Entre 1985 e 1990, os índices de homicídios entre jovens de quinze a dezenove anos subiu 130% entre homens não brancos, 75% entre homens brancos e 30% entre mulheres de todas as raças.[8] Ao mesmo tempo, os jovens americanos estão começando cada vez mais cedo a cometer crimes violentos. De 1965 a 1991, mais que triplicou o índice de detenção de jovens por crimes violentos. Entre 1982 e 1991, o número de jovens detidos por assassinato aumentou 93% e por assalto à mão armada, 72%.[9]*

Hoje não basta os pais educarem bem os filhos, dando-lhes uma boa formação escolar e incutindo-lhes sólidos princípios éticos. As famílias de hoje também precisam se preocupar com algumas questões mais básicas de sobrevivência. Como podemos imunizar nossos filhos contra a epide-

---

* Os crimes violentos contra os jovens vêm crescendo de forma assustadora em todos os países. No Brasil, onde nem sempre as estatísticas concordam, variando conforme a fonte, os jovens de 14 a 19 anos são vítimas de brigas de rua, extermínio por policiais e assaltos (como criminosos ou assaltados). No Estado do Rio, houve 560 homicídios de crianças e adolescentes em 1993, segundo os números mais recentes da Secretaria Estadual de Polícia Civil. O total é similar ao do Nordeste, onde, de acordo com representantes de organizações não-governamentais, foram assassinados mais de 500 menores em 93. As estatísticas brasileiras não fazem distinção de sexo e raça, mas a maioria dos mortos é do sexo masculino.

A ação das gangues de rua é uma das maiores preocupações da polícia brasileira na década de 90, pois se considera que gera um quadro de violência de difícil controle. Uma pesquisa da Universidade Federal do Ceará verificou a existência de pelo menos 240 gangues adolescentes em Fortaleza. Em Belém, a Divisão de Atendimento ao Adolescente contabilizou, em 1995, no mínimo 78 gangues consideradas violentas, com os integrantes tendo idade média de 16 anos.

mia de violência que vem grassando entre a juventude? Como podemos convencê-los a adiar o início da atividade sexual até terem maturidade suficiente para fazer escolhas responsáveis e seguras? Como incutir-lhes uma dose suficiente de respeito próprio para que não abusem de drogas nem de álcool?

Há muito, os cientistas sociais vêm mostrando que as crianças adquirem um comportamento anti-social e delinqüente em virtude de problemas familiares — como conflito entre os pais, divórcio, ausência física ou afetiva de um pai, violência doméstica, descaso dos pais, abandono, abuso e pobreza. A solução, então, deveria ser construir casamentos melhores e assegurar aos pais o apoio sócio-econômico necessário para que cuidem bem dos filhos. O problema é que nossa sociedade parece estar caminhando na direção oposta.

Em 1950, apenas 4% das mulheres que se tornavam mães pela primeira vez eram descasadas. Hoje são cerca de 30%.[10] Enquanto a maioria das mães que hoje são descasadas acaba se casando, um elevado índice de divórcios — atualmente mais da metade dos casamentos realizados[11] — mantém elevado o número de lares onde só há mãe. No momento, são cerca de 28%,[12] com cerca de metade destas famílias vivendo na pobreza.*

Muitos filhos de casamentos desfeitos não recebem apoio financeiro nem emocional do pai. Números do censo americano de 1989 mostram que só pouco mais da metade das mães com direito a receber ajuda do estado para criar os filhos recebe a pensão integral. Um quarto recebe parte da pensão e um quinto nada recebe.[14] Um estudo de filhos de famílias desfeitas revelou que, dois anos após um divórcio, a maioria das crianças não via o pai há um ano.[15]

Um segundo casamento, se acontece, traz seus próprios problemas. O divórcio é mais comum no segundo do que no primeiro casamento. E

---

* Em 1970, apenas 13% das famílias brasileiras eram chefiadas por mulheres, índice que subiu para 20% em 1995. Ou seja, uma em cada cinco famílias é chefiada por mulher. No Rio de Janeiro, a proporção de mães descasadas sustentando a casa supera a média nacional, chegando a 25%. Como há mais mulheres que homens no país (o superávit é de 1,2 milhão de mulheres), é mais difícil que elas voltem a constituir família. Segundo a Pesquisa Nacional por Amostra de Domicílios do IBGE, as mulheres divorciadas têm quatro vezes menos chances de se casar de novo que os homens em igual condição. E as mães que entram no mercado de trabalho ganham menos que os homens. Na separação, considera-se que a família mãe-filhos fica 25% mais pobre quando o marido sai de casa, 35% mais pobre se ele sai de casa e sustenta nova mulher e 50% mais pobre se ele, além de sair de casa e sustentar nova mulher, tem filhos no segundo casamento.

ao mesmo tempo em que estudos mostram que um padrasto costuma contribuir com uma renda mais estável, o relacionamento com ele às vezes traz mais tensão, confusão e tristeza para a vida da criança. É mais comum padrastos e madrastas cometerem abusos contra crianças do que os pais naturais. Segundo um estudo realizado no Canadá, crianças em idade pré-escolar que vivem com padrastos ou madrastas são quarenta vezes mais sujeitas a sofrer violência física e sexual do que as que vivem com os pais biológicos.[16]

Uma criança que está sofrendo emocionalmente não deixa os problemas na porta da escola. Conseqüentemente, em todo o país, as escolas vêm acusando um aumento dramático de problemas de comportamento nesta última década. As escolas públicas — muitas já sem recursos devido a uma política antiimpostos — estão tendo que prestar um número cada vez maior de serviços sociais às crianças emocionalmente carentes. As escolas estão sendo, essencialmente, uma zona de proteção para uma quantidade cada vez maior de crianças machucadas por divórcio, pobreza e descaso. Conseqüentemente, há menos disponibilidade de fundos para a educação básica, uma tendência que se reflete na queda do rendimento escolar.

Além do mais, famílias de todos os tipos estão em tensão por causa de mudanças ocorridas na força de trabalho e na economia nas últimas décadas. O poder de compra do dinheiro vem caindo nestas duas últimas décadas, o que significa que as famílias às vezes sentem que precisam ganhar o dobro para sobreviver. Mais mulheres entraram na força de trabalho assalariada. E, para muitos casais, a troca de poder que ocorre quando o homem deixa de ser o único responsável pelo sustento da família gera mais tensão. Ao mesmo tempo, os patrões estão exigindo que os empregados produzam mais. Segundo Juliet Schor, catedrática de economia da universidade de Harvard, a família americana típica trabalha atualmente mais mil horas por ano do que há vinte e cinco anos.[17] Uma pesquisa revelou que o tempo livre dos americanos diminuiu um terço em relação à década de 70. Por isso, as pessoas dizem que estão gastando menos tempo em atividades básicas como dormir, comer e brincar com os filhos.[18] Entre 1960 e 1986, o tempo que os pais podiam passar com os filhos caiu em mais de dez horas por semana. Sem tempo, os americanos estão participando menos de atividades comunitárias e religiosas que sustentam a estrutura da família. E à medida que nossa sociedade se torna mais móvel, mudando de cidade por motivos econômicos, é cada vez maior o número de famílias que vive longe do apoio de parentes e amigos de longa data.

A principal conseqüência de todas essas mudanças sociais é que nossas crianças correm riscos cada vez maiores em termos de saúde e bem-estar. Enquanto isso, os sistemas de apoio que ajudam as famílias a proteger as crianças estão se enfraquecendo.

No entanto, como mostra este livro, como pais, estamos longe de ser impotentes. Minha pesquisa me diz que o que se deve fazer para poupar nossos filhos de muitos riscos é construir laços emocionais mais fortes com eles, ajudando-os assim a desenvolver um nível mais elevado de inteligência emocional. Há cada vez mais provas de que crianças capazes de sentir o amor e o apoio dos pais estão mais protegidas contra as ameaças da violência juvenil, o comportamento anti-social, o vício das drogas, a atividade sexual precoce, o suicídio na adolescência e outras doenças sociais. Estudos revelam que as crianças que se sentem respeitadas e valorizadas pela família têm melhor rendimento na escola, mais amigos e uma vida mais saudável e bem-sucedida.

Agora, com estudos mais profundos sobre a dinâmica das relações emocionais das famílias, estamos começando a entender como se dá este efeito protetor.

PREPARAÇÃO EMOCIONAL
COMO UM PASSO EVOLUTIVO

Como parte de nossa pesquisa sobre a vida emocional das famílias, pedimos que os pais nos falem de suas reações aos sentimentos negativos de seus filhos em idade pré-escolar. Como muitos pais, Mike nos diz que acha graça quando Becky, sua filha de quatro anos, fica irritada.

— Ela diz "Que se dane!" e vai saindo feito um projetinho de gente — conta ele. — É engraçadíssimo!

E de fato, em pelo menos um aspecto, a incongruência dessa menininha expressando uma emoção tão grande deve fazer muita gente achar graça. Mas imagine só o que aconteceria se Mike tivesse essa reação quando a esposa estivesse irritada. Ou se o patrão explodisse assim com ele quando estivesse de cabeça quente? Provavelmente Mike não acharia graça nenhuma. No entanto, muitos adultos não acham nada demais em rir de uma criancinha irritada. Muitos pais bem-intencionados ignoram os medos e preocupações dos filhos, como se isso não tivesse importância. "Não há nenhum motivo para você ter medo", dizemos a uma criança de cinco anos que acorda chorando de um pesadelo. "Então você não viu o que eu vi" — deveria ser a resposta. Mas essa criança começa a aceitar a avaliação que o adulto faz da situação em que ela se encontra e aprende a duvidar do próprio julgamento. Com os adultos constantemente invalidando seus sentimentos, ela perde a confiança em si mesma.

Assim, herdamos uma tradição de fazer pouco dos sentimentos da criança simplesmente porque ela é menor, menos racional, menos experiente e mais fraca que os adultos em volta dela. Levar a sério as emoções da criança exige empatia, capacidade de ouvir e vontade de ver as coisas pela ótica dela. Exige também uma dose de generosidade. Psicólogos comportamentais observaram que toda criança em idade pré-escolar costuma exigir que os responsáveis por ela lidem com algum tipo de necessidade ou desejo a uma taxa média de *três vezes por minuto*.[19] Em circunstâncias ideais, uma mãe ou um pai pode reagir com bom humor. Mas quando a pessoa está tensa ou com alguma outra preocupação na cabeça, as exigências incessantes e às vezes irracionais da criança podem levá-la à *loucura*.

E tem sido assim há séculos. Embora eu acredite que os pais sempre amaram seus filhos, há provas históricas revelando que, infelizmente, as gerações passadas não necessariamente reconheciam a necessidade de paciência, controle e carinho para lidar com as crianças. O psiquiatra Lloyd deMausse, em seu ensaio de 1974, "The Evolution of Childhood" [A evolução da infância], pinta um quadro assustador de descaso e crueldade enfrentado pelas crianças do mundo ocidental através dos séculos.[20] Seu trabalho mostra, no entanto, que, durante o século XIX e no início do século XX, a situação da criança foi melhorando progressivamente. A cada geração, os pais em geral foram atendendo mais as necessidades físicas, psicológicas e emocionais da criança. Como descreve deMausse, educar uma criança "tornou-se menos um processo de dominar a vontade da criança do que de treiná-la, orientá-la para o caminho certo, ensinando-a a adaptar-se e socializando-a".

Embora Sigmund Freud tenha, no início deste século, desenvolvido teorias afirmando que as crianças eram criaturas altamente sexualizadas e agressivas, mais tarde, a observação científica comprovou o contrário. A psicóloga social Lois Murphy, por exemplo, que realizou estudos com bebês e crianças em idade pré-escolar nos anos 30, mostrou que, por natureza, as criancinhas em geral têm bons sentimentos e se preocupam umas com as outras, particularmente com as que estão sofrendo.[21]

Com a difusão dessa crença na bondade intrínseca da criança, a partir da metade do século, houve uma mudança na concepção de educação de filhos, e a sociedade adotou o que deMausse chama de "modo de ajuda". Este é um período em que muitos pais estão abandonando os modelos rígidos e autoritários segundo os quais foram educados. Hoje cada vez mais pais acham que seu papel é ajudar os filhos a se desenvolverem de acordo com os próprios interesses, necessidades e desejos. Para isso, os pais estão adotando o que a teórica da psicologia Diana Baumrind chamou pela primeira vez de estilo de paternidade "com autoridade".[22] Enquanto a característica dos pais *autoritários* é impor muitos limites e esperar obediência estrita da criança sem lhe dar explicações, os pais "*com autoridade*" impõem limites, mas são consideravelmente mais flexíveis e dão muitas explicações e muito carinho aos filhos. Baumrind também descreve um terceiro estilo de paternidade que ela chama de *permissivo,* em que os pais são firmes e comunicativos com os filhos, mas impõem menos limites. Em estudos que fez sobre crianças em idade pré-escolar nos anos 70, Baumrind verificou que os filhos de pais *autoritários* costumavam ser mais conflitados e irritados, enquanto os filhos de pais *permissivos* eram impulsivos e agressivos, inseguros e pouco realizados. Mas os filhos de pais *com autoridade* tinham mais boa vontade, eram mais seguros, enérgicos, simpáticos e ambiciosos.

A passagem para esse estilo menos autoritário e mais sensível de paternidade foi impulsionada por um espantoso progresso em nossa compreensão da psicologia infantil e do comportamento das famílias nos últimos vinte e cinco anos. Os cientistas sociais descobriram, por exemplo, que, desde que nascem, os bebês têm uma incrível capacidade de absorver insinuações sociais e emocionais de seus pais. Agora sabemos que quando a pessoa que cuida de um bebê reage com sensibilidade às suas insinuações — acompanhando o seu olhar, "conversando" com ele e deixando-o descansar quando ele estiver excessivamente estimulado —, o bebê logo aprende a controlar as próprias emoções. Esses bebês continuam se excitando quando estimulados, porém conseguem voltar logo ao estado de tranqüilidade.

Estudos também mostraram que quando a pessoa que cuida do bebê não presta atenção às suas insinuações — como, digamos, uma mãe deprimida que não fala com o filhinho, ou um pai ansioso que faz o bebê se esforçar demais —, o bebê não desenvolve a mesma facilidade para controlar as emoções. Ele pode não aprender que seus balbucios chamam atenção, e ficar quieto e passivo, socialmente desligado. Ou, por estar sempre sendo estimulado, pode não ter chance de aprender que chupar o dedo e afagar a manta são boas maneiras de se acalmar.

Aprender a se acalmar e a focalizar a atenção são técnicas que vão ficando cada vez mais importantes à medida que o bebê amadurece. Em primeiro lugar, elas permitem que a criança fique atenta às insinuações sociais dos pais, babás e outras pessoas em seu ambiente. Quando aprende a se acalmar, a criança pode se concentrar para absorver novos conhecimentos e conseguir atingir objetivos específicos. E, à medida que a criança cresce, esse aprendizado é importantíssimo para que ela aprenda a emprestar os brinquedos, a fazer de conta, e o que mais for necessário para conseguir conviver com os colegas. Com o tempo, esse chamado "autocontrole" pode torná-la muito mais preparada para penetrar em outros grupos de brincadeira, fazer amigos e lidar com a rejeição quando os amiguinhos lhe viram as costas.

A consciência dessa ligação entre a sensibilidade dos pais e a inteligência emocional da criança vem aumentando nestas últimas duas ou três décadas. Surgiram muitos livros dizendo aos pais como é importante que eles dêem carinho e conforto aos bebês angustiados. Os pais são instados a adotar formas "positivas" de disciplina com seus filhos. Elogiá-los mais do que criticá-los. Recompensá-los mais do que puni-los, encorajar mais do que desencorajar. Essas teorias nos fizeram progredir muito, felizmente, em relação à época em que os pais aprendiam que é batendo que se educa. Agora sabemos que carinho, amor, otimismo e paciência são instrumentos muito mais eficazes do que a vara de marmelo para criar uma criança bem-educada e emocionalmente saudável.

No entanto, acredito que podemos avançar mais ainda nesse processo. Através de nosso trabalho em laboratórios de psicologia de família, agora podemos ver e aferir os benefícios da comunicação emocional sadia entre pais e filhos. Estamos começando a entender que as interações dos pais com os bebês podem afetar o sistema nervoso e a saúde emocional da criança pela vida afora. Agora sabemos que a força do relacionamento do casal afeta o bem-estar dos filhos, e podemos ver o imenso potencial de um relacionamento onde há mais envolvimento dos pais com os filhos. E, finalmente, podemos documentar que, para que a criança possa desenvolver sua inteligência emocional, é fundamental os pais perceberem seus próprios sentimentos. Nosso programa de treinamento da emoção — esboçado detalhadamente no Capítulo 3 — é nosso projeto para a paternidade baseado nesta pesquisa.

Grande parte da literatura popular sobre criação de filhos parece evitar a dimensão da inteligência emocional, mas não foi sempre assim. Por isso tenho de mencionar um importante psicólogo, professor e escritor que muito contribuiu para nossa compreensão da vida emocional das famílias. Trata-se de Haim Ginott, que escreveu três livros famosos nos anos 50 e 60, entre eles *Between Parent & Child* [Entre pai e filho],[23] antes de ser prematuramente levado pelo câncer em 1971.

Escrevendo muito antes da fusão das palavras "inteligência" e "emocional", Ginott acreditava que uma das maiores responsabilidades dos pais é escutar os filhos. Escutar não só o que eles dizem com palavras, como também os sentimentos por trás das palavras. Ele ensinou também que falar sobre as emoções pode ajudar os pais a transmitirem noções de valor aos filhos.

Mas para isso, os pais precisam demonstrar que verdadeiramente respeitam e compreendem os sentimentos dos filhos, mostra Ginott. A comunicação entre pais e filhos deve sempre preservar o amor-próprio de ambas as partes. As afirmações de compreensão devem preceder os conselhos. Ginott não encoraja os pais a dizer aos filhos como devem sentir-se porque isso só faz com que as crianças não confiem no que sentem. Ele diz que as emoções da criança não desaparecem quando os pais dizem "Não se sinta assim", nem quando dizem que nada justifica as emoções que ela está sentindo. Para Ginott, nem todo tipo de comportamento é aceitável, ao passo que todos os sentimentos e desejos são. Por conseguinte, os pais devem reprimir ações, porém não emoções e desejos.

Ao contrário de muitos educadores de pais, Ginott não desaprova que a pessoa se irrite com a criança. Na verdade, ele acha que os pais devem expressar honestamente sua irritação, desde que ela seja dirigida a um problema específico e não agrida a personalidade nem o caráter da criança. Se tiverem critério, os pais podem usar a raiva como um eficiente instrumento de disciplina, acredita Ginott.

A importância atribuída por Ginott à comunicação emocional com os filhos influenciou de modo marcante muitos autores, entre eles, Adele Faber e Elaine Mazlish, que foram suas alunas e escreveram livros importantes e práticos baseados no trabalho do mestre, dirigidos aos pais.[24]

Apesar destas contribuições, porém, as teorias de Ginott sobre a importância da emoção nunca passaram disso: teorias. Jamais foram comprovadas por uma metodologia científica sólida. Mas orgulho-me de dizer que, com a ajuda de meus colegas de pesquisa, posso fornecer as primeiras evidências mensuráveis para sugerir que as idéias de Ginott, em essência, estavam certas. Além de importante, a empatia é a base da paternidade competente.

COMO DESCOBRIMOS
A PREPARAÇÃO EMOCIONAL

Iniciamos nossos estudos em 1986 com 56 casais em Champaign, Illinois. Cada casal tinha um filho de quatro ou cinco anos na época. Membros de nossa equipe de pesquisa passaram 14 horas com cada família, aplicando questionários, fazendo entrevistas e observando. Reunimos informações ricas e profundas sobre o relacionamento de cada casal, o relacionamento de seus filhos com outras crianças da mesma idade e a concepção de emoção das famílias.

Numa sessão gravada, por exemplo, os casais falaram de suas experiências com emoção negativa, sua concepção do que é expressão e controle emocional e seus sentimentos a respeito da raiva e da tristeza de seus filhos. Estas entrevistas foram posteriormente codificadas para ajudar os pais a perceberem e controlarem as emoções e fazê-los reconhecer e treinar os sentimentos negativos dos filhos. Determinamos se estes pais demonstravam respeito pelos sentimentos dos filhos e como eles falavam com os filhos sobre a emoção quando os filhos estavam irritados. Tentavam ensinar à criança regras para a expressão adequada da emoção? Falavam de estratégias que a criança podia usar para se acalmar?

Para obter informações sobre a competência social da criança, foram feitas gravações de trinta minutos com cada criança brincando em casa com o melhor amigo. Os pesquisadores codificaram estas interações para mensurar as emoções negativas expressadas pela criança durante a sessão, bem como para qualificar o aspecto geral da brincadeira.

Em outra entrevista gravada, cada casal passava até três horas respondendo a perguntas sobre a história de seu casamento. Como se conheceram? Como foi o período de namoro? Como decidiram casar-se? Como evoluiu o relacionamento ao longo do tempo? Os casais eram estimulados a falar sobre sua concepção de casamento e sobre o que julgavam necessário fazer para o casamento dar certo. Essas gravações foram então codificadas para aferição de vários fatores, entre eles a freqüência das demonstrações de carinho ou agressividade entre o casal, de seus discursos de união e de separação, e o grau de importância que atribuíam aos apertos que enfrentaram juntos.

Embora essas entrevistas e observações sejam importantes para entendermos estas famílias, os aspectos mais singulares de nossa pesquisa envolveram a coleta de dados sobre os efeitos fisiológicos provocados pelas reações emotivas das pessoas estudadas. Nosso objetivo era mensurar como o sistema nervoso "autônomo", ou involuntário, reagia à emoção. Por exemplo, pedíamos a cada família que colhesse amostras de urina de seus filhos num período de 24 horas. Analisavam-se então as amostras para ver se se detectavam vestígios de hormônios associados com estresse. Outras mensurações do sistema nervoso autônomo eram feitas em nossos laboratórios onde podíamos monitorar o ritmo cardíaco, a respiração, a pressão arterial, a atividade motora dos participantes e o quanto eles suavam nas mãos.

O estudo destes processos fisiológicos e a observação das famílias fornecem dados mais objetivos do que os que se obtêm através de questionários, entrevistas e observação. É difícil, por motivos óbvios, fazer os pais responderem honestamente a perguntas como "Com que freqüência vocês criticam duramente seus filhos?". E mesmo quando os cientistas sociais observam os hábitos de seus voluntários sem que eles percebam, usando artifícios como vidros com uma face espelhada e a outra transparente, é difícil determinar o quanto o comportamento de uma pessoa afeta os sentimentos da outra. Acompanhar as reações autônomas ao estresse é muito mais fácil. Eletrodos semelhantes a um estetoscópio presos ao peito podem monitorar os batimentos cardíacos. Medindo a eletricidade conduzida através do sal na transpiração, outros eletrodos podem também detectar se a pessoa está suando nas mãos. Esta tecnologia é considerada bastante confiável. De fato, a polícia costuma usá-la para testes com o "detetor de mentiras". Os policiais levam, porém, uma vantagem sobre os pesquisadores da família: os indivíduos estudados por eles podem ser intimidados a ficar quietos. Trabalhar com crianças de quatro e cinco anos exige medidas mais astuciosas. Por isso construímos uma cápsula espacial para as crianças que participaram de uma de nossas principais experiências. As crianças vestiram trajes espaciais e entraram engatinhando na cápsula, onde foram ligadas a vários eletrodos para que pudéssemos medir suas respostas fisiológicas a atividades destinadas a provocar emoção. Passamos para elas clipes de filmes como a cena do "macaco voador" do *Mágico de Oz,* por exemplo. Também convidamos os pais a ficarem por perto e ensinarem aos filhos um novo vídeo game. Com participantes tão "cativos" foi possível gravar as sessões de pesquisa em vídeo para que pudéssemos observar sistematicamente e codificar as palavras, atos e expressões faciais de cada membro da família, considerando fatores como conteúdo verbal, tom de voz e gestos.

Usamos esse mesmo tipo de equipamento (exceto o motivo espacial) para monitorar outro conjunto de sessões que media as respostas fisiológicas e comportamentais dos pais das crianças enquanto discutiam tópicos altamente polêmicos como dinheiro, religião, sogros e cunhados e educação de filhos. Estas sessões de interação conjugal foram codificadas quanto a expressões positivas (humor, afeição, confirmação, interesse e alegria) e negativas (raiva, nojo, desprezo, tristeza, obstrucionismo, etc.).

Para descobrir o efeito provocado nos filhos pelos diferentes estilos de paternidade, revisitamos as famílias de nosso estudo de 1986 três anos depois. Conseguimos entrar em contato com 95% dos participantes do estudo quando seus filhos estavam com sete ou oito anos. Gravamos novamente uma sessão de brincadeira, agora entre cada criança e o(a) melhor amigo(a). Pediu-se às professoras que respondessem a um questionário sobre o nível de agressão, retração e competência social da criança em sala de aula. Paralelamente, as professoras e as mães responderam a uma pesquisa sobre o rendimento escolar e o comportamento. Cada mãe forneceu informações sobre a saúde de seu filho, bem como monitorou e relatou o número de emoções negativas manifestadas pela criança durante uma semana.

Reunimos também informações sobre o relacionamento dos casais. Os pais nos contaram em entrevistas telefônicas se porventura haviam-se separado ou divorciado naqueles três anos, ou se chegaram a pensar seriamente em separação ou divórcio. Em questionários aplicados individualmente, cada pai e cada mãe nos disse também se estava ou não satisfeito com o casamento.

Esse estudo de acompanhamento nos mostrou que, de fato, os filhos de pais preparadores emocionais estavam melhor em termos de rendimento escolar, sociabilidade, bem-estar emocional e saúde. Até em testes de QI, faziam mais pontos em matemática e leitura. Relacionavam-se melhor com os amigos, eram mais sociáveis e, segundo suas mães, tinham mais emoções positivas do que negativas. Diversos outros quesitos mensurados também indicaram que as crianças emocionalmente treinadas eram menos estressadas. Por exemplo, em sua urina encontravam-se menos hormônios associados ao estresse. Tinham um ritmo cardíaco mais calmo. E, segundo suas mães, eram menos sujeitas a doenças contagiosas, como gripes e resfriados.

PREPARO EMOCIONAL E AUTOCONTROLE

Grande parte dos resultados positivos que verificamos nestas crianças de sete e oito anos inteligentes e com preparo emocional se devem a uma característica que chamamos de "alta tonicidade do vago". Vago é um grande nervo que se origina no cérebro e fornece impulsos para funções da parte superior do corpo, entre elas o ritmo cardíaco, a respiração e a digestão. O nervo vago é responsável por muitas funções do ramo "parassimpático" do sistema nervoso autônomo. Enquanto o ramo "simpático" acelera funções como o ritmo cardíaco e a respiração quando o indivíduo está sob tensão, o ramo parassimpático age como regulador, freando estas funções, impedindo que o corpo se acelere demais.

Usamos o termo "tonicidade do vago" para descrever a capacidade que a pessoa tem de regular os processos fisiológicos involuntários do sistema nervoso automático. Assim como crianças com "boa tonicidade muscular" saem-se bem nos esportes, crianças com "alta tonicidade do vago" reagem e se recuperam bem do estresse emocional. O ritmo cardíaco destes atletas autônomos se acelera temporariamente em resposta a algum alarme ou excitação, por exemplo. Mas, passada a excitação, eles conseguem equilibrar rapidamente suas funções físicas. Estas crianças sabem se acalmar, focalizar a atenção e inibir a ação quando necessário.

Crianças do primeiro ano do primeiro grau com alta tonicidade do vago não teriam problemas durante um exercício de incêndio, por exemplo. Seriam capazes de deixar tudo e evacuar a escola de maneira ordeira e eficiente. Terminado o exercício, estas crianças teriam a capacidade de se acalmar e se concentrar numa aula de matemática com bastante tranqüilidade. Crianças com baixa tonicidade do vago, por outro lado, seriam mais propensas a se confundir durante o exercício. ("O quê? Sair agora? Nem está na hora do recreio.") Depois, ao voltarem para a sala de aula, elas teriam dificuldade de controlar-se e concentrar-se novamente nos estudos.

Em nossa experiência com *video game*, as crianças emocionalmente preparadas pelos pais demonstraram que eram de fato os atletas autônomos de nossa amostragem. Quando comparadas com crianças sem preparo emocional, demonstraram mais reações fisiológicas ao estresse, seguidas por uma recuperação mais rápida. Ironicamente, as coisas que costumavam provocar estresse nestas crianças eram crítica e escárnio dos pais, o que não é muito comum nestas famílias treinadoras da emoção. Talvez por isso mesmo as crianças tivessem reações tão fortes. No entanto, as crianças com preparo emocional se recuperaram do estresse muito mais rápido do que as outras em nossa amostragem, embora, no primeiro momento, suas reações fisiológicas à situação de tensão fossem muito mais fortes.

A capacidade de reagir e se recuperar do estresse pode ser muito útil à criança durante a infância e pela vida afora. Essa capacidade é uma dimensão da inteligência emocional que lhe permite focalizar a atenção e concentrar-se no trabalho escolar. E, por dar à criança a sensibilidade emocional e o autocontrole necessário para relacionar-se com outras crianças, é útil também no desenvolvimento das amizades. Crianças com alta tonicidade do vago pegam as coisas rápido, reparando e reagindo a insinuações emocionais de outras crianças. E conseguem controlar as reações negativas em situações conflituosas.

Essas qualidades foram evidenciadas numa das sessões de meia hora de brincadeira que gravamos com duas crianças de quatro anos como parte de nossa pesquisa. As crianças — um menino e uma menina — começaram a brigar porque o menino queria brincar de Super-homem e a menina, de casinha. Após uma discussão exaltada em que cada um vociferava para expressar o que desejava, o menino se acalmou e sugeriu uma solução de meio-termo simples: fingir que estavam na casa do Super-homem. A menina achou a idéia ótima e os dois desempacaram para aproveitar uma sessão criativa de faz-de-conta durante a meia hora seguinte.

Soluções de meio-termo criativas como esta entre duas crianças de quatro anos exigem muitas qualidades sociais, inclusive a capacidade de escutar o que o outro diz, compreender sua posição, resolver os problemas em parceria. Mas, com a preparação emocional, a criança adquire muito mais do que essas qualidades sociais para englobar uma definição mais ampla de inteligência emocional. Isso é demonstrado mais tarde na terceira infância (dos 8 aos 12 anos), quando a aceitação no meio dos colegas às vezes é medida pela capacidade da criança de conservar a "cabeça fria" e o equilíbrio emocional em situações complicadas. Psicólogos observaram que expressar os sentimentos, como fazem pais e filhos que trabalham a emoção, pode na verdade ser um problema para a criança nesta faixa etária. Mas o que importa é a capacidade da criança de observar, captar insinuações sociais que lhe permitirão assimilar sem chamar muita atenção para si mesma. O que descobrimos em nossa pesquisa foi que as crianças que são emocionalmente trabalhadas desde cedo de fato desenvolvem esse tipo de qualidade social, o que as ajuda a serem aceitas por seus pares e a fazer amizades.

A inteligência emocional da criança é determinada até certo ponto pelo temperamento — isto é, os traços de personalidade com os quais se nasce —, mas ela também é moldada pelas interações da criança com os pais. Essa influência começa nos primeiros dias de vida, quando o sistema nervoso imaturo da criança está se formando. A experiência que a criança tem com a emoção enquanto seu sistema nervoso parassimpático ainda está em formação pode ser muito importante para o desenvolvimento do tônus do seu vago — e, por conseguinte, para seu bem-estar emocional — no futuro.

Os pais têm uma excelente oportunidade, portanto, para influenciar a inteligência emocional dos filhos ajudando-os desde o berço a aprender técnicas calmantes de comportamento. Por mais indefeso que seja um bebê, ele é capaz de ver, pelo modo como reagimos ao seu desconforto, que a emoção tem direção; que é possível passar de um estado de intensa agonia, raiva e medo a um estado de conforto e recuperação. Os bebês cujas necessidades emocionais não são levadas em conta, por outro lado, não têm a oportunidade de aprender isto. Quando choram de medo, tristeza ou irritação, apenas ficam mais assustados, tristes e irritados ainda. Conseqüentemente, podem se tornar passivos, passando a maior parte do tempo sem se expressar. Mas quando realmente se irritam, carecem totalmente de senso de controle. Ninguém jamais lhes ensinou como passar da agonia ao conforto, portanto não podem se acalmar. Só conseguem ficar sentindo a emoção negativa como um buraco negro de ansiedade e medo.

É interessante observar uma criança emocionalmente trabalhada ir aos poucos absorvendo as reações tranqüilizadoras das pessoas que cuidam dela. Talvez você já tenha reparado isso em seu filho quando ele está brincando. Seja brincando de faz-de-conta com um amiguinho de verdade, uma boneca ou um "boneco de ação", a criança sempre fantasia situações em que um personagem está assustado e o outro faz o papel do tranqüilizador, do confortador ou do herói. Esta brincadeira lhe dá a experiência que ela evoca quando está sozinha e perturbada. Ajuda-a a estabelecer e seguir uma fórmula para regular a emoção e se acalmar. Ajuda-a a interagir com outras crianças de forma emocionalmente inteligente.

A primeira providência que os pais podem tomar para criar filhos emocionalmente inteligentes é compreender seu próprio estilo de lidar com a emoção e o modo como este estilo afeta seus filhos. Este é o tema do Capítulo 2.

CAPÍTULO 2

AVALIANDO SEU ESTILO PARENTAL

O CONCEITO DE PREPARAÇÃO emocional é simples. Baseia-se no bom senso e origina-se de nossos sentimentos mais profundos de amor e empatia por nossos filhos. Infelizmente, porém, a técnica da preparação emocional não é coisa que os pais aprendem a usar automaticamente apenas porque amam seus filhos. Nem que adquirem naturalmente quando decidem ter uma atitude positiva e carinhosa para com eles. O treinamento da emoção é antes uma arte que requer percepção emocional e um conjunto específico de atitudes de ouvir e resolver problemas — atitudes que meus colegas e eu identificamos e analisamos ao observar famílias saudáveis e bem estruturadas, famílias que poderiam ser classificadas de emocionalmente inteligentes.

Creio que quase toda mãe e quase todo pai pode vir a ser um preparador emocional, mas também sei que primeiro muitos pais precisam superar certos obstáculos. Alguns deles podem ter sido causados pela maneira como era tratada a emoção na casa de seus pais. Ou pode ser que os pais não consigam ouvir os filhos. Seja por que for, estes obstáculos podem impedir que a pessoa seja aquele tipo de pai ou mãe forte e confiável que ela deseja ser.

O ponto de partida para quem quer se tornar um pai ou uma mãe melhor — como para quase todos os projetos de crescimento e domínio pessoal — é um exame de consciência. É aí que a pesquisa que estamos realizando em laboratórios de família pode ajudar. Obviamente, não podemos oferecer a cada família o tipo de análise profunda que fizemos com as famílias em nossos estudos. Mas podemos oferecer o teste abaixo para ajudar você a avaliar o tipo de pai ou mãe que você é. E, no final do teste, você vai encontrar descrições profundas dos quatro estilos parentais distintos que nossa pesquisa revelou. Aí lhe diremos como os diferentes estilos afetaram as crianças que estudamos.

UM TESTE: QUE TIPO DE PAI OU MÃE É VOCÊ?

Este teste contém perguntas sobre seus sentimentos relativos à tristeza, ao medo e à raiva — em você e em seus filhos. Para cada item, marque a resposta mais de acordo com o que você sente. Na dúvida, escolha a resposta que lhe parecer mais plausível. Embora este teste exija que você responda a muitas perguntas, tente fazê-lo até o fim. A extensão do modelo nos garante cobrir a maioria dos aspectos de cada estilo parental.

V = Verdadeiro   **F** = Falso

1. Criança realmente quase não tem motivo para ficar triste. **V   F**

2. Acho que raiva não tem nada de mau, contanto que seja controlada. **V   F**

3. Quando a criança faz manha, em geral só está querendo que os adultos fiquem com pena dela. **V   F**

4. A raiva da criança merece uma folga. **V   F**

5. Quando faz manha, meu filho fica uma verdadeira peste. **V   F**

6. Quando meu filho está triste, espera que eu conserte o mundo e o deixe perfeito. **V   F**

7. Eu realmente não tenho tempo para tristeza na vida. **V   F.**

8. A ira é um estado perigoso. **V   F**

9. Se a gente ignora a tristeza da criança, ela acaba passando. **V   F**

10. Raiva em geral quer dizer agressão. **V   F**

11. Criança costuma fazer manha para conseguir o que quer. **V   F**

12. Acho que tristeza não tem nada de mau, contanto que seja controlada. **V   F**

13. Tristeza é uma coisa que a gente tem que superar, esquecer e não ficar remoendo. **V   F**

14. Não me importo de lidar com tristeza de criança, desde que não dure muito. **V   F**

15. Prefiro uma criança feliz a uma excessivamente emotiva. **V   F**

16. Quando meu filho está triste, é hora de resolver problemas. **V   F**

17. Ajudo meus filhos a superarem logo as tristezas para que possam se dedicar a coisas melhores. **V   F**

18. Não acho que quando a criança está triste seja uma oportunidade para lhe ensinar alguma coisa. **V   F**

19. Acho que quando a criança está triste, ela está dando uma ênfase exagerada ao lado negativo da vida. **V   F**

20. Quando minha filha fica brava, ela vira uma peste. **V   F**

21. Imponho limites à raiva de minha filha. **V   F**

22. Quando meu filho faz manha, é para chamar atenção. **V   F**

23. A raiva é uma emoção que vale a pena explorar. **V   F**

24. Muito da raiva da criança é conseqüência de sua imaturidade e falta de discernimento. **V   F**

25. Tento transformar a irritação de meu filho em animação. **V** **F**

26. Você deve expressar a raiva que sente. **V** **F**

27. Quando minha filha está triste, é uma oportunidade de aproximação. **V** **F**

28. Criança realmente quase não tem motivo para ficar irritada. **V** **F**

29. Quando meu filho está triste, tento ajudá-lo a investigar as causas de sua tristeza. **V** **F**

30. Quando meu filho está triste, me mostro compreensiva. **V** **F**

31. Quero que meu filho vivencie a tristeza. **V** **F**

32. O importante é descobrir por que a criança está triste. **V** **F**

33. A infância é uma época de alegria, não uma época para sentir tristeza nem irritação. **V** **F**

34. Quando minha filha está triste, a gente senta e conversa sobre a tristeza. **V** **F**

35. Quando meu filho está triste, tento ajudá-lo a descobrir por que ele está com aquela sensação. **V** **F**

36. Quando meu filho está irritado, é uma oportunidade de aproximação. **V** **F**

37. Quando meu filho está irritado, dedico um pouco de tempo a ele e a vivenciar este sentimento. **V** **F**.

38. Quero que meu filho vivencie a ira. **V** **F**

39. Acho que às vezes é bom a criança sentir raiva. **V** **F**

40. O importante é descobrir por que a criança está irritada. **V** **F**

41. Quando ela fica triste, digo que é melhor ela não desenvolver o mau gênio. **V** **F**

42. Quando meu filho está triste, tenho medo de que ele desenvolva uma personalidade negativa. **V   F**

43. Não estou tentando ensinar a meu filho nada em particular sobre a tristeza. **V   F**

44. Se há uma lição que eu possa dar sobre a tristeza, é que não há nada de mau em expressá-la. **V   F**

45. Não sei se se pode fazer alguma coisa para mudar a tristeza. **V   F**

46. Não há nada que se possa fazer por uma criança triste além de lhe oferecer consolo. **V   F**

47. Quando meu filho está triste, tento mostrar-lhe que o amo em qualquer condição. **V   F**

48. Quando minha filha está triste, não sei bem o que ela quer que eu faça. **V   F**

49. Não estou tentando verdadeiramente ensinar a meu filho nada em particular sobre a raiva.
V   F

50. Se há uma lição que eu possa dar sobre a raiva, é que não há nada de mau em expressá-la. **V   F**

51. Quando meu filho está irritado, tento entender seu estado de espírito. **V   F**

52. Quando minha filha está irritada, tento mostrar-lhe que a amo em qualquer condição. **V   F**

53. Quando meu filho está irritado, não sei bem o que ele quer que eu faça. **V   F**

54. Meu filho tem mau gênio e isso me preocupa.
V   F

55. Acho que é errado uma criança manifestar raiva.
V   F

56. Quem tem raiva não tem controle. **V   F**

57. Uma criança manifestando a raiva é a mesma coisa que um ataque de mau gênio. **V   F**

58. A criança se irrita para fazer o que quer. **V   F**

59. Quando meu filho se irrita, tenho medo de suas tendências destrutivas. **V   F**

60. Se você permite que a criança se irrite, ela vai pensar que sempre vai poder fazer o que quer. **V   F**

61. A criança irritada está sendo desrespeitosa. **V   F**

62. Criança é muito engraçada quando fica irritada. **V   F**

63. A raiva em geral atrapalha meu discernimento e eu faço coisas das quais me arrependo. **V   F**

64. Quando meu filho está irritado, é hora de resolver um problema. **V   F**

65. Quando meu filho fica irritado, acho que é hora de lhe dar umas palmadas. **V   F**

66. Quando meu filho fica irritado, meu objetivo é fazê-lo parar. **V   F**

67. Não dou muita bola para raiva de criança. **V   F**

68. Quando meu filho está irritado, em geral não levo a coisa muito a sério. **V   F**

69. Quando estou irritada, sinto como se fosse explodir. **V   F**

70. A raiva não leva a lugar nenhum. **V   F**

71. É excitante para a criança manifestar raiva. **V   F**

72. A raiva da criança é importante. **V   F**

73. A criança tem o direito de sentir raiva. **V   F**

74. Quando minha filha está brava, eu simplesmente descubro o que a está deixando brava. **V   F**

75. É importante ajudar a criança a descobrir o que a irritou. **V   F**

76. Quando minha filha se irrita comigo, penso: "Não estou querendo ouvir isso". **V   F**

77. Quando meu filho está irritado, penso: "Se ao menos ele tivesse jogo de cintura...". **V   F**

78. Quando minha filha está irritada, penso: "Por que ela não pode aceitar as coisas como elas são?". **V   F**

79. Quero que meu filho fique com raiva, para se defender. **V   F**

80. Não dou muita bola para a tristeza do meu filho. **V F**

81. Quando minha filha está irritada, quero saber o que ela está pensando. **V   F**

Como interpretar suas respostas

Simplista:

Some o número de vezes que você respondeu "verdadeiro" entre os itens: 1, 2, 6, 7, 9, 12, 13, 14, 15, 17, 18, 19, 24, 25, 28, 33, 43, 62, 66, 67, 68, 76, 77, 78, 80.

Divida o total por 25. Este é seu coeficiente *Simplista.*

Desaprovador:

Some o número de vezes que você respondeu "verdadeiro" entre os itens: 3, 4, 5, 8, 10, 11, 20, 21, 22, 41, 42, 54, 55, 56, 57, 58, 59, 60, 61, 63, 65, 69, 70.

Divida o total por 23. Este é seu coeficiente *Desaprovador.*

Laissez-Faire:

Some o número de vezes que você respondeu "verdadeiro" entre os itens: 26, 44, 45, 46, 47, 48, 49, 50, 52, 53.

Divida o total por 10. Este é seu coeficiente *Laissez-Faire.*

Preparador Emocional:

Some o número de vezes que você respondeu "verda-deiro" entre os itens: 16, 23, 27, 29, 30, 31, 32, 34, 35, 36, 37, 38, 39, 40, 51, 64, 71, 72, 73, 74, 75, 79, 81.

Divida o total por 23. Este é seu coeficiente de *Preparador emocional.*

Agora compare seus quatro coeficientes. O mais alto indica sua tendência dominante. Olhe então para a lista a seguir que resume as características básicas de cada estilo e explica como cada um afeta a criança.

Após a lista, você encontrará descrições mais aprofundadas de cada um dos estilos. Estes perfis foram extraídos de nossas "entrevistas metae-mocionais" com pais de crianças entre quatro e cinco anos e de relatos de pais e mães em grupos de pais que dirigi baseado nestas pesquisas. Enquanto lê, pense em interações com seus filhos, anotando aquelas que lhe parecerem semelhantes ou diferentes de seu estilo parental. Você pode também desejar pensar em suas experiências infantis com seus pais. Estas lembranças podem ajudar você a avaliar seus pontos fracos e fortes como mãe ou pai. Pense no modo como eram percebidas as emoções em sua casa. Como sua família encarava a emoção? Tratava os momentos de tristeza e irritação como acontecimentos naturais? A família parava para ouvir um membro que estivesse infeliz, com medo ou irritado? As pessoas aproveitavam momentos assim para manifestar que se apoiavam mutua-mente, para oferecer orientação e ajudar umas às outras a resolver problemas? Ou se considerava sempre a raiva destrutiva, o medo covardia e a tristeza manifestação de autopiedade? Os sentimentos eram escondidos ou descartados simplistamente como improdutivos, frívolos, perigosos ou autocomplacentes?

Lembre-se de que muitas famílias encaram a emoção de uma forma ambígua, ou seja, sua atitude em relação à expressão emocional pode variar dependendo da emoção que estiver sendo expressada. Os pais podem achar, por exemplo, que, uma vez ou outra, a tristeza é aceitável, mas as expressões de raiva são inadequadas ou perigosas. Por outro lado, podem aceitar a cólera dos filhos por nela verem uma atitude "afirmativa", mas considerar que medo e tristeza são covardia e criancice. Além disso, a família pode ter padrões diferentes para cada um de seus membros. Algumas, por exemplo, aceitam um filho com mau gênio e uma filha depressiva, porém não o contrário.

Se, após ler sobre os diferentes estilos parentais, você identificar aspectos de seu relacionamento com seu filho que deseja mudar, provavelmente vai se interessar pelos conselhos do Capítulo 3. Este capítulo oferece informações detalhadas sobre os cinco passos que constituem o trabalho de preparação emocional.

Quatro Estilos Parentais
OS PAIS SIMPLISTAS

- não dão importância aos sentimentos da criança;
- ignoram os sentimentos da criança;
- querem que as emoções negativas da criança desapareçam logo;
- costumam tentar distrair a criança para fazê-la esquecer as emoções;
- são capazes de ridicularizar ou fazer pouco das emoções da criança;
- acham que os sentimentos da criança são irracionais e, portanto, não contam;
- demonstram pouco interesse no que a criança está tentando comunicar;
- podem ser incapazes de perceber as próprias emoções e as dos outros;
- sentem-se constrangidos, assustados, ansiosos, aborrecidos, magoados ou espantados com as emoções da criança;
- temem descontrolar-se emocionalmente;
- dão mais importância à superação que ao significado das emoções;
- acham que as emoções negativas são prejudiciais ou "tóxicas";
- acham que ficar pensando nas emoções negativas só vai "piorar as coisas";
- não sabem o que fazer com as emoções da criança;
- vêem as emoções da criança como uma exigência para "consertar" as coisas;
- acham que as emoções negativas mostram que a criança está desajustada;

- acham que as emoções negativas da criança depõem contra seus pais;
- minimizam os sentimentos da criança, desmerecendo os acontecimentos que causaram a emoção;
- não tentam resolver o problema com a criança; acham que os problemas se resolvem com o tempo.

Efeitos deste estilo sobre a criança: Ela aprende que seus sentimentos são errados, impróprios, inadequados. Pode aprender que há algo intrinsecamente errado com ela por causa do que ela sente. Pode ter dificuldade em regular as próprias emoções.

OS PAIS DESAPROVADORES

- demonstram muitas das atitudes dos pais simplistas, mas de uma forma mais negativa;
- julgam e criticam a expressão emocional da criança;
- estão preocupados demais com a necessidade de controlar os filhos;
- enfatizam a obediência a bons padrões de comportamento;
- repreendem, disciplinam ou castigam a criança por manifestações de emoção, esteja a criança agindo mal ou não;
- acham que a manifestação de emoções negativas deve ter limite de tempo;
- acham que as emoções negativas precisam ser "controladas";
- acham que as emoções negativas refletem deficiência de caráter;
- acham que a criança usa emoções negativas para manipular; isso provoca disputa pelo poder;
- acham que as emoções enfraquecem as pessoas; as crianças precisam ser emocionalmente fortes para sobreviver;
- acham que as emoções negativas são improdutivas, uma perda de tempo;
- vêem as emoções negativas (especialmente a tristeza) como um bem a ser poupado;
- preocupam-se bastante com a obediência da criança à autoridade.

Efeitos deste estilo sobre a criança: Os mesmos que os do estilo Simplista.

OS PAIS *LAISSEZ-FAIRE*

- aceitam livremente qualquer expressão de emoção por parte da criança;
- reconfortam a criança que esteja experimentando sentimentos negativos;
- quase não procuram orientar o comportamento da criança;
- não orientam a criança sobre as emoções;
- são permissivos, não impõem limites;
- não ajudam a criança a resolver problemas;
- não ensinam à criança métodos para solucionar problemas;
- acham que pouco se pode fazer a respeito das emoções negativas, a não ser afastá-las;
- acham que administrar emoções negativas é uma questão de hidráulica; basta liberar a emoção.

Efeitos deste estilo sobre a criança: Ela não aprende a regular as emoções; tem dificuldade de se concentrar, de fazer amizades, de se relacionar com outras crianças.

OS PREPARADORES EMOCIONAIS

- vêem nas emoções negativas uma oportunidade de intimidade;
- são capazes de perder tempo com uma criança triste, irritada ou assustada; não se impacientam com a emoção;
- percebem e valorizam as próprias emoções;
- vêem nas emoções negativas uma oportunidade importante para agirem como educadores;
- são sensíveis aos estados emocionais da criança, mesmo os sutis;
- não ficam confusos nem ansiosos com a expressão de emoção da criança; sabem o que precisa ser feito;
- respeitam as emoções da criança;
- não ridicularizam nem fazem pouco das emoções negativas da criança;
- não dizem como a criança "deve" se sentir;
- não sentem que precisam resolver todos os problemas para a criança;

- usam os momentos de emoção para:
— escutar a criança;
— demonstrar empatia com palavras tranqüilizadoras e afeição;
— ajudar a criança a nomear a emoção que ela está sentindo;
— orientar na regulamentação das emoções;
— impor limites e ensinar manifestações aceitáveis da emoção;
— ensinar técnicas de solução de problemas.

Efeitos deste estilo sobre a criança: Ela aprende a confiar em seus sentimentos, regular as próprias emoções e resolver problemas. Tem auto-estima elevada, facilidade de aprender e de se relacionar com as pessoas.

OS PAIS SIMPLISTAS

Robert provavelmente se surpreenderia ao ver-se enquadrado na categoria de pai simplista. Afinal, em entrevistas com nossa equipe de pesquisa, ficou evidente que ele adora a filha Jessica e passa bastante tempo com ela. Quando ela está triste, ele faz o que pode para "mimá-la", diz.

— Ponho-a no colo e pergunto se ela está precisando de alguma coisa. "Quer ver televisão? Posso pegar um filme para você? Quer ir brincar lá fora?" Eu trabalho com ela para ver se posso consertar alguma coisa.

Uma coisa que Robert não faz, no entanto, é confrontar a tristeza de sua filha diretamente. Ele não faz perguntas como "Como você está se sentindo, Jessica? Você está meio triste hoje?". Porque ele acredita que focalizar sentimentos inconfortáveis é o mesmo que regar uma erva daninha. Serve apenas para deixá-la mais viçosa e perniciosa. Como muitos pais, Robert teme que sentimentos de raiva ou tristeza possam tomar conta de nossa vida; coisa que ele não deseja para si, e coisa que certamente não deseja para sua querida filha.

Tanto em minha pesquisa quanto no dia-a-dia, observo inúmeros pais simplistas como Robert. Talvez o exemplo mais falado recentemente seja o da mãe de Jessica Dubroff, a menina de sete anos cujo monomotor Cessna caiu em abril de 1996, quando ela tentava ser a mais jovem aviadora a atravessar os Estados Unidos. Segundo o *New York Times,* a mãe de Jessica não permitia que a filha usasse palavras negativas como "medo" e "tristeza".

— As crianças são destemidas — disse ela aos repórteres. — Este é o estado natural delas até os adultos começarem a lhes incutir medo.

Após o acidente fatal com Jessica, sua mãe fez a seguinte declaração à revista *Time:*

— Sei o que as pessoas querem. Lágrimas. Mas não vou chorar. A emoção é antinatural. É uma coisa meio suspeita.

Se era Jessica ou seu instrutor de vôo que estava pilotando quando o avião caiu após entrar numa tempestade em Wyoming, talvez nunca fique provado. Mas talvez se a menina se sentisse livre para expressar seus medos — uma emoção que impediu que pilotos experientes decolassem durante essa mesma tempestade —, os adultos em torno de Jessica poderiam ter questionado a sensatez de seus atos e desistido daquela tentativa. Talvez a tragédia pudesse ter sido evitada.

Não admitir sentimentos negativos é um padrão de comportamento que muitos pais simplistas aprenderam na infância. Alguns, como Jim, foram criados em lares violentos. Jim se lembra das brigas de seus pais trinta anos atrás e de como ele e os irmãos iam cada um para o seu quarto, quietinhos, fazendo força para agüentar aquilo. Nunca foram autorizados a falar sobre o problema dos pais ou do que estavam sentindo, pois, se o fizessem, podiam provocar mais ainda a cólera do pai. E agora que está casado e tem seus filhos, Jim continua a fugir sempre que há um indício de conflito ou sofrimento emocional. Está até com dificuldade de falar com o filho de seis anos sobre problemas que o menino vem tendo na escola com um fanfarrão que se mete com ele. Jim gostaria de se aproximar mais do filho, ouvir seus problemas e ajudá-lo a encontrar soluções, mas tem pouca prática de falar sobre assuntos do coração. Por conseguinte, raramente inicia este tipo de conversa, e o filho, sentindo o desconforto do pai, também evita o assunto.

Adultos criados por pais carentes ou relapsos também podem ter dificuldade para enfrentar as emoções dos filhos. Acostumados a fazer o papel de bombeiro desde pequenos, estes pais assumem a responsabilidade de "consertar" todos os problemas dos filhos, desfazer todas as injustiças. Este é um trabalho sobre-humano que logo se torna massacrante; os pais passam a não enxergar as coisas de que os filhos realmente precisam. Uma mãe em nossos estudos, por exemplo, estava estarrecida e arrasada com sua incapacidade de consolar o filho que tinha quebrado o tratorzinho predileto. Se não podia consertar o brinquedo —

isto é, tornar o mundo novamente perfeito para ele —, ela não sabia como ajudá-lo naquela tristeza. Daquela tristeza, ela só ouvia a exigência de que devia tornar o mundo melhor. Não ouvia a carência de conforto e de compreensão do menino.

Com o tempo, pais deste tipo podem começar a considerar todas as manifestações de tristeza e irritação dos filhos como exigências impossíveis. Sentindo-se frustrados ou manipulados, estes pais reagem desconsiderando ou minimizando a agonia da criança. Tentam diminuir o tamanho do problema, encapsulá-lo e deixá-lo de lado para que possa ser esquecido.

— Se Jeremy entra e diz que um de seus amigos pegou o brinquedo dele, eu apenas digo: "Bom, não se preocupe, ele vai devolver" — explica Tom, um pai que estudamos. — Ou se ele diz "esse garoto me bateu", eu digo: "Deve ter sido sem querer."... Quero que ele aprenda a ter jogo de cintura e a levar a vida dele.

A mãe de Jeremy, Mariann, diz que tem uma atitude semelhante em relação à tristeza do filho.

— Dou sorvete para ele ficar mais contente e esquecer o problema — diz ela.

Mariann exprime uma opinião comum aos pais simplistas: criança não tem que ficar triste, e, se está, ela ou os pais devem ter algum problema psicológico.

— Quando Jeremy está triste, fico triste porque a gente quer achar que os nossos filhos são felizes e ajustados — justifica. — Eu só não quero é vê-lo perturbado. Quero que ele esteja sempre feliz.

Por costumarem dar mais valor à alegria do que a estados sombrios, muitos tornam-se mestres em fazer pouco das emoções negativas dos filhos. Eles podem tentar fazer cócegas numa criança triste, por exemplo, ou caçoar dos sentimentos negativos de uma criança irritada. Podem falar com simpatia ("Cadê aquele sorrisinho precioso?") ou pejorativamente ("Ah, Willie, deixe de ser tão infantil!") que a criança ouve a mesma mensagem: "Sua avaliação da situação está totalmente errada. Seu julgamento não tem fundamento. Você não pode confiar no que seu coração diz".

Muitos pais que fazem pouco das emoções dos filhos justificam sua atitude alegando que, afinal de contas, seus rebentos são "apenas crianças". Os pais simplistas racionalizam esta indiferença acreditando que as preocupações da criança com um brinquedo quebrado ou com política de *playground* são "insignificantes", especialmente diante das grandes preocupações de um adulto com problemas como o desemprego, um casamento desfeito ou a dívida nacional. Além do mais, ponderam, criança às vezes é irracional. Quando perguntado como reagia à tristeza da filha, um pai perplexo responde que simplesmente não reage.

— Você está falando de uma menina de quatro anos — argumenta.

Os sentimentos de tristeza dela às vezes "baseiam-se na falta de compreensão do funcionamento do mundo" e, portanto, não têm muito valor para ele.

— As reações dela não são reações *adultas* — explica.

Isso não deve sugerir que todos os pais simplistas careçam de sensibilidade. Na verdade, muitos são profundamente afetados pelo que acontece com os filhos e estão apenas tendo a reação natural que qualquer pai ou mãe teria para proteger a prole. Talvez achem que as emoções negativas são de certa forma "tóxicas" e não desejam "expor" os filhos a uma coisa nociva. Não acham saudável remoer emoções por muito tempo. Quando porventura se dedicam a resolver os problemas junto com os filhos, focalizam mais o que é preciso para "superar" a emoção do que a emoção propriamente dita. Sarah, por exemplo, estava preocupada com a reação da filha de quatro anos à morte de seu porquinho-da-índia.

— Achei que se me sentasse com Becky e me emocionasse com ela, só iria deixá-la mais perturbada ainda — explica.

Então, Sarah minimizou a coisa.

— Eu disse a ela: "Não tem importância. Essas coisas acontecem, sabe? Seu porquinho-da-índia estava ficando velho. Vamos arranjar um novo".

Embora essa atitude indiferente de Sarah possa ter-lhe poupado a ansiedade de lidar com o luto de Becky, provavelmente não fez Becky sentir-se compreendida ou reconfortada. Na verdade, Becky deve ter se perguntado: "Se isso não tem importância, por que estou me sentindo tão mal? Acho que não passo de um bebezão".

E, finalmente, alguns pais simplistas parecem negar ou ignorar as emoções dos filhos receando que a emoção inevitavelmente leve ao descontrole. Você há de ouvir pais desse tipo usando metáforas que igualam as emoções negativas a elementos como fogo, explosivos ou tempestades. "Ele tem pavio curto." "Ela explodiu comigo." "Ele saiu ventando de lá."

Esses são pais que, em criança, podem ter tido pouca ajuda para aprender a regular as emoções. Por isso, como adultos, quando estão tristes, sentem que vão entrar numa depressão interminável. Ou, quando estão com raiva, acham que vão perder a cabeça e magoar alguém. Barbara, por exemplo, sente-se culpada quando se descontrola na presença do marido e dos filhos. Ela acha que expressar raiva é "ser egoísta" ou perigosa, "como aquelas abelhas assassinas". Além do mais, diz ela, sua raiva "não leva a nada... Eu começo a gritar e... faço com que eles fiquem descontentes comigo".

Tendo a imagem nada lisonjeira de sua própria raiva como ponto de partida, Barbara usa o humor para dobrar o mau gênio da filha.

— Quando Nicole fica irritada, eu simplesmente rio — diz. — Têm vezes que ela fica extremamente ridícula e mostro isso a ela. Digo apenas "Fica quieta" ou "Que bobagem".

Se Nicole acha ou não a situação cômica parece irrelevante para Barbara. Uma Nicole irritada simplesmente a faz rir.

— Ela é tão pequena e a cara dela fica toda vermelha — diz Barbara. — Costumo achá-la parecida com aquela bonequinha, e pensar "não é engraçado?".

Barbara também faz o que pode para desviar a atenção de Nicole de pensamentos negativos. Ela recorda a ocasião em que Nicole ficou furiosa quando o irmão e os amigos do irmão excluíram-na da brincadeira.

— Então sentei-a no meu colo e fiz essa brincadeirinha — explica Barbara orgulhosa.

Ela apontou para as meias de inverno de Nicole e perguntou:

— O que aconteceu com as suas pernas? Você ficou toda vermelha e peluda!

Dessa vez, a brincadeira fez Nicole rir. Ela provavelmente estava sentindo o carinho e a atenção da mãe, o que a fez esquecer a raiva e partir para outra coisa. Barbara acha que lidou bem com o incidente:

— Faço deliberadamente essas coisas porque aprendi... é uma maneira ótima de lidar com ela — justifica. O que Barbara perdeu, porém, foi uma oportunidade para falar com Nicole sobre sentimentos como ciúme e rejeição. Ela poderia aproveitar este incidente para demonstrar empatia por Nicole e ajudá-la a identificar suas emoções. Poderia ter dado a Nicole a deixa para resolver o conflito com o irmão. Mas o fato é que

Nicole recebeu a mensagem de que sua raiva não era uma coisa muito importante; o melhor era engoli-la e olhar para o outro lado.

OS PAIS DESAPROVADORES

Os pais desaprovadores têm muito em comum com os simplistas, com algumas diferenças: são notadamente críticos e carecem de empatia quando descrevem as experiências emocionais dos filhos. Além de ignorarem, negarem e banalizarem as emoções negativas dos filhos, desaprovam-nas. Por isso, as crianças costumam ser repreendidas, disciplinadas ou castigadas quando manifestam tristeza, raiva ou medo.

Ao invés de tentar entender as emoções da criança, os pais desaprovadores tendem a focalizar o comportamento que envolve as emoções. Se a filha bate o pé quando está com raiva, por exemplo, a mãe pode bater nela pela atitude arrogante sem jamais reconhecer o que, para começar, deixou a menina tão irritada. Um pai pode ralhar com o filho que tem o hábito aborrecido de chorar na hora de ir para a cama sem jamais mencionar a ligação entre as lágrimas do filho e seu medo do escuro.

Os pais desaprovadores podem ser bastante críticos das experiências emotivas de seus filhos, avaliando exaustivamente as circunstâncias antes de decidir se uma situação pede conforto, crítica ou — em alguns casos — castigo. Joe explica a coisa desta forma:

— Se Timmy tem *mesmo* um bom motivo para estar de mau humor como, por exemplo, estar com saudades da mãe porque ela foi passar a noite fora, posso compreender, ter um sentimento de empatia por ele e tentar animá-lo. Abraço-o, jogo-o para o ar, tento fazê-lo mudar de estado de espírito.

Mas se Timmy está aborrecido por uma razão que desagrade a Joe, "digamos que eu o tenha mandado ir descansar ou coisa assim", Joe é duro. "Ele fica triste só porque quer ser uma pestinha, então eu o ignoro ou lhe digo para tomar jeito." Joe justifica sua distinção como uma forma de disciplina.

— Timmy tem que aprender a não fazer isso (ficar triste pelo motivo errado), então eu digo a ele: "Ei, ficar com pena de você mesmo não vai levá-lo a lugar nenhum".

Muitos pais desaprovadores interpretam o choro dos filhos como uma forma de manipulação e isso os incomoda. Diz uma mãe:

— Quando minha filha chora e fica emburrada é sempre para chamar atenção.

Enquadrar assim as lágrimas e as cenas de uma criança transforma as situações emocionais numa disputa pelo poder. Os pais podem pensar: "Meu filho está chorando porque quer alguma coisa de mim e, se eu não der isso a ele, vou ter que agüentar mais choro, mais cenas e mais cara amarrada". Sentindo-se assim encurralado ou chantageado, a reação do pai é ficar com raiva e castigar.

Como muitos pais simplistas, alguns pais desaprovadores temem situações emocionais porque têm medo de perder o controle das emoções.

— Não gosto de me irritar porque sinto que me descontrolo — diz Jean, mãe de Cameron, de cinco anos.

Enfrentando uma criança rebelde, estes pais sentem-se derrapando para emoções e comportamentos que desconfiam ocorrer em si próprios. Nestas circunstâncias, podem-se sentir justificados em castigar a criança por "me irritar". Jean explica:

— Se Cameron começa a gritar, eu digo apenas: "Não quero saber dessa gritaria!". Aí, se ele continuar, leva umas palmadas.

Linda, que tem um marido de gênio violento, teme é que seu filho de quatro anos Ross "fique igual ao pai". Aflita para salvá-lo deste destino, ela própria reage com violência. Quando Ross se irrita, "ele fica chutando e gritando, então bato nele para acalmá-lo", explica. "Talvez seja errado fazer isso, mas eu não quero que ele tenha mau gênio."

Do mesmo modo, alguns pais repreendem ou castigam os filhos por demonstrações emocionais "para que eles fiquem durões". Meninos que manifestam medo ou tristeza são particularmente vulneráveis a esse tipo de tratamento de pais desaprovadores que acham que a vida é dura e é melhor os filhos aprenderem a não ser "frouxos" nem "chorões".

Nos casos mais extremos, alguns pais parecem determinados a ensinar os filhos a não manifestarem nenhum sentimento negativo.

— Então a Katy está triste — diz um pai sarcasticamente da filha. — Vou fazer o quê? Cócegas no queixo dela? Não acho que isso seja o que a gente tem que fazer. Acho que as pessoas têm que trabalhar os próprios problemas.

Esse pai adota uma atitude "olho por olho" em relação à raiva da filha — quando ela se irrita, ele se irrita. Se Katy "perde a cabeça", Richard reage "dando-lhe umas palmadas" ou "uns cascudos".

Evidentemente, não nos deparamos muito com essa desaprovação tão generalizada e essas reações tão duras, mesmo entre os pais desaprovadores. Foi mais comum os pais serem desaprovadores apenas em certas circunstâncias. Por exemplo, há pais que parecem bastante tolerantes em relação a emoções negativas — desde que o episódio tenha uma duração aceitável. Um pai em nossos estudos realmente imagina um despertador. Diz que tolera o mau gênio do filho "até o despertador tocar". Aí é hora de "dar um basta naquilo" aplicando-lhe a punição que ele merece, que é ficar de castigo, isolado da família.

Alguns pais desaprovam a experiência dos filhos com emoções negativas — sobretudo com a tristeza — porque consideram que é um "desperdício" de energia. Um pai, que se define como "frio e realista", diz que não aceita a tristeza do filho. Diz que é "um tempo inútil" e "não traz nada de construtivo".

Alguns consideram a tristeza um bem precioso e finito; se você gastar suas lágrimas com bobagens, não vai poder chorar nas ocasiões mais tristes da vida. Mas os pais desaprovadores podem medir a tristeza em lágrimas derramadas ou minutos gastos, que o resultado é o mesmo — filhos que a desperdiçam.

— Digo ao Charley para poupar a tristeza para coisas mais importantes, como a morte de um cachorro — diz Greg. — Perder um brinquedo ou rasgar a página de um livro não são coisas que mereçam que a gente perca tempo chorando por causa delas. Mas a morte de um bicho, aí sim, já merece.

Com essa metáfora operando na vida de uma família, é fácil ver como uma criança pode ser castigada por gastar tristeza com "futilidades". E se seus pais foram negligenciados emocionalmente quando crianças, pode ser até que tenham mais tendência a considerar a tristeza da criança um "luxo" a que só os emocionalmente privilegiados podem se dar. Isso me faz lembrar Karen, uma mãe estudada por nós que foi abandonada pelos pais e educada por parentes. Carente de conforto emocional na infância, Karen agora tem pouca tolerância com os períodos de "baixo astral" da filha.

Há muitos pontos em comum entre o comportamento dos pais simplistas e o dos desaprovadores. De fato, os mesmos pais que se identificam como simplistas num dia podem achar que estão agindo mais como os desaprovadores no outro.

Os filhos de pais simplistas e desaprovadores também têm muita coisa em comum. Nossa pesquisa nos diz que os filhos de ambos os grupos não conseguem confiar no próprio julgamento. Sempre ouvindo que seus sentimentos são infundados, impróprios ou inválidos, eles cresceram acreditando que há algo intrinsecamente errado com eles por causa da maneira como se sentem. Sua auto-estima fica prejudicada. Eles têm mais dificuldade de aprender a regular as próprias emoções e resolver seus problemas. Têm mais problemas de concentração, aprendizado e relacionamento do que as outras crianças. Ademais, podemos presumir que a criança que é repreendida, isolada, que apanha ou recebe outra forma de castigo por expressar seus sentimentos capta a mensagem de que a intimidade emocional é uma proposta de alto risco. Pode acarretar humilhação, abandono, sofrimento e abuso. Se tivéssemos uma escala para medir a inteligência emocional, o coeficiente dessas crianças, infelizmente, seria bastante baixo.

A trágica ironia destes resultados é que os pais que desconsideram ou desaprovam as emoções dos filhos costumam fazer isso com as melhores intenções. Tentando proteger os filhos do sofrimento emocional, eles evitam ou interrompem situações que possam causar lágrimas e cenas. A título de formar homens resistentes, castigam os filhos por manifestarem seus medos e tristezas. A título de criar mulheres bondosas, estimulam as filhas a engolirem a raiva e oferecerem a outra face. Mas, no fim, essas estratégias todas acabam sendo contraproducentes, porque a criança que não tem chance de vivenciar suas emoções e de lidar bem com elas fica despreparada para enfrentar os desafios da vida.

OS PAIS *LAISSEZ-FAIRE*

Ao contrário dos desaprovadores e dos simplistas, alguns dos pais estudados por nós mostraram aceitar qualquer emoção de seus filhos, ansiosos para acolher incondicionalmente qualquer sentimento manifestado por eles. Chamo esse estilo parental de *laissez-faire*, que em francês significa "deixe que façam". Estes pais têm empatia por seus filhos e os fazem saber que estão com eles em qualquer situação.

O problema é que o pai ou a mãe *laissez-faire* costuma não ter condições de, ou não se dispor a, orientar os filhos sobre como lidar com as emoções negativas. Estes pais têm como filosofia não se meter nos sentimentos dos filhos. Tendem a encarar a raiva e a tristeza como uma questão de hidráulica: deixe seu filho desabafar, que seu trabalho de pai está feito.

Os pais *laissez-faire* parecem não saber bem como ajudar os filhos a aprenderem com as experiências emocionais. Não ensinam os filhos a resolverem problemas e muitos cortam um dobrado para impor limites de comportamento. Alguns podem chamar estes pais de "superpermissivos" porque, em nome da aceitação incondicional, não fazem nada com os filhos quando eles manifestam suas emoções de forma imprópria ou descontrolada. A criança com raiva fica agressiva, magoando os outros com palavras e atos. A criança triste chora inconsolável sem perceber como pode se acalmar ou confortar. Embora tais expressões negativas possam ser aceitáveis para os pais, para a criança, que tem muito menos experiência de vida, podem ser uma coisa assustadora, como entrar num buraco negro de sofrida emoção sem saber como escapar.

Nossa pesquisa revelou que muitos pais *laissez-faire* parecem inseguros quanto ao que ensinar aos filhos a respeito da emoção. Alguns confessam nunca ter pensado muito no assunto. Outros exprimem uma vaga sensação de que gostariam de dar "algo mais" aos filhos. Mas parecem realmente não saber o que os pais podem oferecer além de amor incondicional.

Louann, por exemplo, fica realmente aflita quando outra criança é má com seu filho Toby.

— Ele fica magoado e isso me magoa também — diz ela.

Mas quando lhe perguntam qual é a reação dela com o filho, ela só consegue acrescentar:

— Tento mostrar a ele que o amo incondicionalmente; que ele é tudo para a gente.

Embora essa informação certamente seja positiva para Toby, ela provavelmente não vai ajudá-lo muito na tarefa de consertar seu relacionamento com o coleguinha.

Como o estilo desaprovador e o simplista, o *laissez-faire* pode ser uma reação dos pais à própria infância. Sally, cujo pai era fisicamente abusivo, não podia expressar sua raiva e frustração quando criança.

— Quero que meus filhos saibam que podem gritar e berrar o quanto quiserem — explica. — Quero que saibam que se pode dizer "fui explorado e não gostei".

No entanto, Sally admite que muitas vezes sente-se frustrada como mãe e perde a paciência.

— Quando Rachel faz alguma coisa errada, eu gostaria de poder dizer: "Isso não foi uma idéia das melhores; quem sabe a gente devia tentar alguma coisa diferente".

Mas o que acontece é que ela muitas vezes se vê "aos berros" com Rachel — às vezes até lhe batendo.

— Vejo que minha paciência se esgotou e é a única coisa que funciona — lamenta.

Amy, outra mãe, lembra de ter uma grande sensação de melancolia em criança — uma experiência que ela agora suspeita que fosse depressão clínica.

— Acho que era causada por medo — lembra — e talvez fosse simplesmente o medo de ter a emoção.

Seja qual for a origem, Amy não lembra que houvesse nenhum adulto disposto a falar com ela sobre o que ela sentia. Ao contrário, a única coisa que ouvia era a ordem para que ela mudasse de atitude.

— As pessoas viviam me dizendo "Sorria!", o que eu odiava.

Conseqüentemente, ela aprendeu a esconder a tristeza, a se retrair. Mais tarde, ficou com mania de correr, encontrando no exercício solitário um alívio para a depressão.

Agora que tem dois filhos, Amy percebe que um deles tem o mesmo tipo de tristeza recorrente e se identifica profundamente com ele.

— Alex diz que sente uma "coisa engraçada", que é exatamente o que eu sentia em menina.

Resolvida a não exigir sorrisos de Alex quando ele está deprimido, ela lhe diz:

— Sei como você está se sentindo porque eu me sentia assim também.

No entanto, é difícil para Amy ficar com Alex quando ele está mal. Quando lhe perguntamos como reage quando Alex manifesta tristeza, ela responde: "Vou correr". Na verdade, aí ela foge, deixando o filho passar pelo mesmo sofrimento que ela passava em criança. Alex fica entregue à própria ansiedade e ao próprio medo; sua mãe não está por perto para lhe oferecer apoio emocional.

O que causam nos filhos estes pais *laissez-faire*, que os aceitam, mas não os preparam? Infelizmente, nada de positivo. Recebendo tão pouca orientação dos adultos, estas crianças não aprendem a regular as próprias emoções. Muitas vezes não sabem se acalmar quando irritadas, tristes ou perturbadas, o que torna difícil para elas aprender coisas novas. Conseqüentemente, estas crianças não se saem bem na escola. E cortam um dobrado maior ainda para captar insinuações sociais, o que significa que podem ter dificuldade em desenvolver amizades.

Mais uma vez, a ironia é óbvia. Com a postura de aceitar qualquer coisa, os pais *laissez-faire* têm a intenção de dar aos filhos todas as oportunidades de felicidade. Mas, como os filhos não recebem deles nenhuma orientação sobre como lidar com emoções difíceis, acabam na mesma situação que os filhos dos pais desaprovadores ou simplistas — com uma inteligência emocional deficiente, despreparados para o futuro.

OS PREPARADORES EMOCIONAIS

Em alguns aspectos, os pais preparadores emocionais são parecidos com os pais *laissez-faire*. Ambos os grupos parecem aceitar incondicionalmente os sentimentos dos filhos. Nenhum tenta ignorar ou negar esses sentimentos. Tampouco menosprezam ou ridicularizam os filhos quando eles expressam suas emoções.

Há, porém, uma diferença fundamental entre os dois grupos. Os preparadores emocionais orientam os filhos através do mundo da emoção. Eles transcendem a aceitação para reprimir atitudes que julgam impróprias e ensinam os filhos a regular seus sentimentos, encontrar meios apropriados para extravasá-los e resolver os problemas.

Nossos estudos mostraram que os pais preparadores emocionais são altamente conscientes de suas emoções e daquelas de seus entes queridos. Ademais, reconhecem que todas elas — até as que normalmente são consideradas negativas, como a tristeza, a raiva e o medo — podem ser úteis de alguma forma. Uma mãe, por exemplo, contou como a irritação com a burocracia levou-a a escrever cartas de protesto. Um pai falou da irritação da esposa como uma força criativa que lhe dá energia para estar sempre inventando o que fazer em casa.

Até a melancolia é vista sob um prisma positivo.

— Quando me sinto triste, já sei que tenho que ir mais devagar e prestar atenção ao que está acontecendo na minha vida, para ver o que está faltando — diz Dan.

Ele também age dessa maneira em seu relacionamento com a filha. Em vez de desaprovar ou tentar acalmar os sentimentos de Jennifer, ele encara os momentos de tristeza da menina como oportunidades de se aproximar dela.

— É um momento em que posso ficar abraçado com ela, conversando, e deixar que ela desabafe.

Uma vez que pai e filha entram na mesma sintonia, Jennifer também tem a oportunidade de aprender mais sobre suas emoções e sobre seu relacionamento com as pessoas.

— Noventa por cento das vezes ela não sabe exatamente qual é a causa do que está sentindo — diz Dan. — Então eu tento ajudá-la a identificar seus sentimentos... Depois conversamos sobre o que fazer da próxima vez, como lidar com uma coisa ou outra.

Muitos pais preparadores emocionais manifestaram que valorizam a emotividade dos filhos como algo que indica uma identidade entre os respectivos valores. Uma mãe descreveu como se sentiu gratificada quando a filha chorou ao assistir a um programa triste na televisão.

— Achei isso bom porque me fez sentir que ela tem coração, que não se importa só consigo mesma; ela se importa com os outros.

Outra mãe contou como ficou orgulhosa (além de surpresa) quando sua filha de quatro anos retrucou, após ser repreendida:

— Não gosto desse tom de voz, mamãe! — disse a garotinha. — Quando você fala assim, machuca os meus sentimentos!

Após recuperar-se da surpresa, ela ficou encantada com a firmeza da filha e gostou de ver que a menina usaria a raiva para impor respeito.

Talvez por verem o lado positivo das emoções negativas dos filhos, estes pais sejam mais pacientes quando a criança está irritada, triste ou com medo. Parecem dispostos a perder tempo com uma criança chorosa ou agitada, ouvindo o que a preocupa, identificando-se com ela, deixando que ela manifeste sua raiva, ou apenas chore até que a coisa passe.

Após escutar o filho Ben quando ele está com problema, Margaret diz que costuma mostrar sua empatia por ele contando histórias de "quando eu era pequena".

— Ele adora essas histórias porque elas mostram que os sentimentos dele são normais.

Jack diz que se esforça para entrar na sintonia do filho, sobretudo quando o menino está nervoso por causa de uma discussão entre eles.

— Quando realmente ouço o lado de Tyler, ele se sente muito melhor porque a gente pode resolver as coisas em termos que ele é capaz de aceitar. Podemos resolver nossas diferenças como dois seres humanos e não como um homem e o cachorro dele.

Pais treinadores da emoção estimulam a honestidade emocional dos filhos.

— Quero que minhas filhas saibam que o fato de sentirem raiva não significa que elas sejam más nem que necessariamente odeiem a pessoa de quem estão com raiva — diz Sandy, mãe de quatro meninas. — E quero que elas saibam que as coisas que as deixam com raiva podem trazer coisas boas.

Ao mesmo tempo, Sandy impõe limites às filhas e tenta ensiná-las a expressarem a raiva de formas que não sejam destrutivas. Ela gostaria de ver as meninas ficarem amigas para toda a vida, mas sabe que para isso elas precisam se dar bem entre si e cultivar seu relacionamento.

— Digo a elas que a pessoa pode ficar com raiva da irmã, mas não pode fazer comentários maldosos — explica. — Digo a elas que a gente sempre pode contar com a família em qualquer hipótese e por isso não vai querer afastar ninguém da família.

Esse hábito de impor limites é comum entre pais preparadores emocionais. Eles parecem confortáveis com o conselho do psicólogo e escritor Haim Ginott que diz que, embora todos os sentimentos e desejos sejam aceitáveis, nem todos os comportamentos o são. Por isso, quando a criança agir de forma que possa ser prejudicial a ela mesma, aos outros ou ao relacionamento dela com os outros, seus pais preparadores emocionais provavelmente reprimirão sua atitude e orientá-la-ão para uma atividade ou modo de expressão menos prejudicial. Eles não se abalam para proteger os filhos de situações emocionalmente carregadas; sabem que a criança necessita desse tipo de experiência para aprender a regular as próprias emoções.

Margaret, por exemplo, vem estudando como agir com o filho Ben, de quatro anos, que desde que nasceu tem uma personalidade explosiva. Quando está com raiva, "ele fica rangendo os dentes, gritando e atirando tudo longe", explica Margaret. "Ele desconta no irmão menor ou quebra um brinquedo." Em vez de tentar erradicar os sentimentos de raiva de Ben — um esforço inútil, acha Margaret —, ela está tentando ensinar-lhe maneiras melhores de expressá-los. Quando vê que ele está começando a se inflamar, encaminha-o para alguma atividade que lhe permita extravasar um pouco fisicamente. Manda-o sair para correr ou ir para o porão tocar a bateria que ela acabou de comprar especialmente para isso. Embora se preocupe com o temperamento de Ben, Margaret diz que também vê um lado bom naquela sua personalidade obstinada e difícil.

— Ele não é de desistir das coisas. Se está trabalhando num desenho que não esteja ficando a seu gosto, não descansa até acertar, mesmo que jogue tudo fora e comece do zero quantas vezes precisar. Mas, na hora em que acerta, a frustração dele acaba.

Embora possa ser difícil ficar assistindo de longe enquanto os filhos lidam com os problemas, os pais treinadores da emoção não se sentem impelidos a "consertar" tudo o que não saia direito na vida dos filhos. Sandy, por exemplo, diz que as quatro filhas às vezes reclamam quando ela diz que não pode comprar todos os brinquedos e roupas que elas querem. Em vez de tentar acalmá-las, Sandy escuta o desabafo da frustração delas e diz que a insatisfação é um sentimento natural.

— Acho que se elas agora aprenderem a lidar com as pequenas desilusões da vida, mais tarde vão saber lidar com as grandes, se necessário.

Maria e Dan também esperam que sua paciência acabe sendo recompensada.

— Daqui a uns dez anos, espero que Jennifer já tenha trabalhado bem esses sentimentos para saber como reagir — diz Maria. — Espero que ela seja bastante segura de si para saber que é normal a pessoa se sentir assim, e que ela pode fazer alguma coisa a respeito.

Por valorizarem o papel e a finalidade das emoções em suas vidas, os pais preparadores emocionais não têm medo de expressar sua emotividade diante dos filhos. Podem chorar na presença deles quando estão tristes, podem perder a cabeça e explicar por que estão irritados. E em geral, por compreenderem a emoção e se acharem capazes de expressar a raiva, a tristeza e o medo de uma forma construtiva, estes pais podem servir de modelo para os filhos. Na verdade, as manifestações de emotividade dos pais podem ensinar muito aos filhos sobre como lidar com os sentimentos. Por exemplo, uma criança que assiste a uma discussão acalorada entre os pais e em seguida os vê resolvendo as diferenças de forma amigável aprende uma lição importante sobre como solucionar conflitos e sobre a força duradoura das relações amorosas. (No entanto, os pais devem ter em mente que o raciocínio da criança é muito concreto e ela precisa ver provas físicas — como um abraço carinhoso — para entender que mamãe e papai realmente fizeram as pazes.) Do mesmo modo, a criança que vê os pais tristíssimos — por causa de um divórcio ou da morte de um avô, por exemplo — pode aprender importantes lições sobre como lidar com as perdas e com o desespero. Sobretudo se houver adultos solidários e carinhosos que apareçam para dar apoio aos que estão tristes. A criança aprende que compartilhar a tristeza pode deixar as pessoas mais íntimas e mais unidas.

Quando dizem ou fazem coisas que magoam seus filhos — o que, obviamente, às vezes acontece em todas as famílias —, os pais preparadores emocionais não têm vergonha de pedir desculpas. Quando estão tensos, podem reagir sem pensar, ofendendo de alguma forma a criança ou falando num tom de voz agressivo. Lamentando tais atitudes, depois pedem desculpas aos filhos e procuram tirar lições daquele incidente, que pode assim vir a proporcionar mais uma oportunidade de intimidade. Especialmente se eles se dispuserem a dizer à criança como se sentiram na hora e a conversar sobre como poderão lidar melhor com situações semelhantes no futuro. Isso faz com que o pai ou a mãe, mais uma vez, mostre ao filho formas de lidar com sentimentos desagradáveis como culpa, arrependimento e tristeza.

O trabalho de preparação emocional é compatível com formas positivas de disciplina que pretendem definir para a criança o que pode acontecer se ela agir mal. De fato, pais que fazem este trabalho podem verificar que os problemas de comportamento diminuem à medida que a família vai ficando mais à vontade com o modo de trabalhar. Isso pode acontecer por vários motivos.

Primeiro, porque os pais preparadores emocionais costumam reagir com os filhos quando os sentimentos ainda se encontram em nível de intensidade baixo. Em outras palavras, os ânimos não precisam se exaltar demais para que a criança receba a atenção que deseja. Com o tempo, estas crianças se convencem de que os pais as compreendem, se identificam com elas e se importam com o que lhes acontece na vida. Elas não precisam fazer cenas para sentir o interesse dos pais.

Segundo, se a criança tem preparo emocional desde cedo, ela aprende a se acalmar e é capaz de conservar a tranqüilidade quando está sob tensão, o que também a torna menos predisposta a agir mal.

Terceiro, os pais preparadores emocionais não desaprovam as emoções dos filhos, por isso existem menos pontos de atrito. Em outras palavras, a criança não é repreendida apenas por chorar por causa de uma desilusão ou por expressar raiva. Os pais preparadores emocionais, porém, impõem limites e transmitem aos filhos mensagens claras e consistentes sobre o tipo de comportamento que é correto e o que não é. Quando a criança conhece as regras e compreende as conseqüências da transgressão, fica menos propensa a se comportar mal.

E, finalmente, este estilo parental fortalece o vínculo emocional entre pais e filhos, de modo que os filhos ficam mais sensíveis às solicitações dos pais. Estas crianças consideram os pais como seus confidentes e aliados. Querem agradá-los. Não querem decepcioná-los.

Uma mãe conta como isso funcionou quando sua filha de oito anos pregou uma mentira. Suzanne encontrou um bilhete maldoso sobre outra criança no meio do material escolar da filha. Embora o nome de sua filha Laura não figurasse no bilhete, era evidente que tinha sido escrito com a letra dela. Quando Suzanne interpelou a filha a esse respeito, ela se esquivou e negou terminantemente, mas Suzanne sabia que Laura estava mentindo. O incidente incomodou Suzanne durante dias, e ela sentiu que a filha já não era tão inocente quanto ela imaginava e estava perdendo a sua confiança. Finalmente, viu que tinha de interpelar a filha novamente, desta vez dizendo o que sentia daquilo tudo.

— Sei que você está mentindo sobre o bilhete — disse Suzanne, diretamente e com firmeza — e fico muito decepcionada com isso, muito triste. Acho você uma pessoa honesta, mas agora sei que está mentindo. Quero que saiba que quando estiver pronta para me dizer a verdade, vou escutá-la e perdoá-la.

Houve um silêncio de dois minutos antes que Laura ficasse com os olhos marejados de lágrimas.

— Menti sobre o bilhete, mamãe — soluçou ela.

Após esta confissão, Suzanne abraçou-a e as duas tiveram uma longa conversa sobre o teor do bilhete, a criança a quem se destinava e como Laura podia resolver seu conflito com a menina. Suzanne também reiterou à filha como achava que a sinceridade era importante para o relacionamento das duas. Ao que Suzanne saiba, Laura nunca mais tornou a lhe mentir.

Quando os filhos sentem-se emocionalmente ligados aos pais e os pais usam este elo para ajudá-los a regular seus sentimentos e resolver seus problemas, as conseqüências são boas. Como foi dito antes, nossos estudos mostram que crianças com preparo emocional têm melhor desempenho acadêmico, são mais saudáveis e mais sociáveis. Têm menos problemas de comportamento e se recuperam mais facilmente de experiências tristes. A criança emocionalmente inteligente está preparada para lidar com os riscos e os desafios futuros.

CAPÍTULO 3

OS CINCO PASSOS FUNDAMENTAIS DA PREPARAÇÃO EMOCIONAL

LEMBRO DO DIA EM que descobri como a preparação emocional podia funcionar com minha filha, Moriah. Ela estava com dois anos, e voltávamos de uma temporada em casa de parentes no outro extremo do país. No avião, entediada, cansada e mal-humorada, Moriah me pediu Zebra, seu bicho de pelúcia e objeto calmante predileto. Infelizmente, por distração pusemos o bicho numa mala que foi despachada com a bagagem.

— Sinto muito, querida, mas agora a gente não vai poder pegar o Zebra. Ele está numa malona grande em outro lugar aqui no avião — expliquei.

— Eu quero o Zebra — choramingou ela sentida.

— Eu sei, meu amor. Mas o Zebra não está aqui. Ele está no bagageiro lá embaixo e o papai só vai poder pegá-lo quando a gente desembarcar. Sinto muito.

— Eu quero o Zebra! Eu quero o Zebra! — gemeu ela novamente.

Aí começou a chorar, contorcendo-se na cadeira e tentando alcançar uma sacola no chão de onde viu que eu havia tirado uns biscoitos.

— Sei que você quer o Zebra — eu disse, sentindo a pressão subir. — Mas ele não está nessa sacola. Ele não está aqui e eu não posso fazer nada. Olhe, que tal a gente ler umas histórias do Ernie — sugeri, procurando um de seus livros de figuras prediletos.

— Do Ernie não! — choramingou ela, agora irritada. — Eu quero o Zebra. E *agora*.

Àquela altura, os passageiros, os comissários e minha mulher, do outro lado do corredor, já me olhavam com aquela cara de "faça alguma coisa". Olhei para Moriah, que estava rubra de raiva, e imaginei o quanto ela devia estar aborrecida. Afinal, eu não era aquele que podia preparar um sanduíche de manteiga de amendoim quando ela pedia? Apertar um botão da tevê e fazer aparecerem uns dinossauros roxos enormes? Por que estava lhe sonegando o brinquedo favorito? Não entendia o quanto ela estava querendo aquele brinquedo?

Senti-me mal. Aí percebi: não podia lhe dar o Zebra, mas podia lhe oferecer o que havia de melhor depois disso — o conforto do pai.

— Você queria o Zebra agora — disse-lhe eu.

— Queria — disse ela tristonha.

— E você está brava porque a gente não pode ir buscá-lo para você.

— Estou.

— Você queria o Zebra *nesse minuto* — insisti, enquanto ela me olhava com curiosidade, meio espantada.

— Queria — resmungou ela. — Eu quero ele *agora*.

— Você está cansada, e sentir o cheirinho do Zebra e ficar abraçada com ele seria ótimo. Quem dera que a gente estivesse com ele aqui para você se abraçar com ele. E melhor ainda, quem dera que a gente pudesse levantar dessas cadeiras e procurar uma cama grande e macia com todos os seus bichos e travesseiros para a gente deitar.

— É — concordou ela.

— A gente não pode pegar o Zebra porque ele está em outro lugar aqui no avião — disse eu. — Por isso você está contrariada.

— É — suspirou ela.

— Sinto muito — disse eu, vendo o rosto dela se descontrair. Ela recostou a cabeça na poltrona. Reclamou mais algumas vezes baixinho, mas foi se acalmando. Em poucos minutos, dormia.

Embora tivesse apenas dois anos, Moriah sabia exatamente o que queria — seu Zebra. Ao perceber que era impossível obtê-lo, não quis saber de minhas desculpas, meus argumentos, minhas conversas. Minha aceitação, porém, era outra história. Descobrir que eu compreendia o que ela estava sentindo parece que a deixou melhor. Para mim, foi uma prova inesquecível do poder da empatia.

EMPATIA: A BASE DO TRABALHO DE PREPARAÇÃO EMOCIONAL

Imagine como seria ser criado numa casa em que não há empatia. Imagine essa casa como um lugar em que seus pais esperam que você esteja sempre alegre, feliz e calmo. Nela, a tristeza ou a raiva são consideradas sinais de fracasso ou prenúncios de desastre. Mamãe e papai ficam ansiosos quando você está "de moral baixo". Dizem que preferem vê-lo satisfeito e otimista, "olhando para o lado bom", nunca se queixando, nunca falando mal das pessoas ou das coisas. E você, sendo apenas uma criança, conclui que seus pais têm razão. Quem tem mau humor é mau. Então você faz o que pode para não decepcioná-los.

O problema é que está sempre lhe acontecendo alguma coisa que torna praticamente impossível que você mantenha essa fachada alegre. Sua irmãzinha entra no seu quarto e destrói sua coleção de gibis. Sua situação se complica na escola por uma coisa que você não fez e seu melhor amigo deixa que você leve a culpa. Todos os anos, você entra no concurso de ciências, e, todos os anos, seu projeto falha. Depois houve aquelas terríveis férias em família que mamãe e papai passaram meses anunciando. No fim das contas, essas férias praticamente se resumiram a uma interminável viagem de carro, ouvindo mamãe perder o fôlego diante de cenários "deslumbrantes" enquanto papai ficava o tempo todo dando aulas sobre localidades históricas "fascinantes".

Mas estas coisas não devem afetá-lo. Se você chamar sua irmãzinha de nojentinha, sua mãe diz: "Claro que você não pensa isso!". Fala sobre o incidente na escola e seu pai diz: "Você deve ter feito alguma coisa para provocar a professora". O projeto de ciências fracassa? "Esqueça. Ano que vem você vai se dar melhor". E as férias em família? Nem fale nisso. ("Depois do dinheirão todo que seu pai e eu gastamos para levar vocês a Utah...")

Então, depois de algum tempo, você aprende a ficar calado. Se chega da escola com um problema, simplesmente vai para o quarto e faz uma cara alegre. Não há necessidade de incomodar mamãe e papai. Eles odeiam problemas.

No jantar, seu pai pergunta:

— Como foi hoje na escola?

— Bem — responde você com um sorriso amarelo.

— Ótimo, ótimo — responde ele. — Me passe a manteiga.

E o que você aprende crescendo neste ambiente de fingimento? Bem, primeiro aprende que seus pais são completamente diferentes de você porque não parecem ter todos esses sentimentos ruins e perigosos que você tem. Você aprende que, por ter estes sentimentos, você é o problema. Sua tristeza estraga tudo. Sua raiva é um constrangimento para o clã. Seus medos atrapalham a família. A família provavelmente seria perfeita se não fosse você e suas emoções.

Com o tempo, você aprende que é bobagem falar com seus pais sobre sua vida interior. E isso faz com que você se sinta só. Mas você também aprende que desde que você finja estar alegre, todo mundo convive *otimamente bem*.

Obviamente, isso pode confundir — especialmente à medida que você vai crescendo e vendo cada vez mais provas de que às vezes a vida é uma chatice. Chega o dia do seu aniversário e você não ganha o brinquedo que estava querendo. Seu melhor amigo arranja outro melhor amigo e deixa você sozinho na fila da cantina. Você põe aparelho nos dentes. Perde sua avó predileta.

E, no entanto, você não deveria ter esses sentimentos negativos todos. Então você vira um mestre do disfarce. Melhor ainda, faz tudo o que pode para não sentir. Aprende a evitar situações que gerem conflito, raiva e dor. Em outras palavras, evita relacionar-se intimamente com as pessoas.

Negar as próprias emoções nem sempre é fácil, mas é possível. A pessoa aprende a inventar outras coisas para não pensar nelas. Comer às vezes ajuda a reprimir sentimentos incômodos. Televisão e *video games* são ótimas distrações para quem quer esquecer algum problema. E espere só mais uns dois anos que você vai ter idade para arranjar umas distrações *de verdade*. Enquanto isso, você faz o possível para conservar uma aparência satisfeita, deixar seus pais contentes e manter tudo sob controle.

Mas e se as coisas fossem diferentes? E se você fosse criado numa família em que a prioridade, em vez de alegria, fosse a compreensão e a empatia? Imagine se seus pais perguntassem "Como vai você?" porque realmente quisessem saber a verdade. Talvez você não se sentisse impelido a responder "Vou bem" todas as vezes, porque saberia que eles agüentariam se você dissesse "Hoje meu dia foi brabo". Eles não tirariam conclusões precipitadas, nem ficariam achando que cada problema era uma catástrofe que eles precisavam consertar. Simplesmente ouviriam o que você tivesse para dizer e depois fariam o possível para compreender e ajudar você.

Se você dissesse que teve uma discussão com seu amigo na escola, sua mãe poderia lhe perguntar o motivo da discussão, como você se sentiu com isso, e se ela podia ajudá-lo a encontrar uma solução para o caso. Se você tivesse um problema com a professora, seus pais não ficariam automaticamente do lado da professora. Ouviriam o seu lado da história e acreditariam em você porque têm confiança no filho deles. Se seu projeto de ciências fosse um fiasco, seu pai lhe contaria uma experiência parecida que teve em criança. Sabia o que era ficar nervoso na frente da classe inteira com a droga do projeto dando errado. Se sua irmãzinha destruísse sua coleção de gibis, sua mãe abraçaria você e diria: "Posso entender por que você está tão zangado. Você gostava muito desses gibis. Há anos que está colecionando".

Provavelmente você não se sentiria tão sozinho. Sentiria que seus pais sempre o apoiariam em qualquer situação. Saberia que podia recorrer a eles porque saberia que eles compreenderiam o que se passava com você.

Em sua forma mais básica, empatia é a capacidade de sentir o que o outro sente. Como pais dotados de empatia, ao ver nossos filhos chorarem, conseguimos nos ver no lugar deles e sentir sua dor. Ao vê-los irritados, batendo o pé, podemos sentir a frustração e a raiva que eles sentem.

Se pudermos transmitir este tipo de compreensão emocional aos nossos filhos, damos crédito às experiências deles e os ajudamos a aprender a se acalmar. Esta técnica nos coloca, como se diz no jargão da canoagem, "na cachoeira". Sejam quais forem as pedras ou corredeiras que venham a surgir em nosso relacionamento com nossos filhos, podemos continuar descendo com a corrente, guiando-os no curso do rio. Mesmo que os trechos sejam extremamente traiçoeiros (como costumam ser na adolescência), podemos ajudar nossos filhos a ultrapassar obstáculos e riscos para encontrar seu caminho.

Como a empatia pode ter tanta força? Creio que por fazer com que os filhos vejam os pais como aliados.

Imagine um cenário em que William, de oito anos, vem chegando do *play*, com ar de infeliz porque os vizinhos não quiseram brincar com ele. Bob, o pai, só ergue os olhos do jornal para dizer:

— De novo não! Olhe, William, você já é grande, não é mais um bebê. Não se altere toda a vez que lhe derem gelo. Deixe pra lá. Ligue para um amigo. Leia um livro. Veja um pouco de televisão.

Como a criança costuma acreditar nas afirmações dos pais, William pode pensar: "Papai tem razão. Estou agindo como um bebê. É por isso que os vizinhos não querem brincar comigo. O que será que há de errado comigo? Por que não consigo deixar isso pra lá como o papai falou? Sou tão frouxo. Ninguém quer ser meu amigo".

Agora imagine como William pode se sentir se seu pai tiver outra reação quando ele chegar. E se Bob largar o jornal, olhar para o filho e disser:

— Você está com uma cara triste, William. Conte para mim o que está havendo.

E se Bob ouvir — ouvir *mesmo,* com o coração aberto —, talvez William faça outro julgamento a respeito de si mesmo. A conversa pode continuar assim:

William: — O Tom e o Patrick não me deixaram jogar basquete com eles.

Bob: — Aposto que isso te deixou triste.

William: — Deixou mesmo. E também com raiva.

Bob: — Estou vendo.

William: — Não tem nenhum motivo para eu não poder jogar basquete com eles.

Bob: — Você falou sobre isso com eles?

William: — Não, não estou a fim.

Bob: — Você está a fim de quê?

William: — Não sei. Talvez eu deixe isso para lá.

Bob: — Acha que é melhor?

William: — Acho, porque amanhã eles devem mudar de idéia. Acho que vou ligar para um colega ou ler um livro. Talvez eu vá ver um pouco de televisão.

A diferença, obviamente, é a empatia. Em ambos os cenários, Bob se preocupa com os sentimentos do filho. Talvez já tenha reparado há mais tempo que William é excessivamente sensível à rejeição dos amigos. Quer que o filho seja mais duro. No primeiro cenário, porém, Bob incorre no erro comum de se deixar atrapalhar pelos objetivos que estabeleceu para William. Em vez de demonstrar empatia, critica, é didático, dá conselho quando ninguém pediu conselho. Por isso, seus esforços bem-intencionados são contraproducentes. William sai sentindo-se mais infeliz, mais incompreendido e mais frouxo do que nunca.

Por outro lado, no segundo cenário, Bob perde tempo ouvindo o filho, deixa claro que compreende a experiência de William. Isso faz com que William sinta-se melhor, mais seguro de si. No final, William encontra as mesmas soluções que o pai poderia ter sugerido (brincar com outra pessoa, ler um livro, etc.). Mas as soluções são do menino e ele sai fortalecido, com o amor-próprio intacto.

É assim que funciona a empatia. Quando procuramos compreender a experiência de nossos filhos, eles se sentem amparados. Sabem que estamos do lado deles. Quando deixamos de criticá-los, de fazer pouco do que sentem ou de tentar desviá-los de seus objetivos — eles nos dão entrada. Abrem-se conosco. Dão opiniões. Suas motivações ficam menos misteriosas, o que, por sua vez, faz com que haja mais compreensão. Nossos filhos começam a confiar em nós. Depois, quando surgirem outros atritos, já podemos partir de uma experiência em comum para procurar juntos uma solução para nossos problemas. Nossos filhos podem até se arriscar a discutir os problemas conosco. Na verdade, poderá chegar o dia em que eles realmente queiram ouvir nossas sugestões!

Se fiz o conceito de empatia parecer simples, é porque ele é simples. A empatia é apenas a nossa capacidade de nos colocar no lugar da criança e reagir de acordo com isso. Porém, o fato de ser um conceito simples não significa que a empatia seja fácil de se pôr em prática.

Nas páginas que se seguem, você vai ler sobre os cinco passos da preparação emocional, passos que os pais costumam usar para colocar empatia em suas relações com os filhos, estimulando a inteligência emocional deles. Como foi mencionado no Capítulo 1, estes passos compreendem:

1) Perceber a emoção da criança.

2) Reconhecer a emoção como uma oportunidade de intimidade e transmissão de experiência.

3) Escutar com empatia, legitimando os sentimentos da criança.

4) Ajudar a criança a nomear e verbalizar as emoções.

5) Impor limites e, ao mesmo tempo, ajudar a criança a resolver seus problemas.

Incluí também algumas estratégias adicionais para o trabalho de preparação emocional, bem como descrições de situações comuns em que não é indicado que os pais atuem como preparadores emocionais. E você encontrará ainda dois testes nas páginas que se seguem — um que mede sua percepção emocional e outro que avalia seu desempenho como treinador da emoção.

PASSO Nº 1: PERCEBENDO
AS EMOÇÕES DA CRIANÇA

Nossos estudos mostram que para que sintam o que seus filhos estão sentindo, os pais primeiro precisam perceber suas emoções para chegarem às de seus filhos. Mas o que significa tornar-se "emocionalmente consciente"? Será demonstrar os sentimentos? Baixar a guarda? Revelar facetas da personalidade que logo tornamos a esconder? Se é isso, pais naturalmente reservados ou estóicos podem se perguntar o que vai ser da imagem daquela pessoa tranqüila e masculina que eles vêm aperfeiçoando desde o segundo grau. Será que de repente esperarão que eles chorem copiosamente em filmes de Walt Disney, abracem os outros pais após o jogo de futebol? Mães que se esforçam para ser pacientes e carinhosas quando estão tensas também podem se preocupar. O que acontece quando você só vê sentimentos de ressentimento ou raiva? Você ralha, reclama e fica brava com seus filhos? Perde a afeição ou a lealdade deles?

Na verdade, nossa pesquisa mostra que as pessoas podem ser emocionalmente conscientes — e, por conseguinte, estar aptas para o trabalho de preparação emocional — sem ser muito expansivas, sem ter a sensação de estar "se descontrolando". Ser emocionalmente consciente simplesmente significa a capacidade de reconhecer e identificar as próprias emoções e os próprios sentimentos e perceber as emoções do outro.

COMO O MACHISMO PODE AFETAR
A PERCEPÇÃO EMOCIONAL

O conforto que uma pessoa sente em expressar emoções, em parte, é influenciado por fatores culturais. Estudos multiculturais provaram que italianos ou latinos, por exemplo, costumam ser mais apaixonados e explosivos; que os japoneses ou escandinavos são mais inibidos e estóicos. Estas influências culturais, no entanto, não afetam a capacidade de *sentir*. O fato de não demonstrarem afeição, raiva ou tristeza não significa que as pessoas não tenham esses sentimentos. Nem significa que sejam incapazes de reconhecer as emoções do outro e reagir a elas. Sem dúvida nenhuma, pessoas de todos os meios culturais têm a capacidade de perceber os sentimentos dos filhos.

O homem americano foi criado numa cultura que o encoraja a não expressar emoções. Embora a mitologia popular às vezes mostre o homem como insensível e rude, alheio aos sentimentos de seus parceiros e filhos, pesquisas de psicologia nos mostram outra coisa. Estudos realizados em nossos laboratórios e em outras instituições mostram que pode haver uma diferença na forma como homens e mulheres *expressam* as emoções, porém a forma como as sentem é mais ou menos a mesma.

Para descobrir se um sexo tem mais empatia do que o outro, meus colegas e eu filmamos casais discutindo assuntos que eram motivo de atrito nas respectivas relações.[25] Então pedimos a cada um dos membros do casal que revisse sua atuação no filme e nos dissesse como se sentiu durante a discussão. Para acompanhar suas respostas, fizemos que usassem um painel onde os estados emocionais apareciam numa escala que ia do negativo ao positivo. Ao verem trechos em que estavam tristes ou irritados, por exemplo, sintonizavam no "negativo"; ao verem trechos em que ficaram felizes, mudavam para "positivo". Em seguida passamos novamente o filme e pedimos a cada um que avaliasse como seu parceiro sentiu-se durante a mesma discussão. Comparando as duas avaliações, pudemos determinar a precisão com que cada membro do casal captava a experiência emocional do outro. Surpreendentemente, verificamos que homens e mulheres têm a mesma aptidão para saber o que o esposo ou a esposa está sentindo a cada minuto. Quando convidamos um terceiro grupo para assistir aos filmes e avaliá-los, verificamos que homens e mulheres de fora têm também a mesma aptidão para captar reações emocionais. Ademais, descobrimos que as pessoas que sintonizam as emoções do outro com mais precisão têm reações fisiológicas que imitam as pessoas observadas. Em outras palavras, quando a raiva acelerava o ritmo cardíaco dos indivíduos observados, os observadores com mais empatia experimentavam uma aceleração semelhante na pulsação. Era indiferente que o observador fosse homem ou mulher. Participantes sintonizados de ambos os sexos tinham reações físicas de empatia semelhantes.

Se os homens são tão capazes de responder à emoção quanto as mulheres, então por que as pessoas costumam achar que homem não tem sensibilidade? A resposta é clara. Embora os homens e as mulheres tenham uma experiência interna semelhante da emoção, os homens tendem a esconder suas emoções. Verificamos que as mulheres em nossos estudos eram muito mais descontraídas ao expressar os sentimentos em palavras, expressões faciais e linguagem corporal. Os homens tinham mais tendência a reprimir, disfarçar e fazer pouco dos próprios sentimentos.

Há a teoria de que os homens fazem isso porque são educados para ser durões e recear as conseqüências de "perder o controle". De fato, alguns homens adquirem um senso tão distorcido de masculinidade, que não se permitem perceber nenhum tipo de emoção. Creio que este radicalismo se limite a uma pequena percentagem da população masculina — talvez menos de 10%.

Embora tenha implicações importantes nas relações familiares do homem, o fato de ele relutar em enfrentar emoções *não* impede que ele seja um bom treinador emocional. Pesquisas mostram que a maioria dos homens no fundo estão qualificados para isso. Eles têm consciência de seus sentimentos. Têm capacidade de reconhecer e reagir às emoções dos filhos. Podem sentir empatia. Para a maioria dos homens, tornar-se emocionalmente consciente não é uma questão de adquirir novas qualidades. É uma questão de a pessoa se permitir experimentar as que já possui.

QUANDO OS PAIS SENTEM-SE DESCONTROLADOS

Dar-se o luxo de sentir também pode ser complicado para pais que têm medo de se deixar descontrolar por emoções negativas como raiva, tristeza e medo. Pais deste tipo evitam sobretudo reconhecer a própria raiva para que as coisas não fujam do controle. Talvez receiem que os filhos se afastem deles ou que copiem seu estilo emocional, descontrolando-se também. Em geral ainda receiam magoar física ou psicologicamente os filhos.

Em nossos estudos, os pais que se sentiam descontrolados por alguma emoção em geral apresentavam uma ou mais das características abaixo:

- São sujeitos àquele tipo de emoção (raiva, tristeza ou medo).
- Acham que sentem essa emoção de forma excessivamente intensa.
- Têm dificuldade de se acalmar após experimentar sentimentos intensos.
- Ficam confusos e não sabem o que fazer quando se emocionam muito.
- Odeiam o modo como se comportam quando estão emocionados.
- Vivem se defendendo das emoções.
- Quando reagem de forma neutra (com calma, compreensão, solidariedade), estão representando.
- Acham que sensibilidade é uma coisa destrutiva e até imoral.
- Acham que precisam de ajuda por causa daquela emoção.

Mães e pais com estas características às vezes têm tanto medo de se descontrolar que se tornam "superpais", ocultando as emoções dos filhos. (Mas podem ter ataques de raiva com o cônjuge — que às vezes acontecem diante dos filhos.) Tentando disfarçar a raiva, estes pais às vezes ignoram ou deixam passar oportunidades de se emocionar com os filhos. A ironia é que escondendo o que sentem, estes pais podem estar criando filhos ainda com menos capacidade de lidar com as emoções negativas do que teriam se eles, pais, tivessem aprendido a deixar seus sentimentos se manifestarem de uma forma não-abusiva. Por isso os filhos crescem emocionalmente distantes dos pais. E ficam carentes de exemplos para aprender como lidar de forma eficiente com as emoções negativas.

Um exemplo disso é Sophie, uma mulher que conheci por intermédio de nosso grupo de pais. Criada por pais alcoólatras, tinha uma auto-estima baixa como costuma ter quem passa por isso. Profundamente religiosa, Sophie convenceu-se de que a forma de superar as deficiências de sua educação e tornar-se uma "boa mãe" era virar uma espécie de mártir, sendo bondosa com todo mundo. Por não se permitir praticamente nada, ela muitas vezes sentia-se frustrada e ressentida. Tentava reprimir estes sentimentos sempre que eles afloravam, censurando-se por ser egoísta. Mas não conseguia erradicar completamente os sentimentos "egoístas". Sob tensão, ela às vezes estourava por qualquer coisa, sendo dura com os filhos, aplicando castigos irracionais.

— Eu sabia que meus ataques faziam mal a eles — diz ela —, mas não sabia parar. Era como se eu tivesse duas velocidades — a boa e a má — e não pudesse controlar o botão.

Só quando o filho de Sophie começou a ter problemas na escola por seus próprios ataques de mau gênio, Sophie procurou uma terapia. Foi aí que ela começou a ver como seu modo de lidar com as emoções estava realmente prejudicando os filhos. Por viver negando os próprios sentimentos, Sophie não transmitiu aos filhos nenhum modelo que lhes ensinasse a lidar com as emoções negativas que naturalmente surgem na convivência familiar — sentimentos como raiva, ressentimento e ciúme. No entanto, mudar não está sendo fácil para ela. Ela precisou aprender a prestar atenção em pensamentos e sentimentos que antes considerava "autocentrados" ou "narcisistas" — até "pecaminosos". Mas com isso, agora ela pode atender às suas necessidades antes de ficar sobrecarregada e perder a cabeça. Ela também está começando a ver como entrar em contato com seus sentimentos negativos pode ajudá-la a dar melhor orientação aos filhos quando eles estão irritados, tristes ou assustados.

— É como as instruções de segurança que dão nos aviões — explica. — Primeiro a gente tem que estar com a máscara de oxigênio no rosto para depois poder socorrer o filho.

O que podem fazer esses pais excessivamente contidos para terem coragem de falar de emotividade com os filhos? Primeiro, lembrar que é perfeitamente normal demonstrar raiva se a criança age de alguma forma que os faz perder a cabeça. O importante é expressar os sentimentos sem prejudicar o relacionamento. Quando os pais fazem isso, deixam patentes duas coisas: 1) os sentimentos fortes podem ser expressados e administrados, e 2) eles realmente se importam com o comportamento do filho. A raiva pode ser usada para demonstrar paixão e sinceridade, desde que as pessoas não se desrespeitem. Nossa pesquisa mostra que é melhor evitar sarcasmo, desprezo e comentários que desmereçam a criança, coisas que estão associadas à sua baixa auto-estima. Também é preferível focalizar os atos a focalizar o caráter da criança. Seja específico nos comentários e diga a seu filho o quanto o que ele faz o afeta.

Além disso, é bom também ter consciência dos níveis da excitação emocional. Se você acha que está bravo, mas é capaz de continuar tendo uma conversa racional com seu filho, que leve a algum grau de compreensão, prossiga. Diga a seu filho o que você quer, ouça o que ele tem a dizer e continue falando. Se, por outro lado, você perceber que está irritado a ponto de não conseguir raciocinar com clareza, dê um tempo e só volte ao assunto quando se sentir menos exaltado. Os pais também devem recuar quando sentem que estão na iminência de fazer ou dizer coisas destrutivas, como bater nos filhos ou insultá-los. Palmadas, sarcasmo, ameaças, comentários pejorativos ou expressões de desprezo devem definitivamente ser evitados. (Sobre palmadas, ver também p. 108.) Em vez de bater nos filhos ou lhes dizer coisas que os magoem, os pais devem pedir tempo, prometendo retomar a discussão quando estiverem mais calmos.

Se você sentir que corre o risco de magoar seriamente seu filho física ou psicologicamente, procure ajuda profissional.

Finalmente, os pais que temem descontrolar-se talvez devam lembrar-se do poder curativo do perdão. Todos os pais eventualmente cometem erros, perdendo a cabeça com os filhos, dizendo ou fazendo coisas de que depois se arrependem. A partir de quatro anos, a criança é capaz de entender o conceito de "perdão". Então, não perca a oportunidade de voltar atrás e consertar uma situação quando sentir remorso.

Diga a seu filho o que sentia na hora do incidente e o que sentiu depois. Isso pode servir como um exemplo positivo para ele aprender a lidar com sentimentos de remorso e tristeza. Talvez seu filho até possa ajudá-lo a encontrar soluções que ajudarão vocês dois a evitar desentendimentos e conflitos futuros.

Lembre-se de que a criança quer a intimidade e o carinho dos pais. Ela é a primeira interessada em consertar a situação. Ela dá aos pais várias oportunidades. Lembre-se também que o perdão tem mão dupla. Funciona melhor em famílias que dêem à criança o direito de acordar de mau humor, em que os pais também perdoem publicamente os filhos.

Embora o processo de conscientização da emotividade dure toda a vida, uma nova maneira de ver as coisas pode trazer resultados imediatos evidentes para os pais. Uma mãe que finalmente se permita sentir raiva está em muito melhor posição de admitir o mesmo sentimento no filho. Após reconhecer a própria tristeza, um pai está muito mais apto a ouvir a tristeza do filho ou da filha.

TESTE DE PERCEPÇÃO EMOCIONAL

O teste abaixo foi concebido para ajudá-lo a examinar sua vida emocional, como você se permite experimentar a raiva e a tristeza e como encara a emoção. Aqui não há respostas certas nem erradas, mas a chave de pontuação no final vai ajudá-lo a aferir seu nível de percepção emocional. Compreendendo este aspecto de sua personalidade você compreenderá suas reações às emoções dos outros e, particularmente, às de seus filhos.

Raiva

Comece olhando para o passado mais recente, digamos, para suas últimas semanas. Pense nas coisas que julga desgastantes e que o deixam frustrado, irritado ou com raiva. Pense também nas pessoas em sua vida que parecem tratá-lo com impaciência, frustração, raiva ou irritação. Considere os pensamentos, fantasias e sentimentos que lhe ocorrem quando se defronta com estas emoções agressivas e desgastantes nos outros e em você mesmo.

Leia cada uma das afirmativas abaixo, que foram todas extraídas de afirmações feitas por indivíduos que participaram de nossa pesquisa. Pense até que ponto concorda no íntimo com eles. Em seguida, marque a resposta mais adequada.

V, verdadeiro;   **F**, falso;   **I**, ignoro

1. Tenho vários tipos de raiva. **V**   **F**   **I**

2. Ou estou calmíssimo, ou estou explodindo de raiva, não tem meio-termo. **V**   **F**   **I**

3. Quando me irrito um pouquinho, logo se percebe. **V**   **F**   **I**

4. Bem antes de me irritar já sei que estou meio rabugento. **V   F   I**

5. Nos outros, consigo detectar até os menores sinais de raiva. **V   F   I**

6. A raiva é tóxica. **V   F   I**

7. Quando fico com raiva, é como se eu estivesse mastigando alguma coisa, trincando-a, triturando-a com os dentes. **V   F   I**

8. Meu corpo reage quando estou com raiva.
V   F   I

9. Sentimento é uma coisa particular. Procuro não expressar os meus. **V   F   I**

10. Quando fico com raiva, minha temperatura sobe.
V   F   I

11. Quando estou com raiva, é como se a pressão da caldeira estivesse subindo. **V   F   I**

12. Quando fico com raiva, é como se eu soltasse fumaça e a pressão diminuísse. **V   F   I**

13. Quando fico com raiva, é como se a pressão aumentasse sempre, sem nenhuma válvula de escape. **V   F   I**

14. Quando me irrito, tenho a sensação de que vou me descontrolar. **V   F   I**

15. Quando estou com raiva, as pessoas vêem que não podem me provocar. **V   F   I**

16. A raiva é meu jeito de ficar sério e severo.
V   F   I

17. A raiva me dá energia; é uma motivação para atacar os problemas e não ser derrotado por eles.
V   F   I

18. Reprimo a raiva dentro de mim. **V   F   I**

19. Acho que quem reprime a raiva está procurando acidente. **V   F   I**

20. Para mim, ficar com raiva é uma coisa tão natural quanto pigarrear. **V   F   I**

21. Para mim, a raiva é como um incêndio, como se fosse haver uma explosão. **V   F   I**

22. A raiva, como o fogo, pode consumir a gente. **V   F   I**

23. Eu simplesmente agüento a raiva até ela serenar. **V   F   I**

24. Acho a raiva destrutiva. **V   F   I**

25. Acho raiva falta de civilização. **V   F   I**

26. Acho que a raiva afoga. **V   F   I**

27. Para mim, raiva é quase a mesma coisa que agressão. **V   F   I**

28. Acho que a raiva é um sentimento ruim na criança e deve ser punido. **V   F   I**

29. A energia da raiva tem de ir para algum lugar. É melhor pôr para fora. **V   F   I**

30. A raiva dá pique, dá energia. **V   F   I**

31. Para mim, raiva e mágoa andam juntas. Se fico com raiva, é porque me magoaram. **V   F   I**

32. Para mim, raiva e medo andam juntos. Quando estou com raiva, no fundo, estou inseguro. **V   F   I**

33. Quando está com raiva, a gente se coloca numa posição em que sente que tem poder, que está se defendendo. **V   F   I**

34. Raiva é sobretudo impaciência. **V   F   I**

35. O tempo esfria a raiva. **V   F   I**

36. Para mim raiva é desamparo e frustração. **V   F   I**

37. Minha raiva está sempre reprimida. **V   F   I**

38. É uma vergonha as pessoas verem que a gente está com raiva. **V   F   I**

39. A raiva é aceitável, se controlada. **V   F   I**

40. Eu diria que quando as pessoas ficam com raiva é como se estivessem jogando todo o lixo nos outros.
V   F   I

41. Quando me livro da raiva, é como se eu estivesse expelindo uma coisa muito ruim. **V   F   I**

42. Acho constrangedor exprimir minhas emoções.
V   F   I

43. A pessoa saudável não tem raiva. **V   F   I**

44. A raiva implica compromisso ou contato.
V   F   I

Tristeza

Agora pense nas últimas vezes em que se sentiu triste, abatido ou infeliz. Pense nas pessoas em sua vida que expressaram sentimentos de tristeza, depressão ou melancolia. Que pensamentos, imagens e sentimentos básicos lhe vêm à cabeça quando você pensa em como você e os outros expressam essas emoções tristes? Leia cada uma das afirmações sobre a tristeza e marque a resposta mais de acordo com a sua reação.

1. De modo geral, devo dizer que a tristeza é tóxica.
V   F   I

2. Tristeza parece doença, e se recuperar de uma tristeza é como se recuperar de uma doença.
V   F   I

3. Quando estou triste, quero ficar sozinho.
V   F   I

4. Tenho vários tipos de tristeza. **V   F   I**

5. Quando estou um pouquinho triste, já sei logo.
V   F   I

6. Quando os outros estão de moral um pouquinho baixo, percebo logo. **V   F   I**

7. Meu corpo me indica claramente que meu dia vai ser triste. **V   F   I**

8. Considero a tristeza uma coisa produtiva. Ensina a gente a ir mais devagar. **V   F   I**

9. Acho que a tristeza faz bem à gente. Mostra o que está faltando na nossa vida. **V   F   I**

10. A tristeza é uma conseqüência natural do luto e da perda. **V   F   I**

11. A tristeza é aceitável se rapidamente superada. **V   F   I**

12. Tratar da tristeza purifica. **V   F   I**

13. A tristeza é inútil. **V   F   I**

14. Não existe essa coisa de que "chorar faz bem". **V   F   I**

15. Tristeza não é uma coisa que a gente possa desperdiçar com bobagens. **V   F   I**

16. A tristeza existe por alguma razão. **V   F   I**

17. Tristeza é fraqueza. **V   F   I**

18. Quem sente tristeza mostra que tem sensibilidade e é capaz de empatia. **V   F   I**

19. Quem está triste se sente desamparado e/ou sem esperança. **V   F   I**

20. É inútil falar com as pessoas quando se está triste. **V   F   I**

21. Às vezes eu choro para desabafar. **V   F   I**

22. Tristeza me dá medo. **V   F   I**

23. Demonstrar tristeza é se descontrolar. **V   F   I**

24. Se você pode conservar o controle, a tristeza pode ser um prazer. **V   F   I**

25. A gente deve esconder que está triste.
V F I

26. Sentir tristeza é como ser violentado. **V F I**

27. Quem está triste deve ficar sozinho, como em quarentena. **V F I**

28. Fingir alegria é o antídoto da tristeza. **V F I**

29. As emoções podem se transformar pela força do pensamento. **V F I**

30. Tento superar logo a tristeza. **V F I**

31. A tristeza nos faz refletir. **V F I**

32. A tristeza reflete um traço negativo da criança.
V F I

33. Não se deve reagir à tristeza da criança.
V F I

34. Às vezes, quando estou triste, o que sinto é desprezo por mim mesma. **V F I**

35. Na minha opinião, as emoções estão sempre presentes. Fazem parte da vida. **V F I**

36. Estar no controle é estar para cima, positivo e não triste. **V F I**

37. Os sentimentos não são públicos, são privados.
V F I

38. Se as crianças o emocionam, você pode se descontrolar e ficar abusivo. **V F I**

39. Na vida, é melhor a pessoa não se deter muito nas emoções negativas. Só acentuar as positivas.
V F I

40. Para superar uma emoção negativa, continue fazendo as coisas rotineiras. **V F I**

Pontuação

As pessoas que percebem a raiva e a tristeza falam destas emoções de forma diferente. Elas facilmente detectam estas emoções em si mesmas e nos outros. Notam uma variedade de nuanças nestas emoções e aceitam estes sentimentos. Tais pessoas em geral vêem e sentem os menores sinais de raiva e tristeza em seus filhos, coisa que não acontece às menos sensíveis.

É possível alguém saber perceber uma emoção e não outra? Naturalmente. A percepção não é unidimensional e pode mudar com o tempo.

RAIVA. Para computar seu resultado para a raiva, some o número de vezes que você respondeu VERDADEIRO nos itens da lista Nº 1 abaixo, e subtraia o número de vezes que respondeu VERDADEIRO nos itens da lista Nº 2 abaixo. Quanto mais pontos você fizer, maior sua percepção.

Lista Nº 1

1, 3, 4, 5, 7, 8, 10, 11, 12, 15, 16, 17, 19, 20, 27, 29, 30, 31, 32, 33, 44.

Lista Nº 2

2, 6, 9, 13, 14, 18, 21, 22, 23, 24, 25, 26, 28, 34, 35, 36, 37, 38, 39, 40, 41, 42, 43.
Se respondeu **I** (ignoro) mais de dez vezes, talvez queira trabalhar para melhorar sua capacidade de perceber a raiva em você mesmo e nos outros.

TRISTEZA. Para computar seu resultado para a tristeza, some o número de vezes que respondeu VERDADEIRO nos itens da lista Nº 1 abaixo, e depois subtraia o número de vezes que respondeu VERDADEIRO nos itens da lista Nº 2. Quanto mais pontos você fizer, maior a sua percepção.

Lista Nº 1

4, 5, 6, 7, 8, 9, 10, 12, 16, 18, 21, 24, 25, 31, 35.

Lista Nº 2

1, 2, 3, 11, 13, 14, 15, 17, 19, 20, 22, 23, 26, 27, 28, 29, 30, 32, 33, 34, 36, 37, 38, 39, 40.
Se respondeu **I** (ignoro) mais de dez vezes, talvez queira trabalhar para melhorar sua capacidade de percepção da tristeza em você e nos outros.

DICAS PARA SE PERCEBER A EMOÇÃO

Após submeter-se a este teste, talvez você queira desenvolver a faculdade de perceber sua emotividade. Entre as formas comuns de entrar em contato com seus sentimentos, estão a meditação, a oração, a manutenção de um diário e expressões artísticas, como tocar um instrumento musical ou desenhar. Lembre-se de que, para desenvolver sua consciência emocional, você precisa passar algum tempo sozinho, o que não é fácil para os pais ocupados de hoje. Porém, se você tem em mente que umas horas de solidão podem ajudá-la a ser melhor mãe, isso não lhe parecerá nenhum luxo. Os membros do casal podem querer se revezar para dar uma volta pela manhã ou para esporádicos retiros de fim de semana. Pais e mães solteiros podem querer se revezar tomando conta dos filhos com o mesmo objetivo.

Fazer um "diário de emoções" também é excelente para a pessoa se conscientizar de seus sentimentos. Segue adiante um exemplo de uma lista semanal para monitorar uma variedade de sentimentos à medida que eles surgem. Estes diários podem ajudá-lo a identificar os incidentes e pensamentos que desencadeiam suas emoções e a observar como você reage a eles. Lembra-se, por exemplo, da última vez em que chorou ou perdeu a cabeça? Qual foi a gota d'água? Como sentiu-se diante do fato de ter-se emocionado? Aliviado ou envergonhado? Alguém percebeu o que você estava sentindo? Você falou com alguém a respeito do incidente? São estes os tipos de informação que você pode anotar em seu diário emotivo. Você também pode usar o diário para anotar suas reações às emoções dos outros, particularmente às de seus filhos. Quando vir seu filho com raiva, triste ou assustado, pode anotar como reagiu.

Um diário da emoção também é útil para quem se assusta ou fica nervoso com a própria emotividade. Porque o processo de nomear uma

SEMANA DE:

EMOÇÃO	SEGUNDA	TERÇA	QUARTA	QUINTA	SEXTA	SÁBADO	DOMINGO
felicidade							
afeição							
interesse							
excitação							
orgulho							
desejo							
amar							
ser amado							
gratidão							
tensão							
mágoa							
tristeza							
irritação							
raiva							
piedade							
desgosto							
culpa							
inveja							
arrependimento							
vergonha							

emoção e escrever sobre ela ajuda a definir e controlar o sentimento. Emoções que antes pareciam misteriosas e incontroláveis de repente se definem. Nossos sentimentos ficam mais administráveis e já não assustam tanto.

Ao fazer seu diário, repare os tipos de pensamentos, imagens e linguagem que seus sentimentos despertam. Procure entender o que está por trás das metáforas que usou para descrever os sentimentos. Por exemplo, costuma ver a raiva de seu filho ou a sua como uma coisa destrutiva ou explosiva e por isso assustadora? O que estas imagens lhe dizem sobre sua disposição de aceitar e trabalhar as emoções negativas em sua vida? Há alguma atitude ou idéia que você gostaria de modificar em relação à emoção?

PERCEBENDO AS EMOÇÕES DA CRIANÇA

Pais que percebem as próprias emoções podem usar a sensibilidade para sintonizar os sentimentos de seus filhos — por mais sutis ou intensos que sejam. O fato de você ser uma pessoa sensível e emocionalmente consciente, no entanto, não significa necessariamente que você vá sempre achar fácil entender os sentimentos de seus filhos. A criança muitas vezes expressa as emoções de forma indireta, e, para os adultos, intrigante. Se ouvirmos com atenção e com o coração aberto, porém, podemos decodificar mensagens que a criança inconscientemente oculta nas interações, brincadeiras e atitudes.

David, que freqüenta um de nossos grupos de pais, contou como um incidente com sua filha de sete anos o ajudou a compreender a origem da raiva da menina e mostrou-lhe do que ela precisava. Carly tinha passado o dia mal-humorada, explicou, implicando com o irmão de quatro anos, inventando motivos para se ofender, entre eles o clássico: "Jimmy está olhando de novo para mim!". Em cada interação, Carly colocava Jimmy como vilão, embora Jimmy aparentemente não estivesse fazendo nada de errado. Quando David perguntou a Carly por que ela estava tão zangada com o irmão de boa índole, a menina respondeu apenas com silêncio e lágrimas. Quanto mais ele puxava por ela, mais ela ficava na defensiva.

No final do dia, David foi ao quarto de Carly ajudá-la a preparar-se para ir dormir. Encontrou-a emburrada de novo. Quando foi pegar o pijama na cômoda, só encontrou um — velho, pequeno e um daqueles modelos com pé.

— Será que esse dá em você? — perguntou ele com um sorriso amarelo, erguendo-o para mostrá-lo à filha comprida.

David pegou uma tesoura e os dois cortaram os pés do pijama para Carly poder usá-lo.

— Incrível como você está crescendo — disse-lhe. — Vai ficar uma moça bem alta.

Cinco minutos depois, Carly foi ter com o resto da família na cozinha para comer alguma coisa antes de dormir.

— Era outra criança — lembra David. — Estava falante, animada. Até conseguiu fazer uma piada para Jimmy.

— Alguma coisa aconteceu durante o episódio do pijama, mas não sei bem o quê — disse David aos outros pais.

Após debater o assunto com o grupo, porém, a resposta ficou mais clara para ele. De temperamento sério e sensível, Carly sempre teve ciúmes de Jimmy, uma criança encantadora e afável. E por uma razão qualquer, naquele dia específico, ela talvez estivesse precisando da confirmação de seu lugar na família. Talvez quisesse saber que David a ama de forma diferente da que ama Jimmy. Talvez ela estivesse precisando exatamente daquela ternura com que o pai comentou que ela estava crescendo rápido.

A questão é que a criança — como todo mundo — se emociona por algum motivo, mesmo que não consiga articulá-lo. Quando vemos nossos filhos irritados ou nervosos por alguma coisa aparentemente sem importância, às vezes é bom tomar distância e olhar de uma perspectiva mais ampla para o que está acontecendo com eles. Uma criança de três anos não pode dizer: "Desculpe eu andar tão rabugento ultimamente, mamãe. É que a mudança de creche foi muito estressante para mim". Uma criança de oito anos provavelmente não vai lhe dizer: "Fico numa tensão horrível quando vejo você e o papai brigando por causa de dinheiro", mas talvez esteja sentindo-se assim.

Até sete anos, as crianças revelam muitos sentimentos através da fantasia. A dramatização, com personagens, cenários e recursos cênicos diferentes, permite à criança experimentar várias emoções sem correr riscos. Lembro-me de minha filha Moriah aos quatro anos com a boneca Barbie. Brincando na banheira com a boneca, ela me disse: "A Barbie fica apavorada quando você se zanga". Foi a maneira como ela começou uma conversa importante entre nós sobre o que me irrita, como elevo a voz quando irritado e o que ela sente com isso. Grato pela oportunidade de discutir o assunto, assegurei à boneca Barbie (e à minha filha) que não era minha intenção assustá-la, e que o fato de às vezes eu me irritar não significa que não gosto dela. Como Moriah estava assumindo a persona de Barbie, falei diretamente com a boneca e consolei-a. Isso, acredito, fez com que Moriah continuasse falando com mais desinibição sobre o que sente quando me zango.

Nem todas as mensagens de uma criança são tão fáceis de decifrar. No entanto, é comum a criança representar seus medos através de jogos com temas sérios como abandono, doença, acidente ou morte. (Será que é de espantar que as crianças gostem de fingir que têm a força e os poderes de um Super-homem?) Pais alertas podem captar o que está por trás dos medos que a criança expressa através da brincadeira. E, depois, podem discutir esses medos, ajudando a criança a racionalizá-los.

Entre os sinais de que a criança tem algum problema emocional, estão a fome exagerada, perda de apetite, pesadelos, queixas de dor de cabeça e dor de estômago. A criança já acostumada a usar o vaso sanitário pode voltar a urinar na cama.

Se desconfia que seu filho está triste, irritado ou com medo, é bom tentar colocar-se no lugar dele, ver o mundo da perspectiva dele. Isso pode ser um desafio maior do que parece, sobretudo considerando que você tem muito mais experiência de vida. Quando morre um animal de estimação, por exemplo, *você* sabe que o tempo acaba amenizando a dor da perda. Mas uma criança que esteja sentindo isso pela primeira vez pode ficar muito mais arrasada que você com a intensidade da experiência. Embora seja impossível eliminar as diferenças entre a sua vivência e a de seu filho, você pode procurar lembrar que seu filho é muito mais imaturo, inexperiente e vulnerável do que você.

Quando se comove por causa de seu filho, quando sabe que está sentindo o que ele está sentindo, você está tendo empatia, que é a base do trabalho de preparação emocional. Se é capaz de se emocionar junto com seu filho — mesmo que às vezes isso seja difícil ou incômodo —, você pode dar o próximo passo, que é aproveitar os momentos carregados de emoção para ganhar a confiança de seu filho e orientá-lo.

PASSO Nº 2: RECONHECENDO A EMOÇÃO
COMO UMA OPORTUNIDADE
DE INTIMIDADE E ORIENTAÇÃO

Dizem que, em chinês, o mesmo ideograma representa "crise" e "oportunidade". Em nenhuma outra situação, a associação destes dois conceitos é mais apropriada do que em nosso dia-a-dia como pais. A "crise" pode ser uma bola de gás furada, uma nota vermelha em matemática ou a traição de um amigo, mas essas experiências negativas podem ser excelentes oportunidades para mostrar empatia, para ganhar intimidade com nossos filhos e ensiná-lhes maneiras de lidar com os sentimentos.

Para muitos pais, ver nas emoções negativas da criança uma oportunidade de união e orientação é um alívio, um desafogo, um grande "ufa". A cólera da criança deixa de ser um sinal de rebeldia. Seus medos deixam de apontar para a nossa incompetência enquanto pais. E sua tristeza deixa de ser simplesmente "mais uma coisa infernal que vou ter de resolver hoje".

Para reiterar a sugestão de um pai preparador emocional estudado por nós, é quando está triste ou irritada ou com medo que a criança mais precisa dos pais. A faculdade de ajudar a acalmar uma criança aflita é o que mais "nos faz sentir que somos pais". Ao reconhecer as emoções de nossos filhos estamos colaborando para que eles aprendam técnicas calmantes que lhes serão úteis pelo resto da vida.

Alguns pais tentam ignorar os sentimentos negativos da criança esperando que eles passem, mas não é assim que as emoções funcionam. O que acontece é que os sentimentos negativos se dissipam quando a criança pode falar sobre suas emoções, nomeá-las e sentir-se compreendida. Faz sentido, portanto, reconhecer a emoção ainda incipiente antes que ela atinja níveis de crise. Se seu filho de cinco anos está nervoso porque precisa ir ao dentista, é melhor explorar este medo na véspera da consulta do que esperar até o garoto ficar esperneando na cadeira do dentista. Se seu filho de doze anos está com inveja do melhor amigo que conseguiu a posição que ele cobiçava no time de beisebol, é melhor discutir com ele esse sentimento do que deixá-lo transbordar no meio de um atrito entre os dois amigos uma semana depois.

Falar dos sentimentos antes que eles se exacerbem proporciona às famílias a oportunidade de exercitar técnicas de ouvir e solucionar problemas quando o que está em jogo ainda são coisas pequenas. Se você demonstra interesse e preocupação quando seu filho se machuca um pouquinho ou quando um de seus brinquedos quebra, essas experiências são blocos de montagem. Seu filho aprende que você é seu aliado e vocês dois descobrem como colaborar um com o outro. Mais tarde, se eventualmente surgir uma grande crise, ambos estão preparados para enfrentá-la juntos.

PASSO Nº 3: OUVINDO COM EMPATIA E LEGITIMANDO OS SENTIMENTOS DA CRIANÇA

Quando começa a perceber oportunidades de se aproximar de seu filho e ensiná-lo a buscar soluções para os problemas, você está pronto para dar o passo talvez mais importante do processo de preparação emocional: ouvir com empatia.

Neste contexto, ouvir significa muito mais do que reunir dados através da audição. Ouvintes dotados de empatia usam os olhos para detectar sinais físicos das emoções de seus filhos. Usam a imaginação para ver a situação da perspectiva da criança. Usam as palavras para traduzir, de forma tranqüilizadora e acrítica, o que estão ouvindo e para ajudar a criança a nomear as emoções. Mas o que é mais importante, usam o coração para sentir verdadeiramente o que a criança está sentindo.

Para entrar em sintonia com as emoções de seu filho, você precisa prestar atenção à linguagem corporal, às expressões faciais e aos gestos dele. Naturalmente você já conhece aquela testa franzida, aquela boca contraída, aquele sapateado. O que isso lhe diz sobre o que ele está sentindo? Preste atenção para que seu filho também possa ler sua linguagem corporal. Se o seu objetivo é falar de uma maneira descontraída e atenciosa, assuma uma postura que traduza isso. Sente-se no mesmo nível que ele, respire fundo, relaxe e concentre-se. Sua atenção mostrará a seu filho que você o leva a sério e está disposto a perder algum tempo com os problemas dele.

À medida que seu filho se abre, vá comentando o que ouve e repara. Com isso ele vai ver que você está lhe dando atenção e achando que o que ele sente é legítimo. Eis um exemplo:

Chega um presente pelo correio para Nicky, e Kyle, o irmão de quatro anos, fica furioso:

— Isso é injustiça! — protesta Kyle.

Como é típico, o pai dos garotos explica que, a longo prazo, *não* é injustiça:

— Quando seu aniversário chegar, sua avó deve mandar um presente para você também — diz.

Embora certamente explique a lógica da situação, esta declaração ignora solenemente como Kyle está se sentindo. Agora, além de estar com ciúmes por causa do presente, Kyle deve estar furioso porque o pai não compreende sua posição nada invejável.

Imagine como Kyle se sentiria se a reação do pai ao seu desabafo fosse uma observação simples: "Você queria que a sua avó tivesse mandado um presente para você também". É, eu queria, Kyle pode pensar. Embora seja o aniversário do Nicky e eu não devesse esquentar com isso, estou com ciúmes. O papai entende. Agora Kyle está mais tranqüilo para ouvir do pai que, com o tempo, eles vão ficar quites.

Uma mãe que freqüenta um de nossos grupos de pais teve uma experiência semelhante quando a filha chegou em casa se queixando:

— Ninguém gosta de mim.

— Foi dificílimo não contestá-la — disse a mãe — Sei que ela é popular na escola. Mas, quando ouvi com empatia em vez de contestar, a crise acabou logo. Estou aprendendo que, quando ela fala sobre os sentimentos dela, não adianta usar a lógica. É melhor simplesmente ficar ouvindo.

Eis mais um exemplo de como ouvir com empatia, extraído de uma conversa entre uma das mães que freqüenta nossos grupos e a filha de nove anos, Megan. Repare que a primeira providência da mãe é reconhecer os sentimentos da filha.

Megan: Não quero ir ao colégio amanhã.

Mãe: Não? Estranho. Em geral você gosta de ir ao colégio. Fico pensando se não tem alguma coisa incomodando você.

Megan: É, mais ou menos.

Mãe: O que está incomodando você?

Megan: Não sei.

Mãe: Tem alguma coisa incomodando você, mas você não sabe direito o que é.

Megan: É.

Mãe: Estou achando você meio tensa.

Megan: (chorando) É. Vai ver que é por causa da Dawn e da Patty.

Mãe: Aconteceu alguma coisa hoje, no colégio, com elas?

Megan: É. Hoje no recreio elas me deram gelo.

Mãe: Ah, você deve ter ficado magoada com isso.

Megan: Fiquei.

Mãe: Está parecendo que você não quer ir ao colégio amanhã com medo de que elas tornem a lhe dar gelo no recreio.

Megan: É. Toda vez que eu me aproximava delas, elas saíam de perto e começavam a fazer alguma outra coisa.

Mãe: Puxa vida, eu me sentiria péssima se minhas amigas fizessem isso comigo.

Megan: Eu me senti. Quase chorei.

Mãe: Ah, meu amor (abraçando-a). Sinto muito que isso tenha acontecido com você. Estou vendo que você está tristíssima e furiosa com a maneira como suas amigas trataram você.

Megan: Estou. Não sei o que eu vou fazer amanhã. Não quero ir ao colégio.

Mãe: Porque não quer que suas amigas tornem a magoar você.

Megan: É, e é com elas que eu sempre brinco. Todo mundo já tem o seu grupinho.

E assim prosseguiu a conversa, com Megan contando à mãe mais detalhes sobre o relacionamento dela com as meninas. A mãe relatou que, por diversas vezes, desejou dizer à filha o que fazer. Queria dizer coisas como "Não se preocupe. Amanhã a Dawn e a Patty vão estar diferentes", ou "Mande essas meninas irem tomar banho. Arranje outras amigas".

Mas conteve-se, pois queria que a filha visse que ela estava compreendendo e encontrasse sozinha algumas respostas.

Acho que essa intuição foi boa. Se a mãe tivesse mandado Megan não se preocupar, ou deixado implícito que havia uma solução simples, estaria dizendo que achava o problema da filha inconseqüente, bobo. Mas Megan encontrou confiança na mãe e sentiu-se reconfortada. Depois de passar um bom tempo escutando e traduzindo com suas palavras o que a filha lhe contava, a mãe de Megan começou a dar idéias para lidar com aquela situação. E, porque sabia que a mãe compreendia seu dilema, Megan escutava os conselhos da mãe. Eis como terminou a conversa:

Megan: Não sei o que fazer.

Mãe: Quer que eu lhe dê algumas sugestões?

Megan: Quero.

Mãe: Talvez você possa dizer à Dawn e à Patty o que sente quando elas lhe dão gelo.

Megan: Acho que eu não ia conseguir. Ia ficar muito sem jeito.

Mãe: É, compreendo por que você poderia ficar sem jeito. Seria preciso ter muita coragem. Nossa, não sei. Vamos pensar. (Enquanto isso, a mãe afaga as costas da filha.)

Mãe: Quem sabe você espera e vê o que acontece. Você conhece a Dawn; às vezes ela é uma peste, mas depois fica de novo um amor. Quem sabe amanhã ela vai ser mais sua amiga.

Megan: Mas e se não for?

Mãe: Não sei. Você tem alguma sugestão?

Megan: Não.

Mãe: Tem mais alguém com quem você gostaria de brincar?

Megan: Não.

Mãe: O que mais se joga no recreio?

Megan: Só futebol.

Mãe: Você gosta de jogar futebol?

Megan: Nunca joguei.

Mãe: Ah.

Megan: A Krista joga sempre.

Mãe: Você está falando da Krista, aquela sua amiga do Camp Fire?

Megan: É.

Mãe: Já vi você com a Krista nas reuniões do Camp Fire e você não é nada tímida com ela. Quem sabe você podia pedir a ela para ensiná-la a jogar.

Megan: Quem sabe.

Mãe: Ótimo. Então você tem outra idéia.

Megan: É, talvez isso dê certo. Mas e se não der?

Mãe: Parece que você ainda está preocupada. Como se estivesse com medo de não ter ninguém com quem brincar e de não saber o que fazer.

Megan: É.

Mãe: Você se lembra de alguma brincadeira divertida para brincar sozinha?

Megan: Tipo pular corda?

Mãe: É, pular corda.

Megan: Eu podia levar a minha para garantir.

Mãe: É. Aí se você não brincar com a Dawn e a Patty nem se acertar com o jogo de futebol, pode pular corda.

Megan: É, eu posso fazer isso.

Mãe: Por que você não vai botar a corda logo na mochila para não esquecer?

Megan: Tudo bem. Depois eu podia ligar para a Krista e perguntar se ela quer vir aqui em casa amanhã depois do colégio.

Mãe: Boa idéia.

Ao demonstrar empatia, perder seu tempo e deixar Megan chegar às próprias conclusões, a mãe pôde orientar a filha na direção de algumas opções factíveis.

Enquanto estiver escutando seu filho num momento de emotividade, saiba que compartilhar observações simples costuma dar mais resultado do que ficar fazendo perguntas para manter a conversa rolando. Você pode perguntar a ele "Por que você está triste?" e ele não saber responder. Sendo criança, ainda não colheu os resultados (positivos ou negativos) de anos de introspecção, portanto pode não ter uma resposta na ponta da língua. Talvez esteja triste por causa de uma discussão dos pais, ou por estar cansado, ou preocupado com o recital de piano. Mas talvez não consiga articular isso. E, mesmo quando encontrar uma resposta, ele pode recear que não justifique o sentimento. Nessas circunstâncias, um interrogatório pode apenas fazer a criança se fechar. Mais vale simplesmente manifestar suas impressões. Você pode dizer: "Você está parecendo meio cansado", ou "Vi que você franziu a testa quando falei no recital", e ver o que ele responde.

E evite perguntar o que já sabe. Perguntas do tipo "A que horas você chegou ontem à noite?" ou "Quem quebrou o abajur?" estabelecem um clima de desconfiança e armadilha — como se você só estivesse esperando ver seu filho mentir. É melhor iniciar a conversa com uma observação direta — tipo "Vi que você quebrou o abajur e fiquei chateada", ou "Ontem à noite você chegou depois da uma e isso é inadmissível".

Usar suas experiências como exemplo também pode ser uma maneira eficaz de demonstrar compreensão. Veja o caso de Kyle, o garoto que estava com ciúmes do irmão por causa do presente de aniversário. Imagine se o pai tivesse dito: "Eu sentia a mesma coisa quando era pequeno e a tia Mary ganhava um presente". Isso mostraria a Kyle que emoções como aquela são tão legítimas que até o papai sente. E agora que se sente compreendido, ele pode aceitar do pai a explicação reconfortante de que "sua avó deve mandar um presente para você no seu aniversário também".

PASSO Nº 4: NOMEAR
E VERBALIZAR AS EMOÇÕES

Uma etapa fácil e extremamente importante no trabalho de preparação emocional é ajudar a criança a ir nomeando as emoções que vai sentindo. Nos exemplos acima, o pai de Kyle ajudou-o a identificar aquele sentimento desagradável como "ciúme". A mãe de Megan usou uma série de rótulos para ajudar a filha a definir seu problema, entre eles "tensa", "preocupada", "magoada", "furiosa", "triste" e "com medo". Fornecer as palavras dessa maneira pode ajudar a criança a transformar um sentimento amorfo, assustador e incômodo em algo definível, enquadrado e que faz parte da vida. Raiva, tristeza e medo tornam-se experiências que todo mundo tem e com as quais todo mundo é capaz de lidar.

Nomear as emoções e demonstrar empatia são coisas que andam juntas. Um pai vê o filho chorando e diz: "Você está muito triste, não está?". Ora, não só o filho compreendeu como também tem uma palavra para descrever aquele sentimento intenso.

Estudos indicam que o ato de rotular as emoções pode ter um efeito calmante sobre o sistema nervoso, ajudando a criança a se recuperar mais rápido de incidentes desagradáveis. Embora não saibamos ao certo como se dá este efeito calmante, tenho a teoria de que falar sobre uma emoção na hora em que a estamos sentindo ocupa o hemisfério esquerdo do cérebro, que é o centro da linguagem e da lógica. Isso, por sua vez, pode ajudar a criança a se concentrar e a se acalmar. Como já discutimos, ensinar a criança a se acalmar traz enormes mudanças. A criança capaz de se acalmar sozinha desde cedo revela vários sinais de inteligência emocional: tem mais capacidade de concentração, relaciona-se melhor com os colegas, tem melhor desempenho acadêmico e é mais saudável.

Meu conselho aos pais, então, é que ajudem seus filhos a verbalizar o que eles estão sentindo. Isso não significa dizer à criança como ela *deve* sentir-se. Significa apenas ajudá-la a desenvolver um vocabulário para expressar suas emoções.

Quanto maior a precisão com que a criança expressar seus sentimentos, melhor. Portanto veja se pode ajudá-la a dizer exatamente como se sente. Se estiver irritada, por exemplo, ela pode também estar frustrada, furiosa, confusa, enciumada ou sentindo-se traída. Se estiver triste, pode estar sentindo-se magoada, abandonada, enciumada, vazia, deprimida.

Lembre-se de que as pessoas às vezes têm emoções misturadas, o que, para algumas crianças, pode ser, por si só, uma coisa perturbadora. Uma criança de partida para a colônia de férias, por exemplo, pode estar orgulhosa de sua independência e, ao mesmo tempo, com medo de ficar com saudades de casa. "Todo mundo está feliz com a partida, mas eu estou nervoso", pode pensar o menino. "Então o que há de errado comigo?" Os pais podem ajudar em situações como essa orientando a criança a explorar suas emoções e assegurando-lhe que é normal ter sentimentos contraditórios.

PASSO Nº 5: IMPONDO LIMITES E AJUDANDO A CRIANÇA A ENCONTRAR SOLUÇÕES

Depois de ter perdido tempo ouvindo sua filha e ajudando-a a rotular e compreender o que sente, provavelmente você entrará naturalmente no processo de solucionar os problemas. Este processo pode ter também cinco etapas: 1) impor limites, 2) identificar objetivos, 3) procurar possíveis soluções, 4) avaliar propostas de soluções baseadas nos valores de sua família e 5) ajudar a criança a escolher uma solução.

À primeira vista, este processo pode parecer bastante complicado, mas, com a prática, torna-se automático e pode ser realizado rapidamente.

É assim que a gente quer que a criança se envolva na solução dos problemas: rápida porém seguidamente.

Você pode orientar seu filho nas etapas do processo. Mas não se surpreenda se, com a experiência, ele tomar a iniciativa e começar a resolver problemas difíceis sozinho.

IMPOR LIMITES

Especialmente para uma criança pequena, a procura de soluções para os problemas muitas vezes começa com o pai ou a mãe reprimindo atitudes inconvenientes. A criança fica frustrada, por exemplo, e expressa este sentimento negativo de maneira inconveniente, como bater no amiguinho, quebrar um brinquedo ou dizer um palavrão. Após identificar a emoção por trás daquele comportamento inaceitável e ajudá-lo a rotulá-la, o pai ou a mãe pode fazer com que a criança compreenda que certos tipos de atitudes são inadmissíveis. Aí pode orientar a criança para que pense em formas mais apropriadas de lidar com sentimentos negativos.

"Você ficou danado porque o Danny lhe tomou aquele jogo", pode dizer o pai. "Eu também ficaria. Mas não é certo você bater nele. O que você pode fazer em vez de bater?" Ou: "Tudo bem que você fique com ciúmes porque sua irmã pulou para o banco da frente antes de você, mas não pode ficar chamando-a de nomes feios. Dá para pensar numa maneira diferente de lidar com seus sentimentos?".

Como ensina Ginott, é importante a criança entender que seus *sentimentos* não são o problema, seu *mau comportamento* é que é. Todos os sentimentos e todos os desejos são aceitáveis, ensina ele, mas nem todos os comportamentos o são. Portanto, os pais têm que impor limites aos atos, não aos desejos.

Isso faz sentido quando você considera que não é fácil para a criança mudar como ela se sente diante de determinada situação. Sua tristeza, seu medo ou sua raiva não desaparecem apenas porque a mãe diz "Pare de chorar", ou "Você não deveria estar se sentindo assim". Dizer a uma criança como ela *deve* sentir-se só a faz desconfiar do que ela sente, o que a deixa insegura e a faz perder a auto-estima. Por outro lado, se dizemos à criança que ela tem o direito de sentir — mas pode ser que haja formas mais adequadas de *expressar* o que sente —, ela fica com o caráter e a auto-estima intactos. E fica sabendo que tem um adulto compreensivo do seu lado para ajudá-la a deixar de se sentir arrasada e encontrar uma solução.

Que tipos de comportamento os pais devem reprimir? Ginott não dá uma resposta curta e simples a essa pergunta, o que está certo. Os pais devem estabelecer regras para os filhos baseadas em seus próprios valores. Porém Ginott dá uma certa orientação no que diz respeito à permissividade, que ele define como "aceitar que a criança seja criança".[26] Os pais devem aceitar, por exemplo, "que uma camisa limpa não vai continuar limpa por muito tempo numa criança normal, que correr, e não andar, é a forma de locomoção normal da criança, que árvore é feita para a criança trepar e espelho para ela fazer careta". Permitir estes comportamentos "traz confiança e estimula a capacidade de expressar sentimentos e idéias". Excesso de permissividade, por outro lado, é aceitar atos indesejáveis, tais como comportamento destrutivo, diz Ginott. Deve-se evitar o excesso de permissividade por ser algo que "causa ansiedade e faz com que, cada vez mais, a criança exija privilégios que não podem ser concedidos".

Ginott também sugere que os pais considerem um sistema de regras baseado em três "zonas" de comportamento — a verde, a amarela e a vermelha.

A zona verde abrange o comportamento aceito e desejado. É a maneira como queremos que nossos filhos ajam; então, nessa zona, tudo é permitido.

Na zona amarela, encontram-se aquelas atitudes inconvenientes, porém toleráveis por dois motivos específicos. O primeiro é "liberdade para quem está aprendendo". Seu filho de quatro anos não consegue ficar quieto durante a missa toda, mas você espera que ele vá melhorar com o tempo. O segundo é "condescendência para momentos difíceis". Um menino de cinco anos faz cenas quando está resfriado. Uma adolescente desafia a autoridade da mãe quando os pais estão se divorciando. Talvez você não aprove estes tipos de comportamento, e deve mostrar isso ao seu filho. Mas você pode passar por cima e tolerá-los, dizendo-lhe que está fazendo isso por causa de circunstâncias extraordinárias.

Na zona vermelha, fica o comportamento intolerável em qualquer circunstância. Inclui atividades que põem em risco o bem-estar de seu filho e dos outros. Inclui também comportamento ilegal ou o que você considera imoral, antiético ou socialmente inaceitável.

Ao impor limites de comportamento, os pais devem informar a criança sobre as conseqüências da transgressão. Quem se comporta bem pode receber atenção, elogios, privilégios ou recompensas. Quem se comporta mal pode não receber atenção, perder privilégios, não ganhar recompensas. A criança responde melhor se as conseqüências são constantes, justas e associadas às suas ações.

A "expulsão" é um método popular usado para punir o mau comportamento de crianças de três a oito anos. Para aplicá-lo corretamente, isola-se temporariamente a criança de interações positivas com os colegas e professores. Quando bem aplicado, pode ser uma forma eficaz de ajudar a criança a parar de agir errado, acalmar-se e começar tudo de novo com uma atitude mais positiva. Infelizmente, são muitos os pais e professores que não sabem "expulsar". Eles aliam o isolamento a palavras e atitudes bruscas, fazendo a criança sentir-se rejeitada e humilhada. Não se consegue quase nada com este tipo de punição depreciativa. Aconselho veementemente os pais que costumam usar o método da expulsão que o façam com sensibilidade.[27]

Outra coisa que os pais americanos costumam fazer quando os filhos se comportam mal é bater. Uma pesquisa realizada em 1990 com estudantes universitários, por exemplo, revelou que 93% dos entrevistados apanharam quando crianças. Destes, 10,6% afirmaram ter sofrido castigos físicos severos a ponto de ficarem com vergões e equimoses.[28] Embora seja comum entre os pais americanos, o hábito de bater nos filhos não é o padrão mundial. Na Suécia, por exemplo, apenas 11% dos pais confessam bater nos filhos — uma estatística que muitos julgam ter ligação com o baixo índice de violência neste país.[29]

Muitos pais que batem nos filhos alegam fazer isso para pô-los na linha. De fato, muitas crianças obedecem para evitar o sofrimento físico. O problema é que a ameaça de bater funciona bem demais a curto prazo: corta na hora o mau comportamento, em geral sem discussão, podando qualquer chance de se ensinar a criança a se controlar e encontrar soluções. Mas, a longo prazo, bater não adianta nada. Na verdade, costuma ser contraproducente porque faz a criança sentir-se impotente, injustiçada e furiosa com os pais. Depois de levar uma surra, é mais provável a criança pensar em se vingar do que em se corrigir. A sensação de humilhação pode fazê-la negar o que fez de errado ou arquitetar planos para não ser pega da próxima vez.

Bater também ensina, por exemplo, que a agressão é um meio apropriado de conseguir o que se quer. Estudos mostram que as crianças que apanham têm mais tendência a bater nos colegas, especialmente nos menores e mais fracos. Bater pode também ter conseqüências a longo prazo. Pesquisas indicam que as crianças tornam-se tanto mais agressivas quanto mais severamente tenham sido castigadas fisicamente. Na adolescência, têm mais probabilidade de bater nos pais. Na idade adulta, têm mais probabilidade de ser violentas e tolerar a violência em seus relacionamentos. E, finalmente, as pessoas que recebem castigos físicos na infância têm menos propensão a cuidar dos pais idosos.

Embora a grande maioria dos pais americanos bata nos filhos, acho que muitos desejam encontrar uma forma melhor de corrigi-los. É interessante notar que estudos com pais que se exercitaram em outros métodos disciplinares mostram que, tão logo descobrem uma alternativa eficaz, eles já não batem mais.

As famílias saem-se melhor com métodos que estabelecem limites e permitem que a criança conserve o senso de dignidade, auto-estima e poder. Quando lhe impõem regras que ela é capaz de compreender e ela sente que alguém controla sua vida, a criança costuma se comportar melhor. Quando aprende a regular as emoções negativas, não precisa ser tão disciplinada e reprimida pelos pais. E, tendo os pais como aliados justos e confiáveis, a criança se dispõe mais a buscar soluções para os problemas mútuos.

IDENTIFICAR OBJETIVOS

Depois de ter ouvido seu filho com empatia, rotulado sentimentos e definido o que ele não pode fazer, o próximo passo deve ser identificar objetivos associados à solução de problemas. Se não lhe parecer lógica esta ordem, você pode estar se apressando. Seu filho talvez precise de mais tempo para expressar seus sentimentos. Se este for o seu caso, procure não desanimar. Simplesmente continue encorajando seu filho a se abrir. Repita o que está ouvindo e observando. Mostre empatia e rotule. Às vezes é bom fazer perguntas como "Por que você está triste (ou zangado ou ansioso) assim?" ou "Foi alguma coisa que aconteceu hoje?". Você pode dar sugestões para ajudar seu filho a nomear as causas. Com o tempo, ele pode chegar ao ponto de perguntar: "Agora eu sei por que estou chateado e sei o que me deixou assim. O que vou fazer para resolver o problema?"

Para identificar um objetivo associado à solução do problema, pergunte a seu filho o que ele gostaria de fazer em relação àquele problema específico. Muitas vezes a resposta é simples: ele quer consertar a pipa que empenou, quer resolver um problema complicado de matemática. Outras situações podem exigir esclarecimento. Depois de uma briga com a irmã, por exemplo, ele pode precisar determinar se é melhor se vingar ou encontrar um meio de evitar rixas futuras. E às vezes pode parecer que não há soluções à vista. O animal de estimação de seu filho morreu. Seu melhor amigo está indo morar em outro estado. Ele não conseguiu o papel que desejava na peça do colégio. Em casos assim, o objetivo de seu filho pode ser simplesmente aceitar a perda e ser reconfortado.

PROCURAR POSSÍVEIS SOLUÇÕES

Trabalhe junto com seu filho para fazê-lo encontrar uma solução para o problema. As idéias dos pais podem ser uma bênção — sobretudo para uma criança pequena que costuma penar para imaginar soluções alternativas. Mas é importante se controlar para não assumir o comando. Se você realmente quer que seu filho seja o dono da solução, deve puxar por ele para que apresente idéias.

Como conduzir esse processo criativo da melhor maneira possível depende, em grande parte, da idade de seu filho. A criança com menos de dez anos não tem o raciocínio abstrato bem desenvolvido. Assim, pode ser difícil para ela pensar em duas opções ao mesmo tempo. Portanto, se você estiver raciocinando com uma criança desta faixa etária, e ela tiver uma idéia, vai querer testá-la na mesma hora, antes de analisar outras alternativas. Lembro-me de conversar com minha filha Moriah quando ela estava com quatro anos sobre estratégias para lidar com o medo de "um monstro" que lhe apareceu num pesadelo.

— Você podia desenhar o que você está sentindo — sugeri, e, num piscar de olhos, ela estava procurando os lápis de cera.

Como não queremos diminuir este entusiasmo, pode ser necessário tentar uma solução de cada vez e então pedir à criança para decidir, *a posteriori*, qual foi a idéia que deu mais certo.

Brincar de faz-de-conta também pode ser uma forma concreta e prática de demonstrar soluções alternativas para a criança. Você pode usar marionetes, bonecos, ou você mesmo representar algumas soluções para um problema. Como, no raciocínio da criança, as coisas são pretas ou são brancas, é bom representar duas versões de uma situação — uma com a solução "certa" e outra com a "errada". Duas marionetes, por exemplo, podem estar brigando por causa de um brinquedo. No primeiro cenário, uma toma o brinquedo da outra sem pedir. Na segunda versão, uma marionete propõe que o brinquedo fique um pouco com cada uma.

Com crianças mais velhas, você pode usar um método mais tradicional de raciocínio, em que você e seu filho tentem apresentar todas as soluções que lhes vierem à cabeça. Para fazer com que as idéias criativas fluam melhor, vá logo dizendo a seu filho que qualquer idéia merece ser considerada, por mais tola que pareça, e que você só vai começar a cortar a lista de opções quando todas as possibilidades tiverem sido apresentadas. Você pode mostrar que está mesmo levando aquele processo a sério, anotando as opções que lhes ocorrerem.

Uma técnica de estimular o crescimento da criança enquanto vocês apresentam soluções é relacionar vitórias passadas e futuras. Você pode fazer seu filho lembrar um sucesso passado e em seguida estimulá-lo a se ver tentando uma coisa nova com sucesso semelhante.

Recentemente tive a oportunidade de usar este método com Moriah quando estava sendo difícil para ela administrar as amizades no jardim-de-infância. Um dia ela ficou tão aflita com isso que não quis ir à escola. Resolvi que, em vez de lhe dizer o que fazer, eu iria lhe pedir idéias, passando-lhe informações que a ajudassem a pensar aquela situação de outras formas. A conversa foi mais ou menos assim:

Moriah: Eu não quero ir porque quando a gente tem que escolher um parceiro na natação, a Margaret sempre quer ficar comigo e eu preferia ficar com a Polly.

Eu: Estou vendo que esse problema realmente deixa você frustrada.

Moriah: É, é chato.

Eu: O que a gente pode fazer?

Moriah: Sei lá. Eu gosto da Margaret, mas estou cansada de ser parceira dela todo dia. Quem sabe eu podia agarrar a mão da Polly antes da Margaret vir me pedir para ser parceira dela.

Eu: Ótimo. É uma idéia. Você ia ter que ser muito rápida, mas provavelmente ia conseguir.

Neste ponto, fiquei muito tentado a dar meus palpites, mas sabia que seria muito melhor para o desenvolvimento de Moriah se eu me controlasse e continuasse puxando por ela, deixando-a explorar a situação segundo seu ponto de vista e sua experiência. Eis como prosseguiu a conversa:

Eu: Você tem mais alguma idéia?

Moriah: Não.

Eu: Tudo bem. Bom, vamos falar mais um pouco sobre isso. Você está se sentindo chateada e frustrada na escola. Já tinha se sentido assim antes?

Moriah: Já. Mais ou menos. Quando o Daniel vivia puxando o meu cabelo.

Eu: Eu lembro. O que você fez?

Moriah: Disse a ele que eu queria que ele parasse com aquilo. Senão eu ia contar para a professora.

Eu: Deu certo?

Moriah: Deu. Ele parou.

Eu: Isso lhe dá alguma idéia do que você podia fazer nessa situação agora?

Moriah: Bom, talvez eu possa conversar com a Margaret e dizer que estou querendo deixar de nadar com ela por uns tempos. Eu podia dizer que continuo querendo ser amiga dela, mas quero nadar com a Polly de vez em quando.

Eu: Ótimo. Agora você tem duas soluções. Eu sabia que você podia ter ótimas idéias!

AVALIAR PROPOSTAS DE SOLUÇÕES BASEADAS EM SEUS VALORES FAMILIARES

Agora é hora de analisar cada idéia apresentada, decidindo as que devem ser postas em prática e as que devem ser descartadas. Sugira que seu filho considere separadamente cada solução, fazendo as perguntas abaixo:

— A solução é justa?

— Vai dar certo?

— É segura?

— Como vou me sentir? Como os outros vão se sentir?

Este exercício lhe dá mais uma oportunidade de explorar com seu filho a necessidade de impor limites a certos comportamentos. Digamos, por exemplo, que Moriah tivesse sugerido não ir ao colégio no dia em que disse estar tendo problemas com a parceira da natação. Eu poderia dizer que isso não adiantaria porque ela teria de enfrentar a mesma situação no dia seguinte. Conversas deste tipo também proporcionam aos pais uma oportunidade para enfatizar os valores familiares. Eu poderia ter dito a ela: "Achamos que é melhor enfrentar seus problemas do que ficar em casa para se esconder deles". Eu poderia também ter usado aquela situação para estimular o sentimento da caridade em Moriah: "Que bom que você pensou em dizer a Margaret que ainda quer continuar sendo amiga dela. Acho que é importante respeitar os sentimentos dos nossos amigos".

AJUDAR SEU FILHO A ESCOLHER UMA SOLUÇÃO

Depois que explorou com ele as ramificações de diversas opções, sugira que seu filho escolha uma ou mais e as experimente.

Embora você queira estimular a criança a pensar por si mesma, esta também é a hora certa para dar suas opiniões e oferecer orientação. Neste ponto, não tenha medo de dizer a seu filho como lidou com problemas semelhantes quando você era criança. O que a experiência lhe ensinou? Que erros você cometeu? Que decisões foram motivo de orgulho para você? Transmitir seus valores enquanto ajuda seu filho a resolver problemas difíceis é muito mais eficaz do que simplesmente apresentar conceitos abstratos, sem qualquer relação com a vida de seu filho.

Quando estiver querendo ajudar seus filhos a tomarem decisões adequadas, tenha em mente que a criança também aprende com os erros. Se seu filho lhe parecer atraído por uma idéia que você sabe que não vai dar certo, mas não vai prejudicar ninguém, talvez você queira deixar que ele faça a experiência assim mesmo. Aí, se der errado, estimule-o a tentar outra coisa.

Quando seu filho escolher uma solução, ajude-o a pensar num plano concreto para acompanhar. Digamos que dois irmãos que andaram discutindo por causa do trabalho na cozinha arquitetem um plano para dividirem as obrigações. Estimule-os a inventar regras básicas específicas, definindo os cargos e os horários. (Jason lava os pratos do jantar, Joshua lava os pratos do almoço. Aí, uma semana depois, os dois se revezam.) Uma boa idéia também é ter um plano para avaliar como a solução está funcionando. A dupla pode concordar, por exemplo, em passar um mês testando uma solução, depois fazer uma avaliação e modificar o que for necessário. Assim, a criança compreende que a solução pode ser uma obra aberta, passível de ser aprimorada.

Quando a criança escolher uma solução que não dê certo, ajude-a a analisar o que está faltando. Depois podem começar tudo de novo. Isso ensina à criança que abandonar uma idéia não significa que o esforço tenha sido um fracasso total. Enfatize que isso faz parte do processo de aprendizado e os ajustes vão nos fazendo chegar mais perto de um resultado satisfatório.

CAPÍTULO 4

ESTRATÉGIAS
DE PREPARAÇÃO EMOCIONAL

COM O TEMPO, você e seu filho ganharão prática nos cinco passos da preparação emocional. Ficarão mais conscientes dos sentimentos e mais dispostos a expressá-los. Seu filho também poderá aprender a dar valor à ajuda de um preparador emocional para resolver seus problemas.

Mas isso não significa que a preparação emocional garanta um mar de rosas. Sua família haverá de encontrar no mínimo alguns obstáculos. Você eventualmente pode querer entrar em contato com as emoções de seu filho, mas, por um motivo qualquer, não conseguir captar um sinal. Às vezes também, por mais que tente, você não consegue transmitir sua mensagem à criança. Você pode sentir que ela está perdida no mundo dela e que você está falando com uma parede.

Neste capítulo, você vai encontrar uma lista de estratégias que podem ser úteis caso ocorram estes bloqueios durante o processo de preparação emocional. São estratégias baseadas no que eu e meus colegas aprendemos com os grupos de pais, com o trabalho clínico e com a observação. Incluí também uma descrição de situações comuns em que a preparação emocional raramente surte efeito. Nestas situações, é melhor tentar outras táticas e deixar a preparação emocional para outra hora. E, para concluir, no final deste capítulo, você vai encontrar um teste para ajudá-lo a avaliar e aprimorar suas qualidades de preparador emocional.

Estratégias Adicionais

NÃO SEJA EXCESSIVAMENTE CRÍTICO COM SEU FILHO, NÃO O HUMILHE NEM CAÇOE DELE

Nossa pesquisa mostra claramente que a depreciação prejudica a comunicação entre pais e filhos e a auto-estima da criança.

Nos estudos de laboratório que realizamos com famílias, vimos pais tratando os filhos de forma depreciativa, como, por exemplo, arremedando em tom de escárnio o que eles dizem. ("Não me lembro da história", dizia a criança. "Não *lembra?*", escarnecia o pai.) Durante o exercício de *video game*, alguns pais não deixavam passar nenhum erro dos filhos, esmagando-os com uma bateria de críticas. Outros tomavam o jogo da mão dos filhos, mostrando que os achavam incompetentes. Questionados sobre a emoção dos filhos, muitos pais revelaram que, quando seus filhos pequenos faziam cenas de mau gênio, eles riam ou caçoavam deles.

No acompanhamento destas famílias, realizado três anos depois, verificamos que as crianças tratadas desta forma desmerecedora e desrespeitosa pelos pais eram as que estavam tendo mais problemas com os estudos e as amizades. Eram as que apresentavam índices mais elevados de hormônios associados ao estresse. Segundo os professores, tinham mais problemas de comportamento e, segundo as mães, ficavam doentes com mais freqüência.

Este tipo de educação negativa e desmerecedora tanto pode ser observada no mundo real quanto em laboratório. Pais bem-intencionados acabam minando a autoconfiança dos filhos de tanto corrigir seus modos, ridicularizar seus erros e intervir desnecessariamente, impedindo que a criança execute as tarefas mais simples. Levianamente, rotulam os filhos com epítetos que colam na auto-imagem da criança. (Bobby é "hiperativo". Karie é "calada". Bill é "preguiçoso". Angie é nossa "cabecinha-de-vento".) Também é comum ouvir pais brincarem com outros adultos às custas da criança. Ou vê-los caçoar da tristeza do filho com frases do tipo "Não seja tão bebezinho".

Obviamente, pais que estão verdadeiramente em contato com os sentimentos dos filhos são menos propensos a tratá-los assim. No entanto, nossos estudos mostram que até pais que identificamos como preparadores emocionais às vezes, sem querer, faziam pouco dos filhos. Por isso aconselho veementemente que os pais fiquem atentos aos hábitos insidiosos da crítica, do sarcasmo e do menosprezo. Cuidado para não ridicularizarem seus filhos. Dêem-lhes mais espaço à medida que procuram adquirir novas aptidões, mesmo que isso signifique deixá-los cometer alguns erros. Evitem rotular os defeitos. Especifiquem as ações e não um comportamento caricatural. Digam: "Não se trepa nos móveis na casa da vovó" em vez de "Deixe de ser mal-educado!".

Algumas crianças podem ter menos sensibilidade, mas nenhuma é revestida de Teflon. A criança quer se identificar com os pais e costuma acreditar em qualquer coisa que eles digam a respeito dela. Se os pais desmerecem e humilham os filhos com piadas, excesso de críticas e intromissões, perdem a confiança deles. E, sem confiança, não há intimidade, ninguém se abre e é impossível trabalhar em conjunto para solucionar os problemas.

USE A TÉCNICA DO "ANDAIME" E DO ELOGIO PARA PREPARAR SEU FILHO

O "andaime" é uma técnica didática que observamos ser usada com sucesso por famílias com preparo emocional na experiência com o *video game*. O comportamento dessas famílias é radicalmente diferente daquele dos pais excessivamente críticos descritos acima. Primeiro, as famílias com preparo emocional falam baixo, com calma, dando aos filhos as informações necessárias para iniciar o jogo. Depois, esperam a criança acertar e elogiam-na especificamente (apenas especificamente) pelo que ela fez certo. (Por exemplo, um pai pode dizer: "Muito bem! Você apertou o botão bem na hora". Esse tipo de elogio dirigido é didaticamente muito mais eficaz do que generalizações do tipo "Muito bem! Você já pegou o jeito!".) Então, depois do elogio, os pais sempre dão mais alguma informação. E, finalmente, a família recapitula o processo, com os filhos aprendendo o jogo por etapas. Chamamos esta técnica de "andaime" porque os pais usam cada sucesso para incrementar a confiança da criança, ajudando-a a alcançar sempre um patamar mais elevado de competência.

Ao contrário dos pais excessivamente críticos descritos acima, os preparadores emocionais raramente apelam para críticas ou humilhações para ensinar os filhos. Nem tiram o jogo da mão da criança para brincar no lugar dela.

ESQUEÇA O SEU "PROGRAMA EDUCATIVO"

Embora os momentos de emotividade sejam grandes oportunidades de identificação, união e estímulo, às vezes são um verdadeiro desafio para os pais que possuem o que eu chamo de "programa educativo" — isto é, uma meta baseada em algum problema que o pai ou a mãe julga estar sendo prejudicial à criança. Estes programas costumam estar associados ao desenvolvimento de qualidades tais como coragem, parcimônia, bondade e disciplina. Podem variar conforme a criança. Os pais podem achar um filho excessivamente seguro e outro excessivamente tímido. Embora algumas crianças sejam consideradas preguiçosas ou indisciplinadas, outras são sérias demais, carecendo de espontaneidade e senso de humor. Independentemente do problema em questão, estes programas fazem com que os pais vivam atentos ao comportamento do filho, sempre desejando corrigi-lo. Quando surgem conflitos ligados a questões programáticas, os pais vigilantes sentem-se na obrigação moral de deixar claro seu ponto de vista: "Com essa sua cabeça-de-vento, você tornou a esquecer de dar comida para o gato e isso é uma maldade"; "Com essa sua impulsividade, você gastou parte da sua poupança para a faculdade comprando ingresso para concerto e isso é uma idiotice".

Dou os parabéns aos pais que compartilham seus valores com os filhos. Acho que essas lições são importantes para a formação da criança. Mas os pais precisam ter em mente que, se não for executado com sensibilidade, o programa educativo pode prejudicar o relacionamento entre pais e filhos. Antes de mais nada, o programa educativo costuma impedir que os pais ouçam os filhos com empatia. Isso pode ser contraproducente, minando a influência dos pais sobre as decisões dos filhos. Deixe-me dar um exemplo: Jean, uma mãe sensível de um de nossos grupos de pais, há muito anda preocupada com o "jeito triste" de Andrew. Acha que o garoto de nove anos é dado a "se colocar no papel de vítima" e não sabe como isso pode afetar o relacionamento dele com os outros. Por isso, numa pequena discussão com Andrew sobre uma briga que ele teve com a irmã mais velha, o programa de Jean era fazer Andrew sentir-se mais responsável por seu relacionamento com a irmã.

— O que foi, querido? — começou ela. — Você está meio tristonho.

— Eu só queria ter uma irmã melhor — respondeu Andrew.

— E você é bom para ela? — perguntou Jean.

Agora imagine o que Andrew deve ter sentido diante dessa pergunta. Lá estava a mãe, parecendo interessada no que ele sentia. Mas, na hora em que ele se abre, ela vem com uma crítica. Certo, é uma crítica afável e bem-intencionada, mas não deixa de ser uma crítica.

Agora imagine o que Andrew sentiria se Jean tivesse dito uma coisa do tipo "Entendo por que às vezes você pode se sentir assim". Uma declaração como esta mostraria a Andrew que mamãe está interessada na tristeza dele, que ela estava ali para ajudá-lo a entender o que ele sentia pela irmã e a apresentar soluções. Mas Jean pôs todo o peso em cima de Andrew, o que só o deixou mais na defensiva e menos disposto a assumir sua parcela de responsabilidade pela desavença.

O programa educativo pode atrapalhar até em situações em que o pai sabe que a criança agiu mal, diz Alice Ginott-Cohen, uma educadora de pais que trabalhou com o falecido marido Haim Ginott. Ela aconselha os pais a só falarem sobre o que os filhos fizeram de errado depois que os sentimentos subjacentes tiverem sido abordados.

Para chegar à emoção que gera a má conduta, é melhor evitar perguntas do tipo: "Por que você fez isso?". Essa pergunta soa como acusação ou crítica. É mais provável a criança responder na defensiva do que com alguma informação útil. Tente, então, perguntar com interesse o que ela estava sentindo quando agiu mal.

Certo, não é fácil deixar de lado o programa educativo quando a criança faz o que não deve — especialmente quando a gente está com o sermão na ponta da língua. Mas dar lição de moral sem falar sobre os sentimentos subjacentes à má conduta costuma ser inútil. É como botar uma compressa fria na testa de seu filho sem antes ter tratado da infecção que causou a febre.

Deixe-me dar um exemplo: uma mãe chega com uma hora de atraso para pegar o filho de três anos na creche. O menino, a quem a mãe costuma chamar de "teimoso", começa a ficar implicante. Recusa-se a colaborar para vestir o casaco e dirigir-se para a saída. A mãe pode brigar porque o filho não quer obedecer, ou parar, pensar no que aconteceu antes e tentar compreender o que o menino está sentindo. Escolhendo esta opção, ela pode dizer o seguinte: "Hoje me atrasei demais, não foi? Quase todos os seus amigos já tinham ido embora. Você ficou preocupado?". A criança, com seus sentimentos de ansiedade e tensão legitimados, poderia sentir-se subitamente aliviada e dar um abraço na mãe. A tensão por causa do casaco dissolver-se-ia e tudo acabaria bem.

Para conseguir entrar em contato com o filho, a mãe precisa deixar de lado seu programa de longo prazo para tornar o menino menos "teimoso", mais dócil. Em geral, os pais reagem à má conduta dos filhos exatamente como não devem. Ficam mais agarrados ao programa educativo, manifestando preocupação por um problema infantil como se aquilo revelasse uma falha de caráter gravíssima. Às vezes censuram a criança por aquele defeito. Andrew é supersensível. Janet é agressiva demais. Bobby é tímido demais, Sarah é muito desmiolada. Estes rótulos cortam a empatia. Também são destrutivos porque a criança, infelizmente, primeiro vai acreditar nos pais para depois tentar realizar o que eles disseram, como se aquilo fosse uma profecia divina.

Em suas memórias, *Father to the Man* [Pai do homem], o escritor Christopher Hallowell lembra seu pai tentando ensiná-lo a fazer um caixote de madeira. "Se você conseguir fazer uma caixa em esquadro", disse o pai, "pode fazer qualquer coisa." Com muito esforço, Hallowell conseguiu fazer uma caixa, ainda que torta. Refletindo sobre o incidente, ele diz: "... toda vez que examinava a caixa, meu pai torcia o nariz e dizia: 'Você fez uma coisa fora de esquadro.' Só vai conseguir ser um bom construtor se fizer tudo em esquadro. Afinal, parou de torcer o nariz e nunca mais falou na caixa. Durante anos, guardei minhas quinquilharias ali, sentindo uma certa afeição por aquela peça cada vez que a abria, embora sempre pairando por ali estivesse a imagem de meu pai com aquele olhar de censura".[30]

Para Hallowell, um escritor de renome, este episódio triste marcou a lembrança de seu relacionamento com o pai. Para nós, pode servir de exemplo pungente do impacto que o criticismo dos pais pode ter sobre os filhos.

Como pais, nenhum de nós quer que nossos filhos fiquem satisfeitos fazendo caixas tortas. Nem que fiquem preguiçosos, retraídos, agressivos, burros, covardes, mentirosos. Mas também não queremos que usem estes defeitos para se definir. Como esse tipo de "rotulação" negativa pode ser evitada? A resposta é: evitando críticas aos defeitos da criança. Quando corrigir a criança, focalizar o que está acontecendo com ela naquele momento específico. Em vez de dizer "Você é descuidada e bagunceira", diga "Tem brinquedo espalhado pelo quarto inteiro". Em vez de "Você lê muito devagar", diga "Se você ler todo dia meia hora antes de dormir, vai começar a ler mais rápido". Em vez de "Não seja tão tímida", diga "Se você falar mais alto, o garçom vai ouvir".

FAÇA MENTALMENTE UM MAPA DA VIDA DE SEU FILHO

A criança nem sempre sabe expressar as emoções. Seu filho um dia pode amanhecer agoniado, mas não conseguir dizer o que está sentindo nem por que está daquele jeito. Quando isso acontece, é bom estar bem informado sobre as pessoas e os lugares que ele freqüenta e o que acontece em sua vida. Assim você estará mais apto a explorar o que pode estar deixando o seu filho daquele jeito e ajudá-lo a rotular seus sentimentos. Você também estará demonstrando que dá importância ao mundo dele e isso pode servir para aproximá-lo de você.

Gosto de pensar nesta base de conhecimento como uma espécie de mapa, que os pais conscientemente se esforçam para ter em mente. Considerando este mapa, um pai ou uma mãe pode dizer: "O mundo do meu filho é este, e as pessoas que povoam esse mundo são estas. Sei como se chamam e como elas são. Sei o que meu filho sente por cada uma. Esses aqui são os maiores amigos do meu filho e aquele é o inimigo. Meu filho gosta desta professora, acha o preparador divertido, mas aquela professora o intimida. As linhas gerais da escola dele são estas. Sei onde ele se sente melhor e sei quais são os perigos que ele sente que tem de enfrentar aí. O horário dele é este. Ele gosta de tais e tais matérias, e tem dificuldade em tais e tais".

Elaborar um mapa como esse do mundo emocional de seu filho dá trabalho e exige muita atenção a detalhes. Os pais precisam dedicar algumas horas à creche, à escola e às atividades extracurriculares de seus filhos. Precisam conversar com eles e conhecer seus amigos e professores. E, como qualquer mapa de uma comunidade viva, este precisa ser atualizado regularmente. Porém, os pais que a ele recorrem, nele encontram um ponto de partida para conversas proveitosas.

EVITE FICAR DO LADO DO INIMIGO

Ao sentir que foi maltratada, a criança pode recorrer aos pais em busca de lealdade, compaixão e apoio. Esta é uma boa oportunidade para os pais agirem como preparadores emocionais, desde que não incorram no erro de "ficar do lado do inimigo". Isto naturalmente é tentador, especialmente quando os pais pendem naturalmente para o lado das autoridades mesmas de quem os filhos provavelmente se queixam — figuras como professores, preparadores, patrões, ou pais de outras crianças.

Imagine, por exemplo, que uma menina gorda chegue em casa aborrecida porque a professora de balé fez um comentário rude sobre sua obesidade. Se a mãe anda procurando, em vão, fazer a filha emagrecer, pode ser que fique tentada a dar razão à professora. Isso provavelmente faria a menina sentir-se como se o mundo inteiro estivesse contra ela. Mas e se a mãe mostrasse um pouco de empatia e dissesse algo do tipo: "Que chato, você deve ter ficado constrangida e magoada". Isso poderia aproximar a menina da mãe. E se a mãe sempre tiver uma atitude assim compreensiva e de apoio, a filha pode acabar permitindo que a mãe ajude.

O que fazer, porém, se *você* for o inimigo, o alvo da ira de seu filho? Creio que a empatia também pode funcionar em situações deste tipo, sobretudo se você se colocar honestamente, o que lhe permite não ficar na defensiva. Digamos, por exemplo, que sua filha esteja com raiva de você porque você a proibiu de ver televisão enquanto as notas dela não melhorarem. Sem mudar de idéia, você pode dizer: "Compreendo por que você está brava. No seu lugar, eu também estaria".

Honestidade e franqueza diante do conflito podem estimular sua filha a expressar os sentimentos *dela* também, sobretudo se você puder provocar o debate com comentários do tipo: "Pode ser que eu esteja errada a esse respeito. Não sou infalível. Gostaria de ouvir o seu lado". Embora muitos pais achem difícil colocar-se nesta posição desarmada, se ela contribuir para que seus filhos considerem você uma pessoa justa e disposta a ouvir, vale a pena.

Lembre-se de que o objetivo das conversas não é necessariamente fazer o filho pensar como nós, mas antes transmitir compreensão. Se seu filho de repente afirma que "tabuada de multiplicar é uma burrice", ou "brinco de nariz é legal", talvez você se sinta tentada a fazer um sermão para mostrar que ele está errado. Mas será muito mais contundente se reagir de uma forma que propicie o diálogo. Pode começar dizendo mais ou menos isso: "Eu também penei para aprender a tabuada de multiplicar". Ou então: "Brinco de nariz não faz meu gênero, mas por que você gosta?".

IMAGINE UM ADULTO NA PELE DE SEU FILHO
EM SITUAÇÕES ANÁLOGAS

Esta técnica é útil quando estiver sendo difícil para você sentir empatia por seu filho. Talvez ele esteja infeliz por alguma coisa que para você é trivial ou infantil. Alguém fez uma piadinha com os óculos dele quando ele levantou para recitar a lição em sala de aula, ou ele está nervoso com o primeiro dia na colônia de férias. Sabendo que ele sobreviverá a estas provações (e a muitas outras), talvez você se sinta tentada a não dar importância às preocupações dele, ou a ignorá-las. Embora você possa sentir-se mais confortável com essa reação, ela não vai ajudar seu filho. Na verdade, pode fazê-lo sentir-se pior, sabendo que a mãe ou o pai acham que ele está sendo bobo.

Uma maneira de adotar uma atitude mais compreensiva é traduzir a situação infantil em termos adultos. Pense em como você se sentiria se ouvisse um colega de trabalho fazendo algum comentário sobre sua aparência na hora em que você estivesse levantando para apresentar seu relatório sobre vendas. Lembre-se de como ficou nervosa naquele seu primeiro dia no emprego novo.

Em *Siblings Without Rivalry* [Irmãos sem rivalidade], Adele Faber e Elaine Mazlish dão uma dica para ajudar os pais a compreenderem o ciúme que a criança sente com o nascimento de um irmãozinho: imaginar o marido ou a mulher trazendo um(a) amante novo(a) para casa e anunciando que doravante todos vão viver juntos e felizes sob o mesmo teto.[31]

NÃO TENTE IMPOR AS SUAS SOLUÇÕES
AOS PROBLEMAS DE SEU FILHO

Uma das maneiras mais rápidas de estragar a preparação emocional é dizer a uma criança que esteja triste ou irritada como você resolveria aquele problema. Para entender por quê, transponha esta malfadada dinâmica para uma situação comum entre um casal. A mulher chega do escritório angustiada porque discutiu com uma colega de trabalho. O marido analisa o problema e, em poucos minutos, traça um plano para resolver o caso. Mas, em vez de sentir-se grata pelo conselho, a mulher sente-se mais angustiada. Porque o marido não lhe deu nenhuma indicação de que compreende o quanto ela está triste e irritada e frustrada. Apenas demonstrou com que simplicidade aquilo tudo pode se resolver.

Para ela, isso pode deixar implícito que ela não é muito brilhante, do contrário teria pensado naquela solução.

Imagine como a mulher iria sentir-se melhor se, em vez de ir logo lhe dizendo o que fazer, o marido lhe fizesse um carinho. E, enquanto isso, ficasse apenas ouvindo-a expor o problema — e seus sentimentos a respeito — detalhadamente. Depois, ela começaria a formular suas próprias soluções. Em seguida, por já estar àquela altura confiando no marido (e sentindo-se ótima com aquele carinho), ela lhe pediria uma opinião. No fim, o marido tem uma oportunidade de dar um conselho e a mulher tem uma solução que ela pode ouvir. Em vez de sentir-se diminuída, ela sente-se fortalecida e apoiada pelo marido.

É assim que a coisa funciona também entre pais e filhos. Os pais podem ficar frustrados com a má vontade com que os filhos ouvem os conselhos não solicitados — especialmente levando em conta o quanto eles podem transmitir aos filhos em termos de sabedoria e experiência. Mas em geral não é assim que as crianças aprendem. Propor soluções antes de mostrar empatia pela criança é o mesmo que construir a estrutura de uma casa antes das fundações.

DÊ FORÇA A SEU FILHO OFERECENDO OPÇÕES, RESPEITANDO DESEJOS

Os adultos facilmente esquecem como a criança pode sentir-se impotente. Mas se olhar as coisas da perspectiva dela, você pode ver como a sociedade enfatiza a exigência de fazer a criança obedecer e colaborar. As crianças costumam ter muito pouco controle sobre sua rotina. Bebês sonolentos são arrancados do berço e levados para a creche. Crianças correm para formar filas quando toca a sineta no pátio da escola. Pais estabelecem regras do tipo: "só come sobremesa se não deixar nada no prato" ou "você não vai sair com *essa* roupa". E tem a clássica: "Porque eu estou dizendo". Você se imagina falando assim com seu marido ou com seus amigos?

Não estou dizendo que seja errado exigir obediência e colaboração da criança. Para a segurança e a saúde da criança — e a sanidade mental dos pais —, é necessário obediência. Mas parece que os pais às vezes se dão ao trabalho de dramatizar para os filhos como criança é impotente. Em geral, não fazem isso por mal, mas sim por excesso de tensão ou pressa. Para que uma família ocupada dos dias de hoje tenha tempo de cumprir toda a sua agenda, as crianças têm de entrar na linha. ("Não, você não pode brincar com as suas tintas. A gente acabou de limpar tudo e não dá tempo de limpar de novo!" "Não, a gente não pode parar no parque. Senão vai se atrasar para a aula de futebol do seu irmão.")

Infelizmente para muitas crianças, essa exigência exagerada de docilidade significa que desejos e preferências são habitualmente ignorados. Há crianças que nem têm chance de escolher coisas insignificantes — como o que vestir, o que comer, o que fazer do seu tempo. Conseqüentemente, muitas crescem sem saber ao certo do que gostam e do que não gostam. Algumas acabam nunca aprendendo a escolher. Tudo isso vai limitando a capacidade da criança de ser responsável por seus atos.

A criança precisa treinar pesar os prós e os contras de uma situação, encontrar soluções. Precisa ver o que acontece quando escolhe de acordo com o sistema de valores de sua família e o que acontece quando decide ignorar esses valores. Estas lições podem às vezes ser dolorosas mas, com o treinamento da emoção, podem também ser uma ótima oportunidade para os pais oferecerem orientação.

Os pais podem ficar sabendo que quanto mais cedo a criança aprender a expressar suas preferências e escolher, melhor. Na adolescência, quando há mais liberdade mas também mais riscos, a falta de responsabilidade pode ser um perigo muito maior.

Deixar a criança escolher, além de lhe dar responsabilidade, ajuda-a a adquirir auto-estima. Uma criança cujos pais vivem limitando suas escolhas capta a seguinte mensagem: "Além de você ser pequena, o que você quer não tem muita importância". Se isso der certo, ela pode vir a ser uma criança obediente e dócil, mas terá muito pouca auto-estima.

É bem verdade que deixar a criança escolher e respeitar seus desejos requer tempo e paciência. Lembre-se de que um pesquisador verificou que uma criança em idade pré-escolar faz três exigências por minuto. Não estou dizendo que todas estas exigências devam ser respondidas. Mas muitas delas não custam nada para os pais. Sua filha quer o pão do sanduíche sem a casca. Seu filho quer ver o Big Bird mais uma vez antes de você mudar de canal. Sua filha não quer que você compre sorvete com castanha. Seu filho quer que você deixe a luz do corredor acesa. Por incrível que pareça, satisfazer desejos como estes pode ter conseqüências importantes e duradouras. A criança capta a mensagem: "O que eu quero, afinal, conta. O que eu sinto é importante". Estas mensagens podem preparar a criança para fazer asserções como: "Sou o tipo do garoto que gosta de tocar piano". Ou então: "Sou o tipo da pessoa que gosta de matemática".

PARTICIPE DOS SONHOS E FANTASIAS DE SEU FILHO

Esta é uma técnica muito boa para os pais entrarem em sintonia com os filhos, facilitando a empatia. É particularmente útil quando a criança manifesta desejos irrealizáveis. Digamos, por exemplo, que seu filho adolescente lhe pediu uma *mountain bike* nova, mas você não sabe se está em situação financeira de lhe comprar uma. Se você for como muitos pais, poderá reagir com irritação. "Afinal de contas", você tem vontade de lhe dizer, "já lhe dei uma bicicleta de corrida no ano passado. Pensa que sou feita de dinheiro?"

Mas imagine como poderia ser se você se detivesse um pouco pensando no desejo de seu filho e entrasse na fantasia dele. Aí sua reação poderia ser dizer: "É, posso entender por que você está querendo uma *mountain bike*. Você curte umas trilhas, não é?." Você poderia até levar a fantasia avante, acrescentando: "Não seria o máximo se todos os seus amigos também tivessem *mountain bikes?* Imagine se eu pudesse levar vocês para passar uma semana acampando. A gente levaria barraca, equipamento de pesca e...".

A partir daí você pode explorar as vantagens do *camping* com ou sem *mountain bikes*. Pode ainda deixar claro que não vai dar dinheiro para a bicicleta, mas começar a pensar com ele de que maneira ele pode ganhar algum para comprá-la. O importante é seu filho saber que você o escutou e que tem consideração por ele e pelos desejos dele.

SEJA HONESTO COM SEU FILHO

Parece que as crianças têm um sexto sentido para saber quando os pais — sobretudo o pai — estão dizendo a verdade. Portanto, preparação emocional deve ser mais do que a repetição vazia de frases como "Compreendo", ou "Isso também me deixaria uma fera". Você pode estar dizendo a coisa certa, mas se lhe faltar convicção, não vai se aproximar de seu filho. Na verdade, a falsidade pode desacreditá-lo perante ele, e isto pode prejudicar o relacionamento de vocês. Portanto, só diga a seu filho que o compreende se realmente estiver convicto de que isso é verdade. Caso contrário, simplesmente repita o que você está vendo e ouvindo. Faça algumas perguntas. Tente manter aberto o canal de comunicação. Mas não seja falso em hipótese alguma.

LEIA LIVROS INFANTIS COM SEUS FILHOS

Da infância até a adolescência, pais e filhos podem aprender muito sobre a emoção com a boa literatura infantil. As histórias podem ajudar a criança a desenvolver um vocabulário para falar sobre os sentimentos e ilustrar as várias formas como as pessoas lidam com a raiva, o medo e a tristeza.

Os livros adequados podem até dar aos pais um meio de falar sobre temas que eles tenham dificuldade de abordar, como "de onde vêm os bebês" e "o que aconteceu com o vovô quando ele morreu".

Programas de televisão e filmes também podem alimentar conversas de família desse tipo. Mas o livro se presta mais a esta função, pois o leitor e o ouvinte podem se deter em qualquer ponto para discutir a história. A leitura em voz alta também dá mais à criança a sensação de que a família está participando da história e a faz se entregar mais à narrativa e aos personagens.

A boa literatura infantil também ajuda os adultos a entrarem em contato com o mundo emocional da criança. Uma mãe que freqüenta um de nossos grupos contou que leu uma história com a filha de dez anos sobre um grupo de meninas pré-adolescentes que ficava triste quando uma delas tinha de se mudar. Embora aquela fosse apenas uma história simples sobre uma situação comum, a mãe se emocionou profundamente com ela lembrando a sensação de perda que sentiu quando tinha a idade da filha e teve de se mudar para o outro extremo do país. Lembrando-se de como são apaixonadas as amizades na infância, a mãe compreendeu melhor o significado dos relacionamentos florescentes da filha.

Muitos pais, infelizmente, deixam de ler em voz alta para os filhos tão logo eles são alfabetizados. Mas outros continuam lendo até para os filhos adolescentes, revezando-se com eles na leitura de livros cada vez mais sofisticados. Como o hábito de fazer as refeições em família, o hábito da leitura em conjunto assegura aos pais e aos filhos uma base sólida para desfrutarem juntos de uma atividade prazerosa.

O Apêndice na p.219 traz uma lista de títulos de bons livros infantis que falam de emoção. A professora de seu filho ou a bibliotecária da escola também pode oferecer sugestões.

SEJA PACIENTE

Para ser um bom preparador emocional, você precisa ter paciência para deixar a criança levar o tempo que for necessário para dizer o que sente. Se seu filho está triste, ele pode chorar. Se estiver irritado, pode bater o pé. Você pode achar desagradável perder tempo com uma criança neste estado. Pode achar que já tem problemas de sobra.

Mas é bom lembrar que o objetivo do treinamento da emoção é explorar e compreender as emoções, não eliminá-las. A curto prazo pode ser mais fácil não dar importância à negatividade de seu filho, ignorá-la e torcer para que ela se ajeite sozinha. Talvez você seja da teoria de que o tempo conserta tudo. Com essa postura, você se aborrece menos a curto prazo, porém muito mais a longo prazo. É muito mais difícil lidar com os problemas depois que eles foram negligenciados e seu filho ficou emocionalmente distante.

Em compensação, as recompensas que recebemos como pais ou mães são fruto da atenção que demos aos sentimentos de nossos filhos. É impossível aceitar e legitimar a emoção da criança e, ao mesmo tempo, desejar que aquela emoção passe. Mas a aceitação e a legitimação vêm com a empatia, ou seja, quando se sente o que a criança está sentindo.

Ao sentir com seu filho, veja se essas emoções compartilhadas podem tocá-lo fisicamente. Comparo isso ao modo como podemos sentir uma música, ficando excitados, tristes, apaixonados, inspirados. Você pode decidir fazer o mesmo com os sentimentos de seu filho, deixando que eles tenham ressonância em você. Se você é capaz disso, poderá ser sincero ao dizer "Que pena que o papai teve que ir sem você", "Se um amigo meu me batesse, eu também ficaria furioso", "Estou vendo que você *odeia* ser corrigido".

Lembre-se também de que nem sempre precisamos de palavras para transmitir compreensão. Sua disposição de sentar em silêncio junto com seu filho enquanto vocês lutam com os sentimentos é muito eloqüente. Primeiro, porque pode mostrar a seu filho que você está levando a questão a sério. Depois, porque mostra que você não acha que aquilo seja uma coisa sem importância. É algo que exige atenção.

Enquanto vocês estão juntos, compartilhando a emoção, saiba que um abraço ou um afago muitas vezes diz mais do que as palavras — sobretudo se a criança está triste ou com medo.

Às vezes a criança pode dizer que não está preparada para discutir um assunto e isso, em linhas gerais, deve ser respeitado. Mas tente marcar logo uma hora para conversar com ela sobre aquilo. Depois tome nota e continue tentando falar no assunto como prometido.

Depois que você se empenha em viver as emoções de seu filho, o relacionamento entre vocês vai se enriquecendo. Você transformará incidentes aparentemente corriqueiros em elos importantes e duradouros. Tornar-se-á o que meu amigo e psicólogo do desenvolvimento Ross Parke chama de "um colecionador de momentos". Identificará preciosas oportunidades em suas interações e valorizará aspectos que outros podem não perceber. E, ao olhar para trás, seu relacionamento com seu filho lhe parecerá um precioso colar de pérolas.

COMPREENDA A BASE DE SEU PODER ENQUANTO PAI OU MÃE

Por "base de poder" entendo o elemento da relação entre pais e filhos que permite aos pais imporem limites aos filhos — uma coisa que toda criança quer e que é necessária. Para alguns pais, a base de poder pode ser a ameaça, a humilhação ou o castigo físico. Outros, excessivamente permissivos, podem sentir que não têm nenhuma base de poder. Para os preparadores emocionais, a base de poder é o elo que existe entre eles e os filhos.

Pela importância que têm o respeito e a afeição nesta equação, é fácil ver por que é crucial evitar desmerecer e humilhar a criança quando se quer corrigi-la. A criança que apanhou ou foi chamada de relaxada, má ou burra provavelmente vai preferir vingar-se dos pais a agradá-los.

Se você já recorreu a métodos como o da humilhação e o da pancada, talvez se pergunte se é possível modificar sua base de poder fundamentando-a em sentimentos positivos compartilhados. Acho que é possível fazer esta modificação, mas à custa de muito trabalho. Você terá de corrigir antigos padrões de comportamento disciplinar, integrando a preparação emocional às suas interações com seu filho. Você terá de se esforçar para construir uma relação baseada na confiança e não na intimidação.

Conforme você trabalha para fazer esta mudança, é bom ter em mente estas duas máximas de Haim Ginott: 1) Todos os sentimentos são permissíveis, mas nem todos os comportamentos o são; 2) A relação pais e filhos não é democrática. Cabe aos pais determinar quais os comportamentos permissíveis.

Se seu filho é adolescente ou pré-adolescente, você pode discutir diretamente estas questões de base de poder, especialmente à medida que se relacionam com as regras. Tente estabelecer as regras (e as conseqüências da transgressão) a partir de uma negociação respeitosa. Não tenha medo de ser firme — sobretudo quando se tratar da segurança e do bem-estar de seu filho. Como uma pessoa amadurecida, você sabe melhor quais são os comportamentos de risco. Tenha em mente também que, segundo pesquisas, a criança cujos pais sabem com quem ela anda, o que ela faz e por onde anda é menos sujeita a comportamentos de risco. É menos propensa a ligar-se a marginais, arranjar problemas com a polícia, usar drogas, cometer delitos e crimes, tornar-se promíscua e fugir.

É mais difícil para alguns pais adotar uma base de poder mais positiva. Sobretudo quando confiança, respeito e afeição foram desaparecendo de seu relacionamento com seus filhos. A terapia familiar costuma ser bastante eficaz nesses casos e eu encorajaria os pais a considerarem a opção. Não se surpreendam se o terapeuta que escolheram quiser ter sessões individuais com seu filho. E saibam que o terapeuta pode fazer o papel de advogado de seu filho no "tribunal familiar" de vocês. É difícil prever o tempo necessário para que a terapia funcione. Como ir ao dentista, tudo depende de há quanto tempo os problemas vêm sendo ignorados. Mas as pesquisas mostram que os terapeutas de família estão desenvolvendo métodos eficazes que ajudam as famílias a restabelecer a confiança e a comunicação. Portanto, há muitos motivos para se ter esperança.

ACREDITE NA NATUREZA POSITIVA
DO DESENVOLVIMENTO HUMANO

Quanto mais aprendo sobre a criança, mais acredito que o curso natural do desenvolvimento humano é uma força espantosamente positiva. Com isso, quero dizer que o cérebro infantil é naturalmente programado para procurar segurança e amor, conhecimento e compreensão. Seu filho deseja ser afetuoso e altruísta. Deseja explorar o que o cerca, descobrir o que causa o raio, como é o cachorro por dentro. Quer saber o que é certo e bom, o que é errado e mau. Quer conhecer os perigos do mundo e como evitá-los. Quer muito acertar, ficar cada vez mais forte e capaz. Seu filho quer ser o tipo de pessoa que você vá admirar e amar.

Como pais, com todas essas forças naturais do seu lado, vocês podem confiar nos sentimentos de seu filho e saber que não estão sós.

QUANDO O TRABALHO DE PREPARAÇÃO EMOCIONAL É DESACONSELHÁVEL

É difícil determinar quão freqüentemente os pais podem agir como preparadores emocionais para se aproximar dos filhos e ensiná-los a enfrentar os problemas. À medida que a criança vai se desenvolvendo, aprendendo a se relacionar com os outros e a enfrentar crises comuns, as oportunidades parecem multiplicar-se.

Contudo, a preparação emocional não deve ser vista como uma panacéia para qualquer sentimento negativo que vá surgindo. Primeiro por ser uma atividade que exige uma certa dose de paciência e criatividade; logo, os pais precisam estar razoavelmente equilibrados (senão calmos) para exercê-la com competência. É bom também que a criança esteja relativamente aberta para aprender. Pensando estrategicamente, você deve aproveitar quando seu filho estiver mais receptivo.

Evidentemente há situações em que o trabalho de preparação emocional deve ser adiado. Entre elas:

QUANDO VOCÊ ESTIVER COM PRESSA

Hoje, quando a família está reunida, as pessoas passam a maior parte do tempo de olho no relógio, tentando chegar pontualmente na creche, na escola e no trabalho. Embora muitas vezes as emoções da criança venham à tona em momentos estressantes de transição, estes momentos não costumam ser apropriados para se trabalhar a emoção, o que envolve todo um processo. A criança não é um robô e não podemos esperar que ela transite pelas experiências emocionais de acordo com um programa arbitrário.

Uma empresária que freqüenta um de nossos grupos descreveu com perfeição a loucura que é tentar trabalhar às pressas a emoção da criança. Ela estava deixando a filha na creche antes de ir para uma reunião importantíssima com um cliente. Na porta da creche, a menina de quatro anos de repente voltou correndo.

— Minha professora Katie não veio — disse a menina. — Não quero ficar.

A mulher olhou para o relógio e viu que só tinha cinco minutos para perder com aquilo sem se atrasar. Recapitulando mentalmente os passos da preparação emocional, ela fez a menina sentar e começou a trabalhar o problema.

— Você está aflita... Me diga o que está havendo... Está aborrecida porque sua professora preferida não veio... Sei como você está se sentindo... Está triste porque vai começar o dia sem ela... Eu vou ter que ir embora daqui a pouco... O que a gente pode fazer para você se sentir melhor?

Enquanto isso, a filha estava ali sentada, respondendo com muxoxos e contendo as lágrimas. Os minutos iam passando sem uma solução. Parecia que a menina estava sentindo a pressa da mãe e essa tensão só fazia piorar as coisas. Quanto mais a mãe puxava por ela, mais aflita a menina ficava. Depois de 20 minutos de frustração, a mulher acabou entregando a filha, aos prantos, à professora substituta. Pegou o carro e foi voando para a reunião.

— Quando cheguei, meu cliente já tinha ido embora — lamentou-se.

Refletindo sobre o caso, a mãe reconheceu o seu erro.

— Dei a ela uma mensagem mista. Disse-lhe que estava interessada e querendo ajudar, mas estava de olho no relógio e ela sabia. Com isso, ela sentiu-se mais abandonada do que nunca.

Retrospectivamente, a mãe acha que devia simplesmente ter dito à filha que não havia negociação possível quanto à freqüência dela à creche. Que mais tarde elas conversariam sobre "os sentimentos aborrecidos" da menina. Em seguida, entregando a filha às próprias aptidões emergentes de sociabilidade e à competente professora substituta, deveria ter ido para a reunião.

Num mundo ideal, sempre teríamos tempo de sentar e conversar com nossos filhos quando as emoções aflorassem. Mas a maioria dos pais não tem esta opção. É importante, portanto, reservar um horário — de preferência sempre o mesmo — para conversar com seu filho sem pressa nem interrupções. Quem tem filhos pequenos costuma encontrar esse tempo na hora de pô-los na cama ou fazê-los tomar banho. Com crianças maiores e adolescentes, podem surgir oportunidades de abertura quando vocês estiverem juntos lavando a louça ou dobrando a roupa da casa. Ou no carro, indo para uma aula particular ou outro compromisso qualquer. Determinando um horário para conversar, os pais podem ficar tranqüilos, uma vez que os assuntos não serão adiados indefinidamente por falta de tempo.

QUANDO HOUVER PLATÉIA

É difícil ganhar a intimidade e a confiança de seu filho se vocês não têm um tempo só para vocês. Por isso recomendo que o treinamento da emoção seja feito em particular e não diante dos demais membros da família, de amigos ou estranhos. Assim, você evita constranger seu filho. E ambos têm mais liberdade para ser sinceros sem se preocupar com o que os outros vão achar daquela cena.

Este conselho é particularmente importante para famílias onde há rivalidade entre irmãos. Uma mãe que freqüenta um de nossos grupos de pais descreveu sua tentativa de intervenção numa das brigas de seus filhos usando técnicas do treinamento da emoção. "Na hora em que eu começava a mostrar empatia por um, o outro ficava danado", contou.

Se tudo estivesse a favor, um pai ou uma mãe objetivos talvez conseguissem atuar como facilitadores enquanto dois ou mais irmãos resolvem seus conflitos. Mas a preparação emocional envolve um nível mais profundo de empatia e de escuta. É difícil demonstrar empatia por duas pessoas em conflito sem parecer tomar partido. Portanto, a preparação emocional costuma surtir mais efeito quando nem o pai nem a mãe nem o filho precisam se preocupar com as opiniões, interrupções ou objeções de outro irmão. Podendo passar mais tempo sozinha com um pai ou uma mãe solidários, a criança estará mais disposta a sair da defensiva e partilhar sentimentos verdadeiros.

O importante, evidentemente, é dedicar o mesmo tempo a cada filho. Nesse caso, também, reservar um horário exclusivo para cada criança regularmente assegura isso.

Os pais precisam saber o quanto a presença de outros adultos, sejam eles amigos ou parentes (sobretudo avós), pode afetar sua capacidade de demonstrar empatia por seus filhos e de ouvi-los. É difícil aceitar o sentimento de seu filho quando você está ouvindo sua mãe dizer (com ou sem palavras) que "essa criança está só precisando de umas boas palmadas".

Se você está numa situação em que trabalhar a emoção é aconselhável porém inviável por causa da presença de estranhos, tome nota para fazê-lo mais tarde. Você pode querer dizer a seu filho (sem constrangê-lo) que pretende discutir o assunto outra hora. Mas não deixe de fazê-lo.

QUANDO VOCÊ ESTIVER EXCESSIVAMENTE IRRITADO OU CANSADO PARA SER UM PREPARADOR EFICIENTE

O preparador emocional precisa de boa dose de criatividade e energia. O excesso de irritação ou cansaço pode prejudicar seu raciocínio e sua capacidade de comunicação. Você pode descobrir que simplesmente não consegue arranjar paciência nem disposição para demonstrar sua empatia nem escutar seu filho como deve. E às vezes você está simplesmente cansado demais para lidar de maneira produtiva com as emoções de seu filho. Se isso acontecer, deixe para trabalhar o lado emocional de seu filho depois que tiver recobrado as energias. Para isso, às vezes basta ir dar uma volta, ir ao cinema, tirar um cochilo ou tomar um bom banho de banheira. Se achar que o cansaço, a tensão ou a irritação estão sempre atrapalhando seu relacionamento com seu filho, talvez deva considerar mudar um pouco seu estilo de vida. Um profissional da área de psicologia pode ajudá-lo a encontrar soluções possíveis.

QUANDO É PRECISO TRATAR DE UM GRAVE DESVIO DE COMPORTAMENTO

Às vezes você tem de impor um tipo de disciplina que ultrapassa a simples imposição de limites mencionada no passo Nº 5. Quando seu filho se comporta de uma maneira que o irrita e fere seu código moral, você precisa manifestar sua desaprovação. Embora você possa até entender as emoções subjacentes à conduta de seu filho, não é hora de mostrar empatia. A análise dos sentimentos que o tenham levado a agir mal pode ser adiada. É hora de dizer claramente que acha que seu filho se comportou mal e explicar o que o leva a pensar assim. Manifestar sua raiva e seu desapontamento (de forma não desmerecedora) é apropriado. Também é apropriado conversar sobre seus valores.

Esta pode ser uma lição difícil para os pais que estejam preocupados com (e se sintam responsáveis por) o que está levando os filhos a agirem de determinada forma. Se um casal que está se divorciando, por exemplo, descobrir que a filha de 13 anos anda matando aula, talvez não saiba que atitude tomar. Compreendendo a confusão e a tristeza da menina, os pais podem ficar tentados a não repreender a filha e tratar diretamente do que ela está sentindo em relação ao divórcio. A longo prazo, relevar o mau comportamento da criança, porém, só a prejudica. Uma questão é a gazeta, outra, os sentimentos da menina. O melhor é tratar de cada uma delas separadamente.

Deixe-me dar mais um exemplo, que aconteceu em circunstâncias menos extremas. Quando minha filha Moriah tinha três anos, hospedamos uma pessoa por algum tempo em nossa casa. Um dia, depois do jantar, encontrei Moriah sozinha na sala com uma caneta vermelha na mão. Diante dela, no braço do nosso sofá cor de pêssego novo em folha, reluzia um hieróglifo vermelho chocante.

— O que houve aqui? — perguntei, visivelmente zangado.

Moriah olhou para mim com os olhos arregalados, ainda com a caneta na mão.

— Não sei — respondeu.

Ótimo, pensei. Agora são dois problemas: vandalismo e mentira. Ao mesmo tempo, eu via que, nas últimas 24 horas, Moriah andava infeliz. Imaginei que ela estivesse farta de ter o nosso hóspede perturbando sua rotina. Minha intuição me dizia que ela estava com ciúmes porque minha mulher e eu estávamos dando atenção ao hóspede em vez de brincar com ela. Isso podia explicar por que ela "reagiu" com a caneta vermelha — o que ela sabia que era errado. E a mentira era fácil de entender: ela estava tentando evitar minha fúria.

Eu sabia que podia reagir com empatia, dizendo algo como "Moriah, você rabiscou o sofá porque está zangada?". Depois, eu poderia acrescentar: "Compreendo que você esteja zangada, mas não é certo rabiscar o sofá".

Mas isso deixaria de fora a questão mais importante, que era moral: a mentira de Moriah. Então resolvi deixar para falar sobre a raiva e o ciúme de Moriah mais tarde. Naquela hora, eu falaria da importância de se dizer a verdade. Disse-lhe que estava furioso e zangado por causa dos rabiscos no sofá, mas que estava mais zangado ainda porque ela tinha mentido.

Mais tarde, depois que limpamos as manchas, Moriah, a mãe e eu conversamos sobre as emoções que provocaram aquele incidente. Minha mulher e eu escutamos e tentamos compreender a raiva, a solidão e a frustração de Moriah. Conversamos com nossa filha sobre outras formas pelas quais ela poderia ter manifestado suas emoções, como falar conosco sobre elas e pedir atenção.

Mesmo sem ter trabalhado a emoção com Moriah logo após o incidente, eu sabia que a ligação emotiva que tenho com minha filha graças a um trabalho anterior estava funcionando naquela situação. Quando a criança tem uma ligação emocional forte com os pais, a irritação, o desapontamento ou a raiva deles fazem-na sofrer tanto que já são por si só um castigo. O objetivo da criança fica sendo então consertar o relacionamento, voltando a um estado em que se sente emocionalmente próxima dos pais. Aí aprende que precisa agir de acordo com um determinado código para poder ter este nível de conforto emocional.

QUANDO A CRIANÇA FAZ "CENAS" PARA MANIPULAR OS PAIS

Aqui não me refiro a choramingos e ataques comuns. Refiro-me àquelas cenas que as crianças às vezes fazem só para conseguir o que querem.

Deixe-me dar um exemplo: o filho de cinco anos de um casal que freqüenta um de nossos grupos de pais ficou bravo quando descobriu que os pais iam deixá-lo com uma *baby-sitter* na noite seguinte porque iam sair para comemorar o aniversário de casamento. Depois de muito conversarem com Shawn sobre o que ele estava sentindo, nada se resolvia. O menino continuava insistindo que poderia sentir-se melhor se fosse incluído na comemoração. Finalmente o casal desistiu de conversar e deixou o filho chorando no quarto. O menino passou assim meia hora, com os pais indo, de vez em quando, ver como ele estava. Numa dessas vezes, o pai conta que viu Shawn tranqüilamente fazendo uma torre com blocos de montar enquanto continuava abrindo o berreiro.

— Ele olhou para mim e chorou mais alto — disse o pai. — Aí vi que ele estava rindo. Sabia que a farsa tinha acabado.

Shawn queria, através do choro, fazer os pais mudarem de idéia. Isso não quer dizer que ele não continuasse irritado por ser largado em casa com uma *baby-sitter*. Mas a tentativa dos pais de ouvir o filho com empatia e treiná-lo emocionalmente enquanto ele procurava manipulá-los com suas emoções foi infrutífera. Eles tinham de deixar claro que o menino não os iria controlar pelo choro. Foi o que o pai fez. Disse em tom suave e firme ao menino:

— Sei que você está aborrecido com isso, mas esse seu choro não vai fazer a mamãe e eu mudarmos de idéia. A gente vai jantar fora e você vai ficar com a *baby-sitter*.

Aí o menino acabou entendendo que não dava para negociar e parou de chorar. Pouco depois, o pai perguntou se ele gostaria de tentar imaginar maneiras de tornar mais agradável a noite com a *baby-sitter*, como planejar um jogo, preparar um lanche e assim por diante, e o menino concordou.

QUANDO VOCÊ decidir deixar para trabalhar emocionalmente com seu filho mais tarde, comprometa-se com ele e consigo mesmo a voltar logo ao assunto. Isto é muito diferente das táticas adotadas pelos pais simplistas ou desaprovadores do Capítulo 2, cuja característica principal é ignorar a emoção. Sentindo-se pouco à vontade com emoções fortes, eles as evitam. Aqui, estou simplesmente propondo que vocês adiem a discussão até que ela possa ser mais produtiva.

Se você não quiser falar sobre um assunto em um determinado momento e prometer a seu filho voltar a ele mais tarde, cumpra o prometido. Quebrar promessas feitas a uma criança provavelmente não é uma coisa tão catastrófica quanto a mídia faz crer. As crianças são muito justas, muito compreensivas, e estão sempre dispostas a dar outra oportunidade aos pais. Porém, cumprir as promessas é uma forma de respeito — que seu filho retribuirá se você der o exemplo.

Quero também dizer aos pais que só adiem o trabalho de preparação emocional quando julgarem necessário. Normalmente, devem dedicar o máximo de tempo possível a essa tarefa. Para uns, isso vai significar superar a idéia de que falar sobre sentimentos acaba estragando a criança. Como mostram nossos estudos, as crianças com preparo emocional comportam-se melhor na medida em que aprendem a regular suas emoções. E focalizar emoções negativas não "piora as coisas". Se uma criança tem um problema difícil, os pais devem apoiá-la para que ela aprenda a lidar com o problema. Se este for insignificante, discuti-lo então não vai fazer mal nenhum.

Finalmente, desejo reiterar que não se deve achar que a preparação emocional seja uma fórmula mágica que elimine os conflitos familiares e a necessidade de imposição de limites.

A preparação emocional, porém, pode ajudar você a aproximar-se de seus filhos. Prepara o terreno para uma relação de colaboração em que pais e filhos resolvem os problemas juntos. Seus filhos aprenderão que podem se abrir com você. Saberão que você não os vai criticar nem arrasar "para o bem deles". E também não carregarão pela vida afora aquele sentimento que muitos adultos conhecem: "Eu adorava o meu pai, mas nunca tive diálogo com ele". Quando seus filhos tiverem problemas, virão a você por saberem que você tem mais do que lugares-comuns e sermões a oferecer. Você realmente sabe ouvir.

Mas o que é realmente bonito na preparação emocional é o fato de continuar produzindo efeito na criança até a adolescência. A essa altura, seus filhos já internalizaram seus valores e colherão os frutos da inteligência emocional. Saberão se concentrar, se relacionar com os colegas e lidar com emoções fortes. E evitarão os riscos que ameaçam as crianças que não têm este preparo.

Veja se Você é um Bom Preparador Emocional

Eis aí um exercício para testar sua capacidade de identificar sentimentos infantis e programas educativos numa variedade de situações emocionais intensas. Você também vai poder treinar como reagir aos sentimentos infantis negativos.

Cada item é acompanhado por uma reação "errada"[32] por parte dos pais. Em seguida, pede-se que você imagine o que aquela criança deve estar sentindo e qual seria o programa educativo dos pais naquela situação. E, finalmente, pede-se que você sugira uma nova reação que legitime os sentimentos da criança.

Exemplo: Uma criança desaparece numa grande loja de departamentos e os pais ficam preocupadíssimos. Passado algum tempo, um funcionário encontra uma criança aflita e a ajuda a encontrar os pais.
Reação errada: "Seu cretino! Estou danada com você, nunca mais te trago ao shopping".
Programa educativo: A mãe ficou aflita e quer proteger o filho e evitar que o incidente se repita.

Sentimento da criança: Medo.

Reação correta: "Você deve ter ficado apavorado. Eu também fiquei. Primeiro vem cá no meu colo. Depois vamos conversar sobre isso".

1. Uma criança chega do colégio e diz: "Pra esse colégio eu não volto mais! A professora gritou comigo na frente dos meus amigos!".

Reação errada: "O que você fez para a professora ter que gritar?".

Programa educativo:

Sentimento da criança:

Reação correta:

2. Seu filho está dentro da banheira e diz: "Odeio meu irmão. Queria que ele tivesse morrido".

Reação errada: "Que horror. Aqui nessa casa não se fala assim. Você não odeia o seu irmão. Você gosta dele. Nunca mais quero ouvir você dizer isso!".

Programa educativo:

Sentimento da criança:

Reação correta:

3. Vocês estão jantando e seu filho diz: "Eca! Detesto isso. Não vou comer".

Reação errada: "Você vai comer o que tem e gostar!".

Programa educativo:

Sentimento da criança:

Reação correta:

4. Seu filho entra em casa dizendo: "Odeio aqueles garotos. Eles não querem brincar comigo. Eles são maus comigo!".

Reação errada: "Se você não fosse tão banana, eles iriam querer brincar com você. Não faça um drama de tudo. Você precisa ter jogo de cintura".

Programa educativo:

Sentimento da criança:
Reação correta:

5. Seu filho diz: "Eu queria que hoje você não estivesse cuidando de mim. Queria que fosse (preencha a lacuna)".
Reação errada: "Que horror você falar isso! Você não tem sentimentos".
Programa educativo:
Sentimento da criança:
Reação correta:

6. Você está com um amiguinho de seu filho passando o dia em casa. Seu filho diz: "Não quero que você pegue nesse brinquedo. Você não pode brincar com ele!".
Reação errada: "Você é um egoísta. Tem que aprender a dividir suas coisas com os outros!".
Programa educativo:
Sentimento da criança:
Reação correta:

Respostas:

Embora não haja só uma única resposta correta para este exercício, as reações que se seguem são característi-cas dos pais preparadores emocionais. Repare que tanto as reações "corretas" quanto as "erradas" têm a ver com o programa educativo dos pais. Mas as "corretas" transmitem empatia e orientação à criança.

1. Programa educativo: O pai quer que o filho se saia bem na escola e que a professora goste dele. O pai receia que o filho esteja fazendo alguma coisa errada na escola que acarrete a desaprovação da professora.
Sentimento da criança: Constrangimento.
Reação correta: "Você deve ter ficado muito cons-trangido com isso".

2. Programa educativo: A mãe quer que os filhos se dêem bem.
Sentimento da criança: Raiva.
Reação correta: "Sei que seu irmão às vezes consegue mesmo fazer você perder a cabeça. O que houve?".

3. Programa educativo: A mãe quer que a criança goste da comida que ela fez e não quer ter de ir para a cozinha de novo.
Sentimento da criança: Nojo.
Reação correta: "Você não está gostando do aspecto dessa comida. O que gostaria de comer?".

4. Programa educativo: O pai quer que o filho se relacione bem com as outras crianças e não fique magoado por qualquer bobagem.
Sentimento da criança: Tristeza.
Reação correta: "Você deve ter ficado magoado com isso. Me conte o que houve".

5. Programa educativo: A mãe quer que a filha dê valor ao esforço que ela está fazendo para ficar com ela naquela noite.
Sentimento da criança: Tristeza.
Reação correta: "Você está morta de saudades de (preencha a lacuna). Eu compreendo. Eu também morro de saudades de (preencha a lacuna)".

6. Programa educativo: A mãe quer que o filho divida o que é dele e seja mais generoso com os convidados.
Sentimento da criança: Raiva.
Reação correta: "Às vezes é difícil emprestar o brinquedo predileto. Vamos guardar esse e pegar outros que você não se incomode de emprestar".

CAPÍTULO 5

CASAMENTO, DIVÓRCIO
E A SAÚDE EMOCIONAL
DE SEU FILHO

PEÇA A QUEM TEVE pais malcasados para descrever suas memórias infantis, e provavelmente você vai ouvir histórias tristes, confusas, amargas, cheias de falsas esperanças. Uns talvez se lembrem de como foi doloroso e desorientador ver os pais se divorciarem. Outros talvez tenham tido pais do tipo estóico, daqueles que, apesar de infelicíssimos no casamento, decidem ficar juntos "por causa dos filhos". Aí, você pode ficar sabendo o sofrimento que foi para um jovem ver as duas pessoas mais importantes para ele, e que ele mais amava, viverem às turras.

Pouco importa que o casal seja casado, separado ou divorciado. Quando os pais vivem se tratando com hostilidade e desprezo, os filhos sofrem. Porque o clima de um casamento — ou divórcio — cria uma espécie de "ecologia emocional" para os filhos. Assim como uma árvore é afetada pela qualidade do ar, da água e do solo em seu meio ambiente, a saúde emocional da criança é determinada pela qualidade dos relacionamentos íntimos que a cercam. O relacionamento conjugal dos pais influencia as atitudes dos filhos e suas realizações, sua capacidade de se relacionar e de regular as emoções. Em geral, quando os pais se dão bem, a inteligência emocional dos filhos desabrocha. Mas os filhos que constantemente presenciam as desavenças dos pais correm graves riscos.

Embora esta possa ser uma notícia perturbadora para pais que estejam vivendo um conflito conjugal, há esperança — sobretudo para os casais (casados ou divorciados) dispostos a melhorar seu relacionamento. Agora sabemos que não é o conflito entre os pais que faz tão mal à criança, mas sim a maneira como os pais se tratam mutuamente.

Descobrimos também que a preparação emocional pode ter um efeito neutralizante. Isto é, quando os pais se interessam pela saúde emocional dos filhos, ajudando-os a lidar com os sentimentos negativos e orientando-os em épocas de tensão familiar, os filhos ficam protegidos de muitos dos efeitos nocivos das turbulências familiares, entre elas, o divórcio. Por enquanto, o preparo emocional é comprovadamente a única coisa que pode neutralizar estes efeitos deletérios.[33]

E, finalmente, descobrimos que o que faz um bom pai ou uma boa mãe é a mesma coisa que faz um bom casamento. O estilo de prática interpessoal que os pais adotam com seus filhos — em que haja interesse pelas emoções, empatia e colaboração mútua para a solução de problemas — também é positivo para seu relacionamento conjugal. Além de melhorarem como pais, melhoram como esposos.

Antes de explorar o funcionamento do efeito protetor do trabalho de preparação emocional, é bom entender como os conflitos conjugais e o divórcio afetam os filhos.

COMO OS CONFLITOS CONJUGAIS E O DIVÓRCIO PODEM PREJUDICAR OS FILHOS

Através da observação e do trabalho de laboratório com famílias de crianças pequenas, meus colegas pesquisadores e eu descobrimos que determinados tipos de conflitos conjugais afetam profundamente a saúde física e emocional das crianças, bem como sua capacidade de relacionamento com outras crianças. Nossos dados mostram que filhos de pais cujo relacionamento se caracteriza por uma atitude crítica, defensiva e desdenhosa são mais sujeitos a manifestar comportamento anti-social e agressivo para com os colegas. Têm mais dificuldade de regular as emoções, de concentrar-se e de acalmar-se quando aflitos. E, segundo as mães, têm mais problemas de saúde como tosse e resfriado. Estas crianças também pareciam passar com mais freqüência por fases de estresse, a julgar pelas altas taxas de catecolamina, um hormônio relacionado ao estresse, em sua urina.

Para determinar a capacidade de relacionamento da criança, observamos duplas brincando sem supervisão durante meia hora na casa de um dos membros da dupla. Cada casal havia convidado o "melhor amigo" de seu filho para participar da experiência. Avaliamos as sessões segundo o grau de envolvimento de uma criança com a outra durante a brincadeira. Por exemplo, passaram muito tempo envolvidas em jogos de fantasia que exigem elevado grau de cooperação? Ou ficaram mais tempo entretidas com "brincadeiras paralelas"— isto é, cada uma envolvida com o seu brinquedo, sem demonstrar muita vontade de colaborar com a outra?

Também procuramos detectar tipos de atitudes flagrantemente negativas — tais como discussões, ameaças, xingamentos, implicância e agressão física. Quando surgia um atrito, as crianças tentavam contornar a situação, ou a divergência acabava com a brincadeira? Pesquisas anteriores nos mostram que, a longo prazo, este tipo de atitude pode afetar muito a vida da criança. Uma atitude negativa e anti-social é uma das principais causas de rejeição da criança pelos colegas. Sabemos também que o fato de a criança não conseguir fazer amigos prenuncia riscos de problemas psiquiátricos.

Quando comparamos os dados destas sessões de brincadeira com os que reunimos a partir das entrevistas e experiências de laboratório com as famílias descritas no Capítulo 1, verificamos uma associação importante entre o relacionamento conjugal e o comportamento da criança com os amigos. Filhos de pais infelizes no casamento brincavam mais sozinhos e tinham mais interações negativas com o parceiro do que os filhos de pais felizes no casamento.

Vários outros cientistas sociais fizeram descobertas semelhantes sobre problemas comportamentais com filhos de casamentos conturbados. Em conjunto, as pesquisas mostram que os conflitos conjugais e o divórcio podem colocar a criança numa trajetória que leva a sérios problemas futuros. Os problemas podem começar na primeira infância com agressividade e deficiência de habilidades interpessoais, o que leva à rejeição. Os pais, envolvidos com seus próprios problemas, dedicam menos tempo e atenção aos filhos, e, sem supervisão, as crianças acabam procurando más companhias. No início da adolescência, muitos filhos de casamentos desfeitos já estão envolvidos em toda a sorte de complicações juvenis, entre elas, queda do rendimento escolar, vida sexual precoce, abuso de substâncias e delinqüência. Também há alguns indícios, embora não tão fortes, de que os filhos de casamentos conflituosos e de pais divorciados são mais depressivos, ansiosos e retraídos. Um estudo, realizado por E. Mavis Hetherington, da Universidade da Virgínia, verificou que o índice de problemas mentais clinicamente significativos era três vezes mais elevado entre adolescentes filhos de lares desfeitos do que entre os filhos de lares bem constituídos.[34]

Os cientistas sociais propõem várias teorias para explicar por que os filhos de famílias em que há conflito têm mais problemas de comportamento e mais dificuldade de relacionamento com outras crianças. Uns sugerem que os pais envolvidos em disputas conjugais têm menos tempo e energia para dedicar aos filhos. O divórcio e os conflitos que terminam em divórcio deixam os pais esgotados demais para que possam ser bons disciplinadores.

E. Mavis Hetherington descreve o período da separação e do divórcio, bem como os dois primeiros anos após a separação, como uma fase de sérias rupturas no relacionamento entre pais e filhos. Nesta fase, "certamente vai ser difícil um pai ou uma mãe preocupado(a) e/ou emocionalmente perturbado(a) e um filho desolado e exigente se apoiarem e se confortarem mutuamente, e é provável até que um agrave os problemas do outro", diz Hetherington. Mães divorciadas que ganham a custódia dos filhos "costumam ficar temporariamente com a cabeça fora do lugar, castigando os filhos de modo incoerente e incapazes de comunicar-se com eles e lhes dar apoio", acrescenta. E os problemas não necessariamente desaparecem com o tempo, segundo Hetherington: "A dificuldade de controlar e monitorar o comportamento dos filhos é o principal problema das mães divorciadas".[35]

Estas descobertas refletem os problemas que observamos entre os pais que participavam de nosso estudo e estavam passando por uma fase estressante no casamento. Estes pais tendiam a ser mais frios e insensíveis com os filhos. Tendiam também a não impor tantos limites ao comportamento dos filhos.

Muitos especialistas acham que, além de dar aos filhos um tratamento inadequado, os pais em fase de tensão conjugal lhes dão também um mau exemplo de como relacionar-se com os outros. Esses especialistas acham que as crianças que vêem seus pais se tratando com agressividade ou desdém são mais propensas a exibir este tipo de comportamento no trato com os amigos. Sem um exemplo para lhes mostrar como escutar com empatia e como buscar em conjunto soluções para os problemas, as crianças seguem o roteiro que seus pais lhes entregaram — um roteiro que diz que atitudes hostis e defensivas são reações apropriadas a situações de conflito. Com agressividade se consegue o que se quer.

Embora obviamente faça sentido que a criança que convive com a influência negativa do conflito dos pais aprenda com o exemplo, acho que o desentendimento conjugal também pode provocar um impacto mais profundo nos filhos — especialmente os que desde pequenos estão expostos a graves problemas familiares. Acho que a tensão de conviver com pais em conflito pode afetar o desenvolvimento do sistema nervoso autônomo da criança, o que, por sua vez, determina a capacidade da criança de enfrentar as situações.

É indiscutível que os filhos ficam aflitos quando vêem os pais brigando. Estudos mostraram que até mesmo crianças pequenas reagem à discussão dos adultos com alterações fisiológicas como aceleração do ritmo cardíaco e elevação da pressão arterial. O psicólogo E. Mark Cummings, que pesquisou como a criança reage diante de dois adultos brigando, diz que as reações típicas são chorar, ficar imóvel, com o corpo retesado, tapar os ouvidos, fazer caretas ou pedir licença para ir embora.[36] Reações não-verbais à raiva foram observadas até em bebês de seis meses.[37] Embora não tenham capacidade de entender o conteúdo das discussões entre seus pais, os bebês sabem que alguma coisa está errada e reagem com agitação e choro.

Meus colegas e eu observamos esse tipo de reação em nossos laboratórios. Um casal que participa de nosso estudo com pais recém-casados, por exemplo, trouxe a filhinha de três meses para o laboratório. Entrevistas anteriores revelaram que os pais tinham um relacionamento altamente competitivo e belicoso — características que ficaram ainda mais patentes nesta experiência. Instruídos a brincar com a filha, o pai atraiu o olhar da menina puxando-lhe o pé, enquanto a mãe começou a arrulhar para que a menina deixasse de olhar para o pai e prestasse atenção nela. Este conflito aparentemente confundiu e agitou o bebê, que olhou para o outro lado e começou a chorar. Ao mesmo tempo, seu coração começou a bater mais rápido. Então, apesar do esforço que os pais fizeram para acalmar a filha, a pulsação da menina custou muito a voltar ao normal.

Embora nosso estudo sobre os bebês ainda não esteja concluído, estas observações fortalecem minha crença de que os efeitos perversos do conflito entre os pais podem começar a se fazer sentir desde os primeiros meses de vida da criança, quando o sistema nervoso autônomo está se desenvolvendo. O que quer que venha a acontecer com essa criança em termos emocionais nesses primeiros meses pode afetar seriamente a tonicidade de seu nervo vago — ou seja, sua capacidade de regular o sistema nervoso. A criança ser atendida quando chora, ser tranqüilizada ou irritada pelas sensações em torno dela, o estado de espírito das pessoas que lhe dão comida, banho e brincam com ela — tudo isso influencia para o resto da vida suas reações a estímulos, sua capacidade de acalmar-se e recuperar-se de tensões.

A importância destas aptidões vai aumentando à medida que a criança cresce e começa a interagir mais com os outros. As crianças precisam regular suas emoções para focalizar a atenção, concentrar-se e aprender, para "ler" a linguagem corporal, as expressões faciais e insinuações sociais dos outros. Sem estes componentes da inteligência emocional, as crianças entram em desvantagem em cenários sociais e acadêmicos.

Nossos estudos e muitos outros mostram que filhos de pais divorciados e conflitados têm notas mais baixas na escola. Os professores costumam fazer uma avaliação pior em termos de aptidões e inteligência destas crianças. Em artigo na *Atlantic Monthly,* a crítica social Barbara Dafoe Whitehead descreve a situação: "A grande tragédia educacional de nossos dias é que muitas crianças americanas estão fracassando na escola não por serem intelectual ou fisicamente limitadas, mas por serem emocionalmente incapacitadas... Os professores encontram muitas crianças emocionalmente perturbadas, tão aflitas e preocupadas com seus explosivos dramas familiares que não conseguem se concentrar nem para aprender uma coisa banal como a tabuada de multiplicar".[38]

As crianças levam estes problemas para a vida adulta, como indica a análise do National Survey of Children, que fez uma amostragem nacionalmente representativa com crianças, adolescentes e jovens adultos.[39] O pesquisador Nicholas Zill examinou os dados de 240 jovens cujos pais se separaram ou divorciaram antes de eles completarem 16 anos. Mesmo levando em conta variações quanto à escolaridade dos pais, raça e outros fatores, Zill verificou que, na faixa entre 18 e 22 anos, o número de jovens com elevado nível de angústia ou problemas de comportamento era duas vezes maior em famílias desfeitas do que nas bem constituídas. Além disso, o índice de evasão escolar desses jovens dobrava em relação ao dos filhos de pais não divorciados. E entre os que abandonavam a escola, os que vinham de lares desfeitos tinham menos probabilidade de vir a concluir o supletivo.

Mas talvez o resultado mais triste da análise de Zill tenha a ver com a ligação entre divórcio e a relação pais e filhos propriamente dita. Essa pesquisa mostra que 65% dos filhos de pais divorciados afirmaram não se dar bem com o pai, enquanto apenas 9% dos filhos de pais não divorciados fizeram a mesma afirmação. Zill comenta que esse resultado "não é de surpreender", dado que a maioria dos homens separados ou divorciados neste grupo não davam apoio financeiro nem tinham contato regular com os filhos. Ao mesmo tempo, a relação da criança com a mãe também parecia sofrer com o divórcio. Cerca de 30% dos filhos de famílias divorciadas afirmaram ter um relacionamento insatisfatório com as mães, enquanto no grupo dos de pais não divorciados a percentagem foi de 16%.

"O fato de, quando os pais se divorciam, os filhos se afastarem de pelo menos um dos pais e uma minoria substancial se afastar de ambos é, no nosso entender, motivo legítimo de preocupação para toda a sociedade", diz Zill. "Significa que muitos destes jovens são especialmente vulneráveis a influências externas, como amigos, namorados, colegas, adultos revestidos de autoridade e a mídia. Embora não necessariamente negativas, estas influências não costumam ser um bom substituto para uma relação positiva e estável com um pai ou uma mãe."

Outros estudos revelam como o divórcio dos pais afeta os filhos para o resto da vida. Em diversos estudos, os filhos adultos de pais divorciados relatam ser mais tensos, mais insatisfeitos com a família e os amigos, mais ansiosos e menos preparados para enfrentar os problemas gerais da vida.

E agora verificamos, de acordo com resultados recentes de uma investigação de longo prazo, que o divórcio dos pais pode até encurtar a vida dos filhos. Iniciado em 1921 pelo psicólogo Lewis Terman para testar suas teorias sobre transmissão hereditária de inteligência, este estudo acompanhou o desenvolvimento psicossocial e intelectual de cerca de 1.500 crianças californianas superdotadas, contactando-as a cada cinco ou dez anos. Para descobrir como as tensões sociais afetam a longevidade, Howard Friedman, da Universidade da Califórnia em Riverdale, conferiu recentemente os atestados de óbito das pessoas estudadas por Terman, metade delas já falecidas. Em 1995, Friedman relatou que as que ainda não tinham 21 anos quando os pais se divorciaram faleceram quatro anos antes daquelas cujos pais permaneceram casados.[40] (Em compensação, verificou que a perda de um dos pais na infância pouco influenciou a longevidade das pessoas estudadas. Isto confirma, aponta ele, outra pesquisa que mostra que o divórcio e a separação dos pais, a longo prazo, causam mais problemas psicológicos do que a morte de um pai ou uma mãe.) Friedman verificou também que os filhos de pais divorciados se divorciavam mais, embora não necessariamente se atribuísse a menor longevidade dos participantes do estudo aos respectivos divórcios. Friedman conclui que o divórcio dos pais é um acontecimento-chave no tecido social da vida dos jovens permitindo prever para eles uma morte prematura.

Com tantas evidências apontando para os efeitos perversos do divórcio nas crianças, os pais malcasados podem se perguntar se é melhor agüentar um casamento infeliz e sem conserto pelo bem dos filhos. A nossa, entre outras pesquisas, responde a essa pergunta com um definitivo e sonoro "não". Porque certos tipos de conflitos conjugais podem prejudicar tanto a criança quanto o divórcio. Em outras palavras, não é necessariamente o divórcio que fere as crianças, mas sim a intensa hostilidade e a falta de comunicação que pode se desenvolver entre casais malcasados. Alguns problemas conjugais, entre eles a ausência emocional do pai, estão associados com o desenvolvimento na criança de problemas que os psicólogos chamam de "internalização" — a criança fica ansiosa, deprimida, introvertida e retraída. A hostilidade e o desdém entre marido e mulher, por outro lado, estão associados ao comportamento agressivo da criança com os colegas.

Já que tanto o divórcio quanto a manutenção de um casamento doente são prejudiciais à criança, haverá alguma forma pela qual comprovadamente um casal infeliz no casamento possa proteger seus filhos? Nossos dados mostram que sim. Através da preparação emocional.

PROTEGENDO SEU FILHO CONTRA
OS EFEITOS NEGATIVOS
DOS CONFLITOS CONJUGAIS

Com tantas evidências de que as crianças são prejudicadas pelas desavenças dos pais, muitos casais podem se perguntar se deveriam eliminar todas as formas de conflitos conjugais, ou pelo menos esconder dos filhos os desentendimentos. Isso, além de ser uma péssima idéia, seria impossível. O conflito e a ira são componentes normais da relação entre marido e mulher. Os casais que conseguem expressar abertamente suas diferenças inevitáveis e trabalhá-las têm um relacionamento mais feliz a longo prazo. E, como aprendemos, os pais que aceitam as emoções negativas estão mais aptos a ajudar os filhos a lidar com os sentimentos de raiva, tristeza e medo.

Além disso, estudos mostram que pode ser enriquecedor para a criança presenciar certos tipos de conflito familiar, especialmente quando os pais discutem respeitosamente e fica patente que estão trabalhando de forma construtiva para chegar a um entendimento. Se a criança nunca vê um adulto com quem ela convive se irritar, discutir e resolver suas diferenças com outro adulto, está perdendo lições importantíssimas que podem desenvolver a inteligência emocional.

A chave de tudo é os pais administrarem seu conflito conjugal para torná-lo um exemplo mais positivo do que prejudicial para a criança. Obviamente, isso é mais fácil de dizer do que de fazer — especialmente considerando-se a maneira como só cônjuges (e ex-cônjuges) podem se inflamar mutuamente. Mesmo assim, pesquisas recentes dão algumas pistas para um relacionamento entre os pais que beneficie e proteja os filhos.

TRABALHE A EMOÇÃO EM SEU CASAMENTO

Nossa pesquisa sobre as necessidades emocionais da criança deixa patente que as crianças são mais felizes e mais bem-sucedidas quando os pais as escutam, compreendem e levam a sério. Mas que efeitos esses hábitos têm sobre os próprios pais e seu casamento?

Para encontrar a resposta a essa pergunta, meus colegas e eu examinamos os casais que classificamos em nosso estudo como preparadores emocionais. (Os conscientes da própria emotividade e da de seus filhos. Costumam aproveitar os momentos emocionais negativos dos filhos para ouvir. Mostram empatia, impõem limites e ensinam os filhos a lidar com as emoções negativas e resolver problemas.)

Além de ficar conhecendo os preparadores emocionais enquanto pais, reunimos informações íntimas sobre sua vida conjugal. Em longas entrevistas, ficamos conhecendo a história de seu relacionamento e sua postura diante do casamento. Em experiências de laboratório, observamos esses casais trabalhando áreas de conflito. E, em contatos durante um período de onze meses de acompanhamento, ficamos sabendo quantos haviam se divorciado, quantos haviam cogitado sobre o divórcio e quantos continuavam bem casados.

O que se verificou foi que o trabalho de preparação emocional protege não apenas os filhos desses casais, como também seu casamento.[41] Comparados aos outros pais em nosso estudo, os preparadores emocionais eram mais bem casados. Mostravam mais carinho, apreço e admiração mútuos. Quando falavam de sua postura diante do casamento, costumavam dar ênfase ao valor do companheirismo. Falavam mais em termos de "nós", considerando a vida a dois como um projeto em conjunto. Valorizavam-se mais, agrediam-se e desdenhavam-se menos mutuamente. Os maridos não costumavam se fechar durante uma discussão acalorada. Em geral mostravam que acreditavam que o casal precisa discutir os sentimentos negativos, falar abertamente sobre os problemas e enfrentar os conflitos em vez de evitá-los. Esses casais eram menos propensos a considerar caótica sua convivência. Costumavam declarar que achavam compensador o esforço para fazer o casamento dar certo.

Considerando essas descobertas, podemos nos perguntar o que vem primeiro: um casamento feliz ou as técnicas de sociabilidade para que possamos ser preparadores emocionais competentes para nossos filhos? Neste ponto de nosso estudo, é difícil dizer. Por um lado, deve ser mais fácil os pais dedicarem atenção, tempo e energia emocional aos filhos quando são bem casados. Por outro, o adulto que tem por hábito ouvir, mostrar empatia e buscar soluções para os problemas pode fazer isso tanto com os filhos quanto com o parceiro conjugal — com bons resultados. Até os estudos avançarem mais, não podemos afirmar com certeza o que seja causa e o que seja conseqüência, mas estou inclinado a achar que a última colocação tem precedência. Isto é, quem é atencioso com os filhos o é também com o cônjuge e esta atitude faz bem ao casamento.

Baseio esta hipótese em um trabalho nosso mostrando que tipos de interações conjugais prenunciam a estabilidade de um casamento. Esta pesquisa está descrita em profundidade em meu livro *Why Marriages Succeed or Fail* [Por que os casamentos dão certo ou fracassam].[42] Para nós aqui, basta dizer que se você pegar os elementos do trabalho de preparação emocional que exploramos no Capítulo 3 (consciência emocional, empatia e escuta, busca de soluções para os problemas, etc.) e usá-los com seu parceiro conjugal, provavelmente verá bons resultados.

Vimos uma pequena demonstração disso entre os casais que participaram de nossos grupos de pais. Ann, por exemplo, afirmou que, depois que começou a ajudar o filho de dois anos a identificar o que ele sentia, tornou-se mais consciente de suas próprias emoções. Isso, por outro lado, estimulou-a e ao marido a se tratarem com mais compreensão e legitimação.

— É loucura não usar legitimação — diz Ann, que é artista. — Se digo "Hoje recebi uma carta de recusa e estou desapontada", não quero ouvir meu marido responder: "Bom, o que você esperava? Eles estão ocupados demais para mexer com o seu trabalho agora". É melhor ouvir: "Estou vendo que você está desapontada por ter recebido uma resposta negativa".

Já conscientes de que o filho não é o único membro da família que precisa deste tipo de carinho e compreensão, Ann e o marido começam também a trabalhar a emoção um do outro.

EVITE OS QUATRO CAVALEIROS DO APOCALIPSE

Como parte da pesquisa de longo prazo que realizamos sobre a família e as emoções, descobrimos que os casais infelizes no casamento ou fadados a se divorciar entram numa espiral degenerativa das interações, emoções e atitudes que leva à desintegração do casamento. Esta derrocada costuma acontecer em quatro etapas previsíveis, que chamo de "Os Quatro Cavaleiros do Apocalipse". Como arautos da desgraça, cada cavaleiro prepara o terreno para o seguinte, desgastando a comunicação e fazendo com que os esposos atentem cada vez mais para as falhas um do outro e do casamento. Enumerados na ordem de seu perigo relativo para a relação, os quatro cavaleiros são: crítica, desdém, atitude defensiva e obstrucionismo.

Não é de surpreender que estes mesmos quatro elementos tenham se mostrado prejudiciais aos filhos dos casais. Em outras palavras, quando o ambiente da criança está contaminado pela atitude crítica, desdenhosa, defensiva e obstrutiva dos pais, a criança fica mais exposta aos efeitos perversos do conflito conjugal.

A boa notícia é que agora podemos usar estas descobertas para recomendar aos casais maneiras de aprimorar seu relacionamento e, assim, proteger os filhos de conseqüências prejudiciais. Abaixo você vai encontrar conselhos para driblar os cavaleiros — mesmo quando estiver discutindo problemas delicados com seu marido ou sua mulher. Embora sejam dirigidos a casais casados, estes conselhos também podem ser úteis para casais separados ou divorciados, mas que precisam conversar sobre questões ligadas aos filhos.

CAVALEIRO Nº 1: Crítica. O que chamo de crítica são os comentários negativos sobre a personalidade do parceiro, em geral num tom que atribui culpa. Superficialmente, a crítica pode confundir-se com queixa, e as queixas podem fazer bem ao relacionamento, sobretudo quando o marido ou a mulher vêem suas reivindicações sendo atendidas. Mas há uma diferença fundamental entre queixa e crítica. A queixa é dirigida a uma atitude específica, enquanto a crítica atinge o caráter da pessoa. Eis alguns exemplos de cada uma.

Queixa: "Quando você gasta esse dinheirão com roupa, fico preocupado com as nossas finanças."
Crítica: "Como você pôde gastar todo esse dinheiro comprando roupa quando sabe que a gente tem contas a pagar? Você foi muito fútil e egoísta."

Queixa: "Me sinto sozinha quando você sai com seus amigos às sextas-feiras em vez de vir para casa."
Crítica: "Você é um irresponsável, saindo todos os fins de semana e me deixando em casa com as crianças. Fica claro que você não liga para a sua família."

Queixa: "Quem dera que você não largasse as roupas pelo chão. O quarto fica uma bagunça."
Crítica: "Cansei de ficar catando suas coisas. Você é relaxado e sem consideração."

Enquanto a queixa simplesmente expõe os fatos, a crítica costuma ser recriminatória, empregando o verbo "devia". Insinua que um parceiro não tem jeito. Por exemplo, em vez de dizer "Eu gostaria que às vezes você comprasse sorvete de morango", o marido ou a mulher pode dizer: "Por que você sempre compra de chocolate com menta? Você já devia saber que eu odeio esse sabor".

Traição é outro tema comum. Em vez de "Eu não queria que você tivesse chegado atrasado com as crianças na festa da minha mãe; ela ficou triste", a mulher pode dizer: "Achei que você iria chegar com as crianças na hora, na casa da minha mãe, mas você se atrasou de novo. Eu devia saber que você ia estragar mais uma comemoração em família".

E a crítica costuma generalizar: "Você *nunca* ajuda nas tarefas domésticas". Ou então: "Você *sempre* faz a conta do telefone ir lá para cima".

Muitas vezes a crítica expressa frustração não declarada e ira não resolvida. Um cônjuge "sofre calado" enquanto o outro fica alheio à irritação crescente. Quando o que sofre calado não consegue mais conter os sentimentos negativos, estoura e parte para a ofensa. O resultado pode ser uma técnica que chamo de "tudo e mais alguma coisa". Ou seja, o crítico desfia um rosário de queixas que nada têm a ver umas com as outras, como por exemplo: "Você sempre se atrasa para me pegar no trabalho. Nunca fica com as crianças. Nem se preocupa mais com sua aparência. E há quanto tempo não saímos juntos?". O ataque é tão abrangente e arrasador que o alvo só pode interpretá-lo como ofensa pessoal. Pode ficar pasmo, magoado, sentir-se traído, agredido — o que prepara o terreno para a chegada do segundo e mais perigoso cavaleiro: o desdém.

Como se evita este tipo pernicioso de crítica? Discutindo conflitos e problemas tão logo eles aparecem. Não espere até chegar ao auge da irritação e da mágoa. Manifeste sua raiva ou desagrado de forma específica e dirigida aos atos do parceiro e não à sua personalidade ou temperamento. Tente não culpar. Atenha-se ao presente e evite cobranças generalizadas. Evite estas palavras quando estiver fazendo uma queixa: "Você devia...", "Você sempre...", Você nunca...".

Nossos estudos mostram que as mulheres criticam mais que os maridos. Em parte, porque aparentemente as mulheres se acham na obrigação de trazer à baila os problemas conjugais. Os maridos, por outro lado, tendem mais a lidar com um conflito só por obrigação. Esta pode ser uma combinação infeliz porque a crítica muitas vezes é causada por um sentimento unilateral. Quando a mulher faz uma reclamação e o marido não reage como ela espera, inevitavelmente a raiva dela se transforma em crítica. Os maridos podem evitar isso vendo na raiva das mulheres um recurso para melhorar o casamento. Quando se irrita, a mulher está simplesmente botando sua queixa "em itálico". O segredo é o marido "abraçar a raiva da mulher" antes que essa raiva cresça e se transforme em crítica.

CAVALEIRO Nº 2: Desdém. O desdém é semelhante à crítica, porém vai mais longe. Um cônjuge que desdenha do outro na verdade tem a *intenção* de insultá-lo ou feri-lo psicologicamente. O sentimento de desdém muitas vezes surge quando um cônjuge está desgostoso com o outro ou farto dele, quando desaprova suas atitudes e deseja ficar quite. A pessoa com desdém tem pensamentos depreciativos — meu marido é ignorante, minha mulher é repulsiva, meu marido não presta, é um idiota. No casamento, é tanto mais difícil o marido lembrar-se do que viu de atraente na mulher, e vice-versa, quanto mais aferrar-se a idéias desse tipo. Com o tempo, elogios, pensamentos amorosos e gestos de ternura vão por água abaixo. As boas ações e os pensamentos positivos são suplantados pelas emoções negativas e pela implicância.

Entre os sinais que indicam ter sido o casamento contaminado pelo desdém há os insultos, os xingamentos e as formas hostis de humor, como o escárnio e a ridicularização. Um cônjuge pode reagir à manifestação de raiva do outro de forma evasiva e desmerecedora, como, por exemplo, corrigindo-lhe a gramática. A linguagem gestual pode revelar que os cônjuges não se respeitam mutuamente. A mulher pode revirar os olhos quando o marido estiver falando. O marido pode fazer uma expressão de asco.

Uma vez que o cavaleiro do desdém se instalou num casamento, é preciso muita vigilância para expulsá-lo. No entanto, é possível fazê-lo, se um cônjuge estiver disposto a mudar de atitude em relação ao outro. Para isso, precisa começar a ouvir aquele roteiro que tem interiorizado. Quando você se pegar pensando em como insultar seu parceiro ou vingar-se dele, imagine-se apagando essas idéias. Substitua-as por pensamentos mais tranqüilizadores, como por exemplo: "Este não é um bom momento, mas as coisas não são sempre assim". Ou: "Eu posso estar irritada (desapontada, furiosa, triste, magoada), mas meu marido tem qualidades que não são de se jogar fora".

Saiba que você escolhe se vai atribuir motivos positivos ou negativos ao comportamento de seu parceiro. Se a mulher deixa de pôr o lixo na rua, por exemplo, você pode ter duas posturas diferentes. Pode pensar: "Ela se acha boa demais para pegar em lixo. É tão *prima donna* que espera que eu e todo mundo que convive com ela limpe a sujeira que ela faz". Mas também pode dizer: "Ela não levou a lata de lixo para fora porque não viu que estava cheia. Devia estar com a cabeça em outra coisa. Vai tratar disso daqui a pouco". Repare que a reação positiva focaliza o problema específico do comportamento da mulher relativo ao lixo do dia. Não usa o incidente como uma prova para selar uma sentença de morte.

Pode ser difícil, mas procure deixar de pensar que precisa sair ganhando quando discute com seu marido ou sua mulher para provar que está do lado mais forte. Pondere se de vez em quando não é melhor simplesmente evitar uma briga.

Como o desdém pode acabar com a admiração e os pensamentos afetuosos, o antídoto é alimentar mais pensamentos positivos e amorosos em relação ao parceiro. Alguns casais acham que uma coisa que ajuda é pensar nos motivos que os levaram a se apaixonarem. O marido pode ter achado a mulher divertida, inteligente, sensual. A mulher talvez tenha ficado atraída pelo jeito meigo, forte e brincalhão do marido. Alimentem suas recordações. Olhem fotografias antigas se isso ajudar. Passem momentos a sós um com o outro para enriquecerem e restaurarem sua relação conjugal. Com isso vocês podem reverter a maré antes da chegada do próximo cavaleiro.

CAVALEIRO Nº 3: Atitude defensiva. Quando o marido ou a mulher se sente alvo de desdém, é natural que assuma uma atitude defensiva. Porém, esta é uma atitude muito prejudicial ao casamento porque os cônjuges não escutam um ao outro quando acham que estão sendo atacados. Sua reação, então, é eximir-se das responsabilidades. ("Não tenho culpa que Jason esteja com problemas na escola. Você é quem passa a mão na cabeça dele.") Ou justificar seus problemas. ("Eu queria ir no recital da Katie, mas tive que ficar até tarde no escritório.")

A queixa cruzada é outra forma comum de atitude defensiva. (Ele reclama dos gastos dela, e ela rebate reclamando que ele devia ganhar mais.) Assim como a reação "é, mas...", em que um recurso estilístico transforma a concordância em resistência. ("É, estamos precisando de aconselhamento, mas não vai adiantar nada.")

Às vezes, para se defender, as pessoas ficam batendo na mesma tecla. Por mais lógica que seja a argumentação de uma, a outra continua insistindo no mesmo ponto.

A atitude defensiva também pode se expressar no tom de voz ou na linguagem gestual. O tom de lamúria é clássico, insinuando que a pessoa se sente uma vítima inocente e se exime da responsabilidade de procurar a solução do problema em questão. Braços cruzados sugerem que a pessoa está em guarda. A mulher pode ficar mexendo no pescoço, como se estivesse brincando com um colar.

A atitude defensiva naturalmente é compreensível quando há desdém na relação, mas não ajuda a salvar o casamento. Porque qualquer atitude defensiva interrompe as linhas de comunicação.

A chave para se sair da defensiva é ouvir o que o parceiro diz não como um ataque mas como informação útil sendo expressa de forma contundente. Obviamente, isso é mais fácil de dizer do que de fazer. Mas imagine o que é possível ser feito uma vez começado o desarmamento. Seu parceiro lhe dirige um insulto, e, em vez de negar o que foi dito ou revidar com outro insulto, você encontra algum fundo de verdade naquelas palavras e se detém um pouco pensando naquilo. Você pode responder: "Nunca pensei que você ligasse tanto para isso. Vamos falar mais sobre esse assunto". No primeiro momento, seu parceiro provavelmente vai ficar chocado com sua reação, talvez até fique desconfiado, e isso aumente a tensão entre vocês. Mas, à medida que você vai depondo suas armas e se despindo da armadura, ele vai ver que você realmente está querendo que as coisas mudem. Você se importa com a relação e quer que a vida de vocês seja mais tranqüila.

CAVALEIRO N° 4: Obstrucionismo. Se os parceiros não conseguem chegar a uma trégua — e se continuam deixando a crítica, o desdém e a atitude defensiva comandar a relação —, estão fadados a conhecer o quarto cavaleiro: o obstrucionismo. Isso acontece quando um cônjuge se fecha porque a conversa ficou demasiado intensa. Em essência, ele vira "uma parede", sem dar qualquer indicação de estar ouvindo ou compreendendo o que diz o outro.

Em nossos estudos, 85% dos obstrucionistas eram homens — o que não surpreende, já que, por ter uma reação fisiológica mais radical ao estresse conjugal, o homem tende mais a fugir dele. Isso talvez seja causado pelas diferenças fisiológicas existentes entre os sexos, ou pelo fato de ser o homem mais propenso que a mulher a alimentar pensamentos tristes quando não está com a esposa. Quando entrevistados acerca dessa atitude, muitos dos homens obstrucionistas disseram considerar que seu silêncio era "neutro" e não algo que pudesse ser prejudicial ao casamento. Os homens não entendiam que as esposas se irritassem quando eles ficavam quietos e não reagiam, que achassem esta uma atitude presunçosa, de desinteresse ou desaprovação. Os homens achavam melhor ficar mudos para não aumentar a tensão. Independentemente das intenções positivas dos obstrucionistas, estudos mostram que reagir habitualmente com silêncio às aflições conjugais traz problemas. Se os parceiros não estiverem dispostos a conversar, os problemas continuarão sem solução, agravando o isolamento. Os homens se retraem quando as emoções se exaltam. Ao contrário dos homens, as mulheres costumam agir mais de acordo com as convenções sociais do que com o que sentem fisicamente. Talvez por isso as mulheres sejam mais propensas do que os homens a conservar um casamento fracassado mesmo em detrimento da sua saúde.

Para quem sabe que é obstrucionista e deseja mudar, recomendo que, ao discutir com o parceiro, faça um esforço para lhe dar mais subsídios. Mesmo um simples aceno de cabeça ou um "hã-hã" indica ao falante que ele tem um ouvinte. Esta legitimação pode contribuir para melhorar a relação. A partir daí, o obstrucionista pode ir se aprimorando na arte de ouvir e passar a ecoar o que o parceiro diz.

Como as reações fisiológicas ao estresse podem ter um papel-chave, quem quiser deixar de ser obstrutivo e passar a se comunicar com o parceiro pode desejar explorar novas formas de conservar a calma em discussões acaloradas. Alguns casais com quem trabalhamos chegaram até a controlar a pulsação durante as altercações, o que foi útil. Ao detectar uma aceleração de vinte pontos no ritmo cardíaco, o casal interrompia a discussão. E só voltava ao assunto quando se sentisse mais relaxado. Para os casais que desejarem tentar este método,[43] recomendo retomarem a discussão cerca de meia hora após a interrupção. Assim marido e mulher têm tempo de esfriar a cabeça, sem risco de abandonar o assunto e prejudicar o progresso da relação. É importante controlar a tensão e as idéias nesse ínterim. Respirar fundo, relaxar ou praticar exercícios aeróbicos são coisas que podem acalmar. Se possível, deve-se evitar pensar no parceiro com sentimentos de amargura ou de vingança, procurando alimentar mensagens positivas, tranqüilizadoras e otimistas.

Mais informações sobre como afastar os quatro cavaleiros e melhorar seu relacionamento conjugal podem ser encontradas em meu livro, *Why*

Marriages Succeed or Fail. A mensagem mais importante para os pais é que as coisas que fazem os filhos sofrerem são exatamente as mesmas que acabam com um casamento. Mas se os pais — mesmo os que estiverem se divorciando — puderem esforçar-se para se comunicar melhor, será vantajoso para os filhos.

ADMINISTRE SEU CONFLITO CONJUGAL

Além de praticar o treinamento da emoção com o parceiro, há alguns conselhos bem práticos que os pais podem seguir para dar maior proteção a seus filhos contra os impactos negativos das desavenças conjugais. A idéia é administrar o conflito conjugal para que os filhos não fiquem enredados nos problemas dos pais nem se sintam de algum modo responsáveis por eles. Para proteger os filhos, os pais precisam ter com eles o tipo de comunicação aberta inerente à preparação emocional. Ademais, os pais precisam ter outras fontes confiáveis de apoio social para os filhos além da família imediata.

Não use seu filho como arma em seus conflitos conjugais. Talvez por sentirem como é precioso o relacionamento que têm com os filhos, o marido e a mulher com raiva um do outro às vezes sentem-se tentados a "usar" esse relacionamento para se ferir mutuamente. O pai pode tentar limitar o acesso da mãe aos filhos, ou vice-versa. Esta técnica é particularmente comum entre mães que se sentem traídas e impotentes, que acham que o acesso aos filhos é o único poder de barganha que lhes restou da relação conjugal. O problema aumenta quando o pai que não tem a custódia deixa de sustentar os filhos, o que faz com que a mãe sinta-se mais ainda no direito de impedir que ele veja os filhos.

Os pais com raiva um do outro também podem tentar ferir-se mutuamente às custas dos sentimentos dos filhos. Para isso, podem trocar acusações prejudiciais (verdadeiras ou falsas), ou pedir à criança que tome partido em disputas conjugais.

Considero que tentar deliberadamente afastar a criança de seu pai ou de sua mãe é uma das coisas mais prejudiciais que os casais em conflito podem fazer com os filhos. Este tipo de atitude pode criar uma fonte de conflito crônica para a criança que ama o pai e a mãe, deseja ser fiel a ambos e sente-se na obrigação de proteger um dos ataques do outro. Quando os pais têm por hábito envolver a criança nas suas desavenças, ela pode de certa forma sentir-se responsável pelo conflito familiar e, portanto, responsável por acabar com ele. Obviamente, não há muito que uma criança possa ou deva fazer para conservar o casamento dos pais. Isso faz com que ela sinta-se impotente, confusa e desanimada.

A maioria das crianças precisa de amor e apoio tanto do pai quanto da mãe, sobretudo quando obrigadas a viver no fogo cruzado entre ambos. Quando os pais tentam usar a criança para se agredir mutuamente, é a criança quem sai perdendo.

Meu conselho aos pais que estejam envolvidos em longas disputas conjugais é realizar uma "matrimoniotomia" em sua vida familiar. Isto é, fazer a distinção entre o papel de pai ou mãe e o de cônjuge em pé de guerra. Então, como pai ou mãe, deve fazer todo o possível para ajudar os filhos a sentirem-se seguros e amados por ambos, ainda que para isso tenha de abrir mão em favor do outro cônjuge de parte de seu poder e autoridade.

Os pais em conflito devem evitar referências mútuas impregnadas de crítica e culpa, pois isso prejudica o relacionamento da criança com a parte criticada ou faz com que ela se sinta desleal, culpada e mais estressada. Se você for capaz de fazer isto honestamente, focalize os aspectos construtivos de seus conflitos. Sempre que possível, diga a seu filho que as desavenças entre o papai e a mamãe estão servindo para que eles acertem as diferenças e que vocês dois estão se esforçando para resolver as coisas.

Não deixe seu filho se meter. Não é nada incomum os filhos de casamentos conturbados tentarem servir de mediadores entre papai e mamãe. Alguns pesquisadores sustentam que a criança faz isso para tentar regular suas emoções. Os filhos ficam assustados com as tempestades familiares e querem desesperadamente fazer alguma coisa a respeito. Então assumem o papel de conselheiro e juiz matrimonial. Mas segurar uma família é um esforço exagerado para qualquer criança e só traz mais problemas.

Se sentir que seu filho está tentando servir de mediador entre você e seu parceiro, interprete isso como sinal de que o nível de conflito em sua casa está excessivamente elevado. Pelo bem-estar de seu filho, vocês devem diminuir a agressividade. Aí é que as técnicas de preparação emocional podem ser da maior utilidade. Use-as para descobrir o que seu filho está sentindo e mostrar empatia. Se seu filho for pequeno, mostre-lhe que não é responsabilidade dele cuidar dos pais. Diga-lhe que aquilo é uma coisa que os adultos têm de resolver sozinhos e que tudo vai acabar bem. Com uma criança maior, sua conversa pode ser mais sofisticada, mas tente passar a mesma mensagem — de que não é responsabilidade dele resolver os conflitos entre mamãe e papai.

Você pode reconhecer que é aflitivo ouvir papai e mamãe brigarem, mas que às vezes os pais precisam discutir para resolver os problemas. E, mais uma vez, assegure a seu filho, se possível, que mamãe e papai estão tentando encontrar uma maneira de melhorar as coisas.

Do mesmo modo, mostre a seu filho que ele não é a fonte de seus problemas conjugais. Pesquisas mostram que a criança com idade para entender o conteúdo das rixas entre os pais fica mais estressada quando presencia uma discussão sobre ela própria. Quando isso ocorre, ela pode sentir-se envergonhada, culpada e com medo de ser atraída para a discussão. Nessas circunstâncias, você pode dizer: "A mamãe e o papai têm idéias diferentes sobre o que deve ser feito nessa situação. Mas você não tem culpa se a gente não concorda".

Para evitar enredar a criança nas desavenças conjugais, não a faça de pombo-correio. Imagine a tensão que a criança deve sentir quando o pai ou a mãe lhe pede que transmita à outra parte um recado tão agressivo que o próprio pai ou a própria mãe nem tem coragem de transmiti-lo pessoalmente. ("Diga a seu pai que não admito que ele pegue você na escola sem minha autorização.")

Nem se deve pedir à criança que esconda informações importantes de um dos pais. Hábitos como esse ensinam a criança a não ser sincera em seus relacionamentos familiares e só provam a ela que você e outros membros da família não são de confiança. Além disso, a criança precisa sentir liberdade para falar com os pais sobre qualquer coisa que a incomode sem medo de estar traindo a confiança de um deles. E, finalmente, a criança precisa sentir que, apesar das brigas, o papai e a mamãe estão trabalhando pelo bem dela. Pedir à criança que guarde "segredos" destrói isso tudo.

Avise a seu filho quando os problemas tiverem sido resolvidos. Assim como se afligem ao presenciar as brigas dos pais, as crianças se tranqüilizam ao saber que eles se entenderam. Estudos coordenados pelo professor E. Mark Cummings, da Universidade de West, Virginia mostraram que as crianças muitas vezes ficavam agressivas e tristes depois de assistir a discussões entre adultos.[44] Mas reagiam com muito mais calma se compreendiam que os adultos haviam resolvido as diferenças. Além disso, Cummings verificou ser importante para as crianças saberem até que ponto houve entendimento.[45] Por exemplo, as crianças tinham uma reação mais positiva quando realmente presenciavam os adultos pedindo desculpas um ao outro ou negociando um acordo. Já quando assistiam a formas mais sutis de solução, como a mudança de assunto ou a submissão de um adulto ao outro, sua reação não era tão positiva. O silêncio e as brigas recorrentes entre os adultos provocavam nos filhos as reações mais negativas.

Além disso, Cummings verificou também que o conteúdo emocional da solução é importante para a criança. Em outras palavras, ela sabe se o adulto está pedindo desculpas com raiva ou negociando um acordo sem entusiasmo. As crianças pequenas, evidentemente, não entendem idéias abstratas sobre solução e perdão. Para elas, é bom os pais tomarem alguma atitude que mostre que chegaram a um entendimento. Um abraço carinhoso da mamãe no papai, por exemplo, mostra à criança que os pais estão bem de novo.

Crie redes de apoio emocional para seus filhos. Quando o casamento dos pais está numa fase muito conturbada, não é incomum os filhos mais velhos — sobretudo adolescentes — desligarem-se da família e irem procurar apoio emocional fora de casa. Podem começar a passar mais tempo com os colegas ou com um *hobby*. Podem adotar a família de um amigo ou parente que não tenha tantos problemas. É triste ver a criança afastar-se de sua família, mas esse afastamento às vezes é um mecanismo positivo para ajudá-la a enfrentar a situação, desde que as pessoas e as atividades que ela escolher sejam influências positivas em sua vida.

Infelizmente, para muitas crianças a realidade é outra. Umas não têm nenhum adulto responsável a quem recorrer. Nem têm acesso a válvulas de escape construtivas como esportes, atividades acadêmicas ou artísticas. Aí elas se deixam dominar pelas más influências. Segundo estudos, os filhos de famílias instáveis estão particularmente ameaçados de cair na marginalidade e na delinqüência.

É importante, portanto, prestar mais, e não menos, atenção aos amigos e atividades de seu filho nas fases de tensão familiar. Descubra o que ele anda fazendo e com quem anda saindo. Mantenha-se em contato com os pais dos amigos dele e faça o que puder para monitorar e supervisionar as atividades da turma. Converse com seus professores e supervisores e participe-lhes que sua família está passando por uma fase difícil. Diga-lhes que ficaria grata se eles dessem apoio a seu filho e ficassem de olho nele. Faça o que puder para garantir que seu filho conviva com outros adultos de confiança — preparadores, professores, tios, vizinhos, avós e pais de amigos — a quem ele possa recorrer em busca de carinho e apoio.

O fato de não terem autonomia para procurar apoio emocional fora de casa em épocas de crise familiar não significa que as crianças pequenas também não precisem ter esse tipo de refúgio. Mais uma vez, converse com os professores e encarregados de seu filho. Participe-lhes que a família está passando por uma fase complicada e peça que sejam um pouquinho mais pacientes e carinhosos com seu filho em vista das circunstâncias. Conviva com outras famílias, talvez até com famílias de parentes seus, para que seus filhos possam saber o que é fazer parte e ter apoio emocional.

Use o treinamento da emoção na discussão dos problemas conjugais. Se há uma hora para se falar com os filhos sobre o que eles sentem, é quando irrompe uma crise conjugal. Pode ser difícil para um pai ou uma mãe já tristes ou irritados por causa de problemas conjugais encontrarem energia emocional para conversar com os filhos a respeito, mas é bem provável que os filhos também estejam mal e precisem de uma orientação sobre como lidar com essas emoções.

Reserve algum tempo quando estiver relativamente calmo para conversar com seu filho sobre como ele está reagindo à tensão doméstica. Você pode começar dizendo algo como: "Vi que você ficou quietinho e foi para o quarto quando seu pai e eu estávamos discutindo. Fiquei pensando se essa nossa discussão deixou você nervoso". Estimule seu filho a falar na tristeza, no medo ou na raiva que ele esteja sentindo. Ouça-o com empatia e ajude-o a rotular as emoções. Talvez você possa descobrir em seu filho temores que não conhecia. Talvez ele receie que, se vocês se separarem, ele nunca mais vá ver um de vocês dois. Talvez se pergunte onde irá morar, como poderá ser sustentado por só um de vocês. Talvez receie ter sido o causador dos problemas e se sinta culpado e aflito com isso. Ou talvez não saiba ao certo o que o assusta; apenas sente que está acontecendo uma coisa ruim e está aflito sem saber o que virá depois. Sejam quais forem os temores que ele manifeste, mostre-lhe que, embora o papai e a mamãe estejam de mal, sempre vão amá-lo e se importar com ele. Talvez você possa assegurar-lhe que, apesar de estarem enfrentando problemas, você e o pai dele não estão pensando em separação nem em divórcio. Por outro lado, talvez vocês estejam planejando separar-se e esta pode ser a hora de lhe dar a notícia. Seja como for, você pode garantir que ele não tem culpa dos problemas e não cabe a ele solucioná-los. Diga-lhe que a mamãe e o papai estão procurando a melhor solução para todo mundo e que você continuará conversando com ele sobre o que estiver acontecendo.

Após explicar a situação e ajudar seu filho a manifestar o que sente a respeito, você pode aproveitar para ajudá-lo a encontrar formas de lidar com a tristeza e a raiva que ele eventualmente esteja sentindo. Uma opção pode ser consultar um terapeuta especializado em ajudar a criança a lidar com problemas de família ou entrar em algum grupo de apoio para crianças cujos pais estejam se divorciando. A criança também pode desabafar suas tensões mantendo um diário, desenhando ou expressando-se através de qualquer outra atividade artística. Pergunte a seu filho o que ele acha que poderia ajudá-lo. Mas não espere por milagres. Nossa pesquisa mostrou que as crianças com preparo emocional, embora enfrentassem melhor do que as outras o divórcio dos pais, ficavam igualmente tristes. Nestas circunstâncias, o máximo que os pais podem fazer é garantir ao filho que a tristeza que ele está sentindo é normal, justificável e compreensível.

Se o preparo emocional já ajuda a família nas crises conjugais e num possível divórcio, depois também continua ajudando, seja para lidar com questões decorrentes do divórcio, como a apresentação do padrasto ou da madrasta, seja com conflitos ligados à custódia dos filhos. Uma mãe divorciada que desconfia que seus planos para casar-se novamente estejam afligindo sua filha, por exemplo, pode usar técnicas de preparação emocional para conversar sobre esta questão delicada. Pode dizer, por exemplo: "Você anda meio aérea. Está preocupada com o que vai acontecer depois do casamento?". Ou: "É normal a criança ficar aflita com o fato de o padrasto vir morar com ela. Tem medo de não gostar dele. Ou pode achar que, se vier a gostar do padrasto, o pai verdadeiro fique zangado. Você já se sentiu assim?".

Conversar com os filhos sobre o que eles sentem a respeito das desavenças conjugais quase nunca é fácil. Você pode não saber como abordar o assunto ou temer a reação da criança. Talvez ajude lembrar que, ao puxar o assunto, você está mostrando que não quer se afastar. Lembre-se das tristes descobertas de Nicholas Zill sobre as conseqüências a longo prazo do divórcio — aqueles que se diziam mais afastados dos pais depois de adultos eram os filhos que haviam assistido à dissolução do casamento de seus pais. Embora nossos estudos ainda não nos tenham fornecido dados para dizer como os preparadores emocionais que se divorciam estão enfrentando a adolescência dos filhos, pode ser que venhamos a descobrir que este estilo de comunicação acabe sendo benéfico para a relação entre pais e filhos. Talvez a preparação emocional crie um vínculo duradouro entre pais e filhos que se mantenha na idade adulta apesar das turbulências e mudanças decorrentes das crises conjugais e do divórcio.

Fique ligado nos detalhes da rotina de seu filho. O segredo para proteger seus filhos dos efeitos negativos das crises conjugais é estar sempre emocionalmente disponível para eles. Isso exige atenção aos incidentes corriqueiros que mexem com a emotividade deles. Estes incidentes podem ter muito pouco a ver com seus problemas conjugais. A vida da criança continua mesmo quando seus pais estão agoniados com problemas de adultos. Uma criança pequena, por exemplo, pode ficar aflita com uma *baby-sitter* nova, ou com medo de dormir numa cama de "gente grande" pela primeira vez. Para uma criança maior, as preocupações podem ir desde a frustração com as aulas de matemática até uma paixonite por um colega. Se os pais conseguirem encontrar energia e determinação para trabalhar a emotividade dos filhos nestas questões — apesar das tensões da crise conjugal — estarão fazendo muito por eles. Os filhos precisam que os pais estejam emocionalmente presentes, e precisam que eles estejam mais presentes em épocas de tumulto familiar.

Capítulo 6

O PAPEL CRUCIAL DO PAI

IMAGINE TRÊS HOMENS chegando em casa no fim do dia. Todos os três têm seus trinta e tantos anos e dois filhos, um menino de oito anos e uma menina de dez. Todos chegam com o jornal debaixo do braço e enfiam a chave na fechadura. Mas, quando a porta se abre, terminam as semelhanças.

O primeiro deles entra num apartamento escuro. Escutando os recados da secretária eletrônica, ele ouve a voz conhecida e seca da ex-mulher, lembrando-lhe o aniversário da filha.

— Eu sabia — resmunga ele, e faz uma ligação interurbana. Fica aliviado quando é a menina, e não a mãe, quem atende o telefone.

— Feliz aniversário, querida!

— Oi, pai — diz ela baixinho.

— E aí, recebeu meu presente? — pergunta ele após um silêncio constrangedor.

— Recebi. Obrigada.

— E o que achou? Na loja, disseram que era o último tipo.

— É. É legal, só que...

— O quê?

— Bom, eu já não estou curtindo muito brincar de Barbie.

— Ah. Tudo bem. A gente pode trocar. Guarde ela e a gente troca por uma coisa diferente quando você vier no Natal, está bem?

— Está.

— Então, como vão as coisas?

167

— Bem.

— E o colégio?

— Bem.

— Como vai seu irmãozinho?

— Está bom.

E assim prossegue a conversa, entre papai, o inquiridor, e a filha, a testemunha relutante. Terminando com um monólogo sobre como será divertido quando as crianças vierem visitá-lo em dezembro, o homem desliga, sentindo-se vazio, derrotado.

O segundo homem abre a porta e entra numa casa clara, impregnada do cheiro do jantar. Um prato italiano, desconfia ele.

— Oi, gente — diz ele para os filhos que estão entretidos com um *video game*. Dá carinhosamente com o jornal na cabeça de cada um e vai para a cozinha ajudar a mulher a preparar o jantar.

— Como foi na escola? — pergunta quando as crianças sentam-se à mesa.

— Bem — respondem elas em uníssono.

— Aprenderam alguma coisa?

— Não — resmunga a filha.

— A gente está dando tabuada de multiplicar — concede o filho.

— Ótimo — responde o pai, e em seguida vira-se para a mulher. — O homem da hipoteca ligou?

— Quer que eu recite a tabuada de quatro? — interrompe o menino.

— Agora não, filho — responde o pai. — Estou tentando conversar com sua mãe.

O menino fica calado enquanto os pais discutem as vantagens e as desvantagens do financiamento. Mas tão logo surge uma brecha na conversa, ele volta à carga.

— Ei, pai, quer que eu recite a tabuada de quatro?

— Não assim com a boca cheia de pão de alho — responde o pai com sarcasmo.

Sem se intimidar, o menino toma um gole de leite e começa:

— Quatro vezes um, quatro. Quatro vezes dois, oito. Quatro vezes três...

Quando finalmente o menino chega a 48, o pai diz sem entusiasmo:

— Muito bem.

— Quer que eu recite a de cinco? — pergunta o menino.

— Depois — responde o homem. — Agora, por que você não vai acabar aquele jogo com a sua irmã e deixa sua mãe e eu conversarmos.

O terceiro homem abre a porta e chega num cenário semelhante ao do segundo. A mulher está cozinhando, os filhos estão entretidos com o *video game*. Mas, na mesa do jantar, a conversa se desenrola de outra maneira.

— E aí, o que aconteceu hoje na escola? — pergunta ele.

— Nada — respondem as crianças em uníssono.

— Você brincou com a luva nova no recreio? — pergunta ele ao filho.

— Brinquei.

— E conseguiu ser o primeiro na base como queria?

— Consegui.

— E o Peter não reclamou?

— Não. Ele foi legal. Foi o segundo. A gente tirou dois de campo.

— Que barato! E como você bateu?

— Péssimo! Isolei a bola duas vezes.

— Puxa, cara, que chato. Você deve estar precisando treinar mais um pouco.

— É mesmo.

— E se eu lançar umas bolas para você rebater depois do jantar?

— Ótimo!

— E você? — pergunta ele à filha.

— O quê? — responde ela, um pouco na defensiva.

— Seu dia foi bom?

— Foi — diz ela, visivelmente triste com alguma coisa.

— O que a Sra. Brown achou do seu dueto?

— A gente não fez. A Cassie estava doente.

— De novo? Foi a asma?

— É, acho que foi.

— Que chato. Bom, pelo menos assim você vai ter tempo de ensaiar mais.

— Mas estou cheia dessa música, papai.

— É, deve ser meio chato ficar ensaiando sempre a mesma melodia, não é?

— Eu não quero mais tocar flauta — anuncia a menina.

E assim prossegue a conversa, com o pai ouvindo as queixas da filha, ajudando-a a lidar com a frustração.

Comparando-se assim os pais, fica evidente que o nível de envolvimento que cada um tem com os filhos pode variar muito. O último deles parecia a par de inúmeros detalhes da vida dos filhos, entre eles o nome dos colegas, suas atividades, seus desafios no recreio. Sabendo desses detalhes, ele pôde dar aos filhos apoio e orientação emocional. Em compensação, o pai anterior parecia desinteressado, com outras preocupações e uma atitude quase desdenhosa quando o filho tentou atrair sua atenção. E o pai interurbano estava tão por fora da vida da filha que mal conseguia manter uma conversa com ela.

Os psicólogos há muito sustentam que o envolvimento do pai na educação dos filhos é importante. Surgem cada vez mais evidências indicando que os pais envolvidos — e sobretudo aqueles com disponibilidade emocional para os filhos — dão uma contribuição toda especial para o bem-estar dos filhos. Os pais podem influenciar os filhos de algumas maneiras que as mães não conseguem, especialmente no que diz respeito ao relacionamento da criança com os colegas e seu desempenho na escola. Pesquisas indicam, por exemplo, que meninos com pais ausentes têm mais dificuldade de encontrar o equilíbrio entre a afirmação da masculinidade e o autocontrole. Conseqüentemente, têm mais dificuldade de aprender a se controlar e adiar a gratificação, habilidades que adquirem importância cada vez maior à medida que o menino cresce e procura amizades, sucesso acadêmico e ascensão profissional. A presença positiva de um pai também pode ser fator significativo nos desempenhos acadêmico e profissional da menina, embora aqui a evidência seja mais ambígua. Porém fica óbvio que as meninas cujos pais são presentes e interessados são menos propensas a cair precocemente na promiscuidade sexual e mais propensas a estabelecer relacionamentos saudáveis com os homens quando se tornam adultas.

As pesquisas mostram ainda que a influência do pai é duradoura. Um estudo iniciado na década de 50, por exemplo, mostra que as crianças cujos pais eram presentes e se envolviam em sua educação quando elas tinham cinco anos tornaram-se adultos mais compreensivos e humanos do que aquelas cujos pais eram ausentes.[46] Aos 41 anos, os participantes do estudo que mais carinho haviam recebido do pai quando crianças tinham relacionamentos sociais melhores.[47] As evidências disso incluíam casamentos mais felizes e duradouros, filhos e prática de atividades de lazer com outras pessoas que não os familiares.

Tais descobertas sobre a importância do pai aparecem numa época crítica da história da família americana. Basta que se ligue o noticiário da noite para ouvir a cacofonia de preocupação a respeito da mudança do papel do pai na sociedade americana. Dos seguidores inflamados do poeta espiritualista Robert Bly aos cristãos fundamentalistas envolvidos em grupos como "Os guardiães das promessas", os homens estão acordando para a profundidade do vínculo pai/filhos. Tanto políticos conservadores como Dan Quayle deplorando a glorificação que a mídia faz da mãe solteira da tevê, "Murphy Brown", quanto manifestantes afro-americanos que participaram da Million Man March de 1995 em Washington, D.C. dizem a mesma coisa: os homens se ausentaram demais de suas famílias. Associando índices crescentes de divórcio e nascimentos de filhos fora do casamento ao aumento da violência juvenil e outros problemas sociais, autoridades do governo, líderes religiosos e ativistas sociais das mais diversas correntes estão convocando os homens a assumirem maior responsabilidade na educação de seus filhos. Dizem que está na hora de o pai voltar para casa.

A pesquisa que meus colegas e eu fizemos sustenta a convicção de que a criança realmente precisa do pai. Mas nosso trabalho também apresenta esta importante distinção: *nem todo pai serve*. A vida da criança é altamente enriquecida quando há um pai emocionalmente presente, legitimador e capaz de confortá-la quando ela está triste. Do mesmo modo, a criança pode ser profundamente prejudicada quando o pai é abusivo, excessivamente crítico ou emocionalmente frio.

PATERNIDADE EM TRANSIÇÃO

Para entender melhor como é importante a presença de um pai emocionalmente envolvido, é bom olhar para a transformação que as famílias sofreram no decorrer do tempo. Nestas últimas gerações, o pai deixou de ser a fonte principal do sustento dos filhos e, em muitos casos, tornou-se supérfluo. Com os elevados índices de divórcio e os nascimentos fora do casamento, muitas crianças vivem atualmente sem pai. Para muitas delas, o pai é apenas o homem que morava aqui, mas foi embora, ou o sujeito que devia pagar pensão para as crianças, mas não paga.

Segundo os historiadores, esta transformação teve início há duzentos anos, com a Revolução Industrial, quando o homem começou a passar o dia longe da mulher e dos filhos. Porém, foi somente na década de 60 que as forças econômicas e a nova onda de feminismo convergiram de um forma que desferiu um golpe de aleijar no sistema patriarcal. Desde então, a mulher vem ingressando cada vez mais no mercado de trabalho. Em 1960, apenas 19% das mulheres casadas com filhos menores de 6 anos trabalhavam fora. Em 1990, este número subiu para 59%.[48] Nesse mesmo período, o poder de compra do trabalhador caiu tanto que muitas famílias viram que não conseguiam se sustentar com os rendimentos de apenas um membro. Em 1960, 42% das famílias americanas eram sustentadas apenas pelo homem. Em 1988, este índice havia caído para 15%.

"Esta transformação tornou obsoletos os conceitos tradicionais sobre a paternidade", diz o historiador Robert L. Griswold, autor de *Fatherhood in America*.[49] "O trabalho da mulher, em resumo, destruiu velhos conceitos ligados à paternidade e exigiu novas negociações nas relações entre os sexos."

Ao mesmo tempo, a instituição do casamento desgastou-se seriamente. Entre 1960 e 1987, os índices de divórcio mais que dobraram.[50] Hoje, mais da metade dos primeiros casamentos termina em divórcio Um estudo da Universidade de Michigan prevê que entre os primeiros casamentos *mais recentes*, o índice de divórcios pode chegar a 67%.[51] O nascimento de filhos de mães solteiras também torna-se cada vez mais comum, atualmente correspondendo a cerca de um terço dos nascimentos nos Estados Unidos.[52]

Sem os vínculos do casamento, muitos pais hoje se eximem totalmente da responsabilidade de criar os filhos. A menos que o casal tenha uma relação estável, o pai costuma suspender qualquer forma de apoio aos filhos — emocional ou financeiro.

Ironicamente, esta transferência na responsabilidade paterna está ocorrendo ao mesmo tempo em que os homens têm muitas novas oportunidades de envolvimento íntimo na vida dos filhos. Alguns estão aproveitando estas oportunidades. Estudos mostram que o pai — especialmente num lar em que a mãe também trabalha — atualmente cuida mais dos filhos do que cuidava nas gerações passadas. Na verdade, um levantamento nacional mostra que, agora, as mães que trabalham deixam os filhos em casa com o pai quase tanto quanto em creches particulares, e com muito mais freqüência do que em creches públicas ou com os avós. Também mais do que seus predecessores, o pai de hoje participa do nascimento dos filhos, reivindica licença paternidade e flexibilidade no horário de trabalho, reduz a jornada de trabalho e abre mão de promoções para passar mais tempo com os filhos.

Por mais auspiciosas que pareçam estas tendências, porém, os avanços para permitir um maior envolvimento do pai na vida dos filhos estão surgindo com extrema lentidão. Uns responsabilizam os patrões, alegando que ainda não é dada ao trabalhador a flexibilidade que a paternidade exige. Um levantamento feito recentemente em empresas americanas de porte médio, por exemplo, mostrou que apenas 18% dos trabalhadores cumprindo carga horária integral recebiam licença paterni-dade não remunerada.[53] Somente 1% recebia licença remunerada. É difícil encontrar trabalhos de meio expediente com benefícios substanciais, e a carreira de um funcionário muitas vezes empaca quando ele se recusa a fazer hora extra ou a se mudar com a família para outra cidade.

Outros culpam os tribunais, afirmando que o número de crianças com o pai ausente continuará subindo até que se dê um tratamento mais justo ao pai divorciado. Em cerca de 90% dos divórcios, a mãe fica com a custódia dos filhos.[54]

E, finalmente, muitos dizem que o culpado é o próprio pai, por sua timidez em tomar a iniciativa de se envolver nos detalhes corriqueiros da vida dos filhos. Na estimativa de um pesquisador, nas famílias em que pai e mãe trabalham, o envolvimento do pai com os filhos é três vezes menor que o da mãe, e a assistência que ele realmente dá aos filhos toma apenas 10% do tempo.[55] Ademais, quando o homem dá assistência aos filhos, costuma fazer o papel de *baby-sitter*, ou seja, deixa que a mulher lhe imponha tarefas e o oriente, em vez de ele próprio tomar a iniciativa.

Desses problemas decorre que muitos homens se alienam da vida dos filhos. Lembro como isso foi determinante na luta pela guarda dos filhos travada entre o cineasta Woody Allen e a atriz Mia Farrow. Para sentir como era a relação de Allen com os filhos, o juiz lhe pediu que dissesse o nome dos amigos e dos médicos dos filhos. Mas Allen não sabia. Como os dois primeiros pais descritos no início deste capítulo, Allen não participava do mundo de seus filhos. Um pai deste tipo é uma visita que perde inúmeras oportunidades de estabelecer uma ligação importante e proveitosa com os filhos.

A DIFERENÇA QUE UM PAI FAZ

O que a criança perde quando seu pai é ausente, distante ou vive pensando em outras coisas? Pesquisas em desenvolvimento infantil nos dizem que perdem mais que uma "vice-mãe". O pai tem outro tipo de relacionamento com os filhos, o que significa que seu envolvimento propicia o desenvolvimento de competências diferentes, sobretudo na área das relações sociais.

Desde cedo, a criança sente a influência do pai. Uma investigação, por exemplo, revelou que bebês de cinco meses do sexo masculino que têm muito contato com os pais estranham menos as pessoas.[56] Esses bebês vocalizavam mais para pessoas estranhas e atiravam-se mais no colo de qualquer um do que aqueles cujos pais não se envolviam tanto. Outro estudo mostrou que os bebês de um ano que têm mais contato com o pai choram menos quando deixados com um estranho.[57]

Muitos pesquisadores acham que o pai influencia os filhos antes de mais nada pela brincadeira. Além de passar mais tempo envolvido em atividades lúdicas com os filhos, o pai faz mais brincadeiras físicas e excitantes do que a mãe. Observando os casais com os filhos recém-nascidos, Michael Yogman e T. Berry Brazelton verificaram que os pais conversavam menos com seus bebês, mas os tocavam mais.[58] O pai em geral fazia mais ruídos rítmicos para chamar a atenção do bebê. Além disso, suas brincadeiras eram uma montanha-russa emocional, envolvendo atividades muito pouco interessantes e outras bastante excitantes. As brincadeiras da mãe, em compensação, eram mais calmas e deixavam a criança mais tranqüila.

Essas diferenças se mantêm durante a infância, com o pai fazendo brincadeiras mais brutas, como atirar a criança para o alto e fazer-lhe cócegas. O pai muitas vezes inventa jogos idiossincráticos ou incomuns, ao passo que a mãe em geral se atém às brincadeiras clássicas como "cadê?", "bate-palminha", leitura ou a manipulação de brinquedos e quebra-cabeças.

Muitos psicólogos acreditam que o estilo ruidoso e bruto do pai ajuda muito a criança a aprender sobre as emoções. Imagine o papai se fazendo de "monstro", correndo atrás daquele bebezinho que foge engatinhando e divertindo-se a valer, ou levantando o filho acima da cabeça para um passeio de "avião". Brincadeiras como essas fazem a criança provar aquela emoção de sentir uma ponta de medo enquanto está excitada e se divertindo. A criança aprende a prestar atenção às deixas do pai e reagir a elas para ter uma experiência positiva. Descobre, por exemplo, que dar gritinhos faz o papai rir e prolonga a brincadeira. A criança também observa o pai para saber se a brincadeira está acabando ("Pronto, agora chega") e aprende a se acalmar depois da excitação.

Estas técnicas são muito úteis para a criança que já está se aventurando no mundo dos companheiros de brincadeira. Tendo brincado de luta com o pai, o menino sabe quando uma pessoa está exaltada. Sabe inventar maneiras de se divertir e sabe reagir aos outros de formas que não sejam nem muito paradas nem muito agitadas. Sabe manter suas emoções no nível ideal para se divertir com a brincadeira.

Estudos feitos com crianças entre três e quatro anos, coordenados por Ross Parke e Kevin MacDonald, evidenciam esse vínculo entre a brincadeira física dos pais e a maneira como a criança se dá com os colegas. Observando crianças em sessões de 20 minutos de brincadeira com os pais, os pesquisadores verificaram que os meninos cujos pais tinham um estilo altamente físico de brincar eram mais populares com os colegas.[59] Mas este estudo produziu um diferenciador interessante e significativo: o menino com um pai altamente físico só era considerado popular se o pai brincasse com ele de maneira *não-diretiva* e *não-coercitiva*. O índice de popularidade de quem tinha um pai altamente físico mas também altamente autoritário era baixíssimo.

Outros estudos forneceram evidências semelhantes. De modo geral, os pesquisadores verificaram que as crianças parecem ficar mais sociáveis quando os pais mantêm um tom de interação positivo com elas e lhes permitem participar do comando da brincadeira.

Tais descobertas se encaixam como uma luva com as minhas, que salientaram a importância de os pais evitarem ser impositivos, criticar, humilhar e menosprezar os filhos. As crianças estudadas por nós que melhor se saíram em termos de relacionamento com os colegas e desempenho acadêmico foram aquelas cujo pai legitimava seus sentimentos e elogiava suas conquistas. Este era o pai preparador emocional, que, sem desprezar nem desaprovar as emoções negativas de seus filhos, orientava-os com empatia, ajudando-os a lidar com os sentimentos negativos.

No exercício em que os pais ensinavam o filho a jogar um *video game*, por exemplo, o preparador emocional ficava animando a criança a prosseguir, orientando-a na medida certa, sem ser invasivo. Usava muito o que chamo de técnica do "andaime". Isto é, fazia com que cada acerto da criança fosse mais uma prova de que ela era competente. Com palavras simples como "muito bem", ou "eu sabia que você ia conseguir", esse tipo de pai fazia com que cada pequena vitória reforçasse as bases para uma auto-imagem melhor. Seus elogios davam confiança à criança para que ela tivesse persistência e continuasse a aprender.

Inversamente, as crianças estudadas por nós que tinham mais dificuldade na escola e mais problemas de relacionamento eram filhos de pai frio, autoritário, desdenhoso e invasivo. No exercício do *video game*, o pai desse tipo humilha os filhos, escarnecendo deles e criticando os seus erros. Se o jogo vai mal, esse pai é capaz de assumir o comando, fazendo a criança se achar incompetente.

Três anos depois, quando fizemos novo contato com essas famílias e com os professores dessas crianças, verificamos que as que haviam sido humilhadas pelo pai eram as mais difíceis. Eram crianças agressivas com os amigos. Eram as que estavam se saindo pior na escola. Eram as que tinham problemas de delinqüência e violência.

Embora nossos estudos mostrassem que as interações mãe/filho também são importantes, verificamos que, comparada às relações com o pai, a qualidade do contato com a mãe não fazia prever com tanta certeza o sucesso ou o fracasso da criança na escola e com os amigos. Essa descoberta é sem dúvida surpreendente, sobretudo levando-se em conta que as mães costumam passar mais tempo com os filhos. Acreditamos que o que explica essa influência extrema do pai sobre os filhos são as fortes emoções provocadas na criança pela relação com o pai.

SER PRESENTE PARA OS FILHOS, FÍSICA E EMOCIONALMENTE

Ter convivência com os filhos não precisa ser *tão* difícil para os homens. No entanto, como explica o psicólogo Ronald Levant em seu livro

Masculinity Reconstructed [Masculinidade reconstruída], os homens estão se esforçando para encontrar uma definição correta do que é ser "papai". "Ao mesmo tempo em que estão tornando-se pais, os homens da geração Baby Boom estão sendo informados de que tudo o que aprenderam com seus próprios pais sobre o que é ser pai — que pai é aquela pessoa que dá duro, que não aparece muito, que mais critica que elogia, que não demonstra afeição nem qualquer outra emoção a não ser raiva — já não se aplica", diz Levant.[60] "Agora, espera-se que os homens sejam pais sensíveis, interessados, esclarecidos, realmente presentes e envolvidos na vida dos filhos... O único problema é que muitos homens não sabem como ser esse tipo de pai, simplesmente porque não tiveram um pai assim."

Em tempos remotos, para defender a prole, o pai ia caçar e guerrear. Ao longo dos séculos, seu papel foi se modificando e passou a ser garantir o sustento da família. Com muito trabalho e sacrifício, ele ganhava dinheiro para dar segurança aos filhos na forma de prestações da casa própria, contas do mercado e mensalidades escolares. Hoje, sentimos que o papel de pai vai novamente se modificando à medida que o homem é convocado para dar um outro nível de proteção a seus filhos — um que as imunize contra forças destrutivas como gangues, drogas e promiscuidade sexual. A ciência nos diz que as defesas psicológicas convencionais do homem não conseguem criar um escudo contra estes perigos. Hoje, a segurança da criança vem do coração do pai. A base dessa segurança é o homem estar presente para os filhos tanto emocional quanto fisicamente.

Como discutimos no Capítulo 3, o homem é capaz de reconhecer as emoções dos filhos e reagir a elas de forma construtiva. Isso foi demonstrado em projetos como o "Curso de Paternidade" de Levant, que visa a melhorar a comunicação entre pais e filhos em torno das emoções. Após oito semanas de treinamento de técnicas de sensibilidade e escuta, os alunos desse curso passaram a se comunicar melhor com os filhos e a aceitar mais as manifestações emocionais das crianças.[61]

Mas os homens não precisam fazer um curso para ficar mais sensíveis aos filhos. Podem utilizar as técnicas de preparação emocional, começando pela conscientização da emotividade. Os homens precisam se dar o direito de perceber o que estão sentindo para ser capazes de mostrar que compreendem seus filhos. Depois precisam fazer o que for preciso para estar disponível para os filhos. Precisam estruturar a vida para poderem dedicar mais tempo e atenção aos filhos — um passo que parece simples, porém não é nada fácil. Reservar tempo para as crianças pode ser especialmente complicado para o pai que vive separado dos filhos e para o que só pensa em trabalho. Se os homens não fizerem isso, porém, podem acabar perdendo contato com os filhos à medida que estes crescem e mudam, e um bom relacionamento entre eles será cada vez mais difícil de conseguir.

Isso me lembra como as mudanças em minha agenda ao longo dos anos interferiram em meu relacionamento com minha filha Moriah. Quando ela era bebê e eu era encarregado de deixá-la na creche antes de correr para a universidade, nossas manhãs às vezes eram tensas. Eu ficava mais brusco e menos alegre com ela do que ambos gostaríamos. Então decidi não marcar aulas nem compromissos antes das 10 horas, e isso mudou as coisas. Embora eu ainda tivesse que estar trabalhando às 9 horas praticamente todos os dias, minhas interações diárias com Moriah melhoraram porque eu sabia que não estaria quebrando nenhum compromisso profissional caso ela me exigisse mais tempo. Se ela quisesse parar para ficar olhando uma teia de aranha antes de entrar no carro, eu tinha tempo para compartilhar isso com ela. Se de repente ela quisesse tirar o sapato azul e calçar o vermelho, não era nada demais.

Certo, algumas profissões permitem que o pai tenha mais flexibilidade do que outras. Mas o pai diariamente faz opções conscientes que influenciam a qualidade e a quantidade do tempo e da atenção que pode dar aos filhos. É o pai ou a mãe que vai se encarregar do banho diário do bebê? Quem vai ler uma história para as crianças na cama? Quem vai ajudá-las a casar as meias? Embora essas coisas pareçam banais, são considerações importantes porque é de dentro da estrutura de nossa vida comum que emergem os laços entre pais e filhos. Nas páginas seguintes, vamos explorar idéias para ajudar os pais a estreitar esses laços.

ENVOLVA-SE NOS CUIDADOS
COM SEU FILHO DESDE A GESTAÇÃO

Estudos mostram que o envolvimento do pai na gravidez de sua mulher pode ajudar a preparar o terreno para uma série de interações familiares positivas que fazem bem ao casamento, à criança, e estreitam os laços entre o pai e o filho.

Ao participar efetivamente das aulas de um curso de preparação para o parto, por exemplo, o pai aprende a ser um eficiente instrutor, animando a parceira durante o trabalho de parto. Isso, por sua vez, tem conseqüências positivas para a mãe e a criança. Um estudo verificou que as mulheres cujos maridos participavam do parto queixavam-se menos de dor, recebiam menos medicação e faziam uma avaliação mais positiva da experiência do parto do que aquelas cujos maridos não se encontravam presentes.[62] Correlações semelhantes entre a presença do pai e a maneira como a mãe percebe o nascimento foram observadas em partos cesarianos. E outro estudo revelou que os pais que se interessam muito pela gravidez da companheira passam mais tempo com o bebê no colo e respondem mais ao choro do bebê.[63]

Adquirir essa experiência prática durante os primeiros dias do bebê é importante. Um pesquisador descobriu que os pais que, já no hospital, logo que a criança nasce, trocam-lhe as fraldas, dão-lhe banho, embalam-na e cuidam dela de outras formas têm mais probabilidade de continuar fazendo essas coisas por meses a fio[64] — o que dá ao pai e ao bebê oportunidades de ir aprendendo a conhecer as insinuações um do outro, iniciando uma relação positiva.

Ademais, os hábitos que o pai adquire quando o filho é bebê costumam ser duradouros. Se cuidou do filho desde bebê, o pai provavelmente haverá de continuar participando de sua criação até a adolescência.

À luz dessas descobertas, os pais que desejarem uma relação sólida com seus filhos devem preparar o terreno durante a gravidez e os primeiros meses de vida do bebê. No entanto, os pais de primeira viagem devem saber que cuidar de um bebê é uma coisa que se aprende basicamente com a prática, é um aprendizado na base da tentativa e erro. O que é bonito no envolvimento desde o primeiro dia é permitir que pai e mãe aprendam juntos a conhecer o filho precioso. E como a comunicação entre pais e filhos tem duas vias, o recém-nascido também começa cedo a aprender com o pai. À medida que vai se familiarizando com a cara do pai, sua voz, seu modo de andar, seu cheiro e seu modo de segurá-la, a criança aprende a associar sua presença, assim como a da mãe, a conforto e segurança. Ela também aprende coisas importantes em matéria de controle social com a receptividade do pai. Aprende que pode afetar a maneira como ele a trata, que a maneira como ela se comporta pode influenciar outras pessoas.

Embora seja normal o pai sentir-se meio excluído da equação cuidar do bebê quando a mãe amamenta, há muitas outras formas pelas quais ele pode dar o que é essencial para a criança. Pode dar-lhe uma mamadeira de água, leite em pó ou leite materno. Pode dar banho, trocar fralda, embalar e passear com a criança no colo. E, naturalmente, o pai nunca deve esquecer a aptidão para brincar própria de cada sexo. Mesmo entre recém-nascidos, o psicólogo Andrew Meltzoff observou indicações sutis de que os bebês imitam a expressão facial de quem cuida deles.[65] Isso significa que o tempo que o pai gasta numa conversa cara a cara com o bebê, por menorzinho que ele seja, pode marcar o início de uma relação gratificante.

Naturalmente, tudo isso pressupõe que o pai terá tempo para passar com o recém-nascido, o que me leva a preconizar com tanta veemência a licença paternidade. Se a situação profissional do pai torna isso impossível, digo que ele deve pelo menos estender suas férias ao máximo, fazendo-as coincidir com essas primeiras semanas insubstituíveis e importantíssimas da vida de seu filho.

Parentes próximos (i.e., vovós entusiasmadas) também podem colaborar para garantir que o pai não seja inadvertidamente chutado para escanteio quando chega o bebê. Se isso acontece, o pai não dispõe do tempo de que necessita como principal responsável pelos cuidados do bebê para aprender a conhecer os sinais do filho.

Naturalmente, a própria mãe é que faz o papel de "porteira", estimulando ou desencorajando o envolvimento do pai na criação dos filhos. Estudando como as mães reagiam à participação dos pais nos cuidados do recém-nascido, os pesquisadores Parke e Ashley Beitel verificaram que o pai costuma se envolver menos se a mãe critica a qualidade de seu desempenho com a criança e se acha que a mulher nasce com mais capacidade de criar um recém-nascido.[66]

Muitas mulheres, no entanto, valorizam o envolvimento do pai e querem saber como estimulá-lo. Para elas a resposta é clara: deixe que seu parceiro tenha o estilo dele para cuidar do bebê. Ofereça a sabedoria de sua experiência, mas evite criticar demais a maneira como ele prende o alfinete na fralda, agita a mamadeira, enrola o bebê, e o que ele não faz. Lembre-se de que o bebê pode se beneficiar de diversos estilos de cuidados, inclusive um que seja caracteristicamente masculino e mais brincalhão, mais físico, menos didático. Se percebe que está entrando em conflito por causa da maneira de cuidar da criança, o casal pode dividir as responsabilidades. Em outras palavras, você se encarrega de dar comida, e eu cuido do banho da manhã. E, se parecer que o papai está custando a aprender a acalmar o bebê, talvez os dois só estejam precisando de mais tempo juntos, sem a mamãe se intrometendo, para estabelecerem uma linguagem própria. Mandar a mamãe passar umas tardes com as amigas, deixar o papai e o bebê se virarem sozinhos talvez resolva.

Abrir mão de uma área que por muito tempo era domínio exclusivo da mulher pode ser problemático para muitas mães de primeira viagem. Mas, se a mamãe puder recuar um pouco e deixar o papai e o bebê juntos à vontade, vai ver como o filho dela tem uma relação saudável, bem encaminhada e carinhosa com o papai.

FIQUE EM SINTONIA COM AS NECESSIDADES DIÁRIAS DE SEU FILHO À MEDIDA QUE ELE CRESCE

Se tudo corre bem, o pai que se habitua a cuidar dos filhos quando bebês vai continuar fazendo a sua parte à medida que eles crescem. O complicado é manter esse compromisso quando agendas e prioridades mudam no trabalho e em casa. Se o pai não se esforçar para participar do dia-a-dia dos filhos, pode acabar se afastando, perdendo o fio dos detalhes íntimos — aquilo que estabelece um referencial comum entre pais e filhos.

Muitos livros foram escritos mostrando como é importante as mães dedicarem "um tempo de qualidade" aos filhos. A idéia, que vai se tornando mais popular à medida que cresce o número de mães ingressando no mercado de trabalho, é que o número de horas passadas com a criança é menos importante do que o tipo de relacionamento que se tem com ela durante essas horas. E, de fato, estudos feitos com mães que trabalham mostram que a qualidade das interações mãe/filho afeta mais a criança do que a quantidade de horas que os dois passam juntos. É óbvio que a mesma coisa se aplica aos pais. Não importa quantas noites e fins de semana o papai passa com o filho se ele está sempre evitando interagir, atolado no trabalho, ou os dois ficam mudos na frente da tevê.

A importância da acessibilidade dos pais aos filhos foi demonstrada num estudo feito por Robert Blanchard e Henry Biller que comparou grupos de meninos de terceira série, um cujos pais eram ausentes, outro cujos pais eram presentes e acessíveis e outro ainda cujos pais eram presentes e inacessíveis.[67] Examinando o desempenho acadêmico de todos os grupos, o estudo verificou que os filhos de pais ausentes saíam-se pior, e os filhos de pais presentes e acessíveis saíam-se melhor. Os filhos de pais presentes mas inacessíveis ficavam no meio. "Ter um pai competente não facilita o desenvolvimento intelectual do menino se a relação pai/filho é de baixa qualidade", dizem os pesquisadores.[68] (Poucos estudos desse tipo foram feitos focalizando meninas e pais, embora um grande envolvimento do pai pareça estar associado à carreira e ao desempenho acadêmico da menina também.)

Embora seja difícil quantificar o grau de envolvimento ou acessibilidade que a criança necessita do pai, é preciso mais que uma ida ao estádio de futebol, ao parque de diversões e ao jardim zoológico para que os filhos sintam a diferença. Na verdade, a melhor maneira de os pais entrarem no dia-a-dia dos filhos é participando do que o psicólogo Ronald Levant chama de "trabalho de família", a rotina diária de alimentar, dar banho, vestir e dar carinho aos filhos. "É executando essas tarefas tradicionalmente femininas que o homem se torna um membro da família verdadeiramente integrado e indispensável", diz Levant. Vida de família "não é só prover as necessidades materiais da família. É também estar presente diariamente provendo as infindáveis e sempre novas necessidades físicas e emocionais do dia-a-dia".[69]

Como no trato dos recém-nascidos, a mulher pode estimular o parceiro a assumir mais responsabilidades em relação à criação dos filhos mais velhos não criticando seu estilo paternal. Há mais de uma maneira de se limpar um nariz escorrendo ou fazer um sanduíche de manteiga de amendoim.

Para muitos homens, estar presente e acessível ao mundo infantil exige uma verdadeira transformação na percepção do tempo e da importância de conseguir realizar tarefas concretas. Muitos homens foram educados a vida inteira para acreditar que deviam ser eficientes vinte e quatro horas por dia, atingindo um objetivo atrás do outro, sem vadiar nem voltar atrás nem deixar trabalho por fazer. A vida do homem é menos voltada para o que os outros sentem e mais para simplesmente resolver problemas e fazer coisas. O homem que está em casa cuidando do filho pequeno talvez esteja esperando poder fazer outras coisas também — cortar o gramado, assistir ao jogo, pagar impostos. Quando não consegue fazer nada disso porque cuidar de criança demanda muito tempo, ele pode ficar frustrado. Pode descobrir que está menos paciente e compreensivo do que gostaria.

O bom pai não é aquele que executa todas as tarefas apesar dos filhos. É o que aceita seu papel nesse trabalho de 20 anos que é o crescimento de um ser humano. É o que diminui o ritmo, arranjando tempo para estar sozinho com os filhos, tratando-os de acordo com a idade.

Aprendi quase tudo isso na carne, tentando em vão, por exemplo, escrever nos dias em que ficava em casa com minha filha Moriah. Acabei chegando à conclusão de que enquanto ela não tivesse idade para se virar sozinha (uma idéia amarga e doce), deveríamos aproveitar nosso tempo juntos brincando, lendo alto, fazendo alguma tarefa doméstica, etc.

Conseqüentemente, aprendi também como é valioso o meu envolvimento no mundo dela, o fato de eu jogar e brincar com ela de colorir e de faz-de-conta. Com Moriah e as crianças que estudo, vi como as crianças se abrem com os adultos em situações lúdicas, discutindo de bom grado temas que poderiam nunca mencionar num interrogatório simples. Algumas das melhores conversas que tive com Moriah quando ela estava com quatro ou cinco anos aconteceram enquanto estávamos colorindo ou brincando de Barbie juntos. Sem mais nem menos, ela perguntava coisas do tipo "Por que minha amiga Helena teve que se mudar para Michigan?" ou "A mamãe estava danada com você?" Conversas assim íntimas sobre os sentimentos e as idéias da criança — suas preocupações, seus medos e seus sonhos — em geral acontecem quando a família está relaxada, fazendo coisas agradáveis. (E aliás, achei colorir uma atividade muito relaxante. Já consigo até ficar só dentro das linhas.)

À medida que a criança cresce e começa a ter mais atividades fora de casa, o pai pode achar mais difícil encontrar tempo para estar a sós com ela. No entanto, a convivência a dois com o papai é preciosa em qualquer idade da criança. Por isso insisto que os pais estruturem suas agendas de forma a lhes permitir passar algum tempo a sós com cada filho. A oportunidade pode ser apenas uma volta de meia hora de carro aos sábados para ir à aula de música. Ou talvez o papai possa dividir com o filho algum *hobby* ou esporte. Às vezes as melhores conversas acontecem quando as famílias estão dividindo afazeres como lavar pratos, dobrar a roupa da casa ou capinar o jardim.

A conversa fica mais espontânea quando se está por dentro da vida da criança, quando se sabe quem são seus amigos e professores. Se possível, perca algum tempo com a escola de seu filho, freqüentando reuniões em casa de pais e na escola. Ofereça-se para trabalhar em sala de aula ou acompanhar a classe em excursões. Ofereça-se como técnico (ou vice-técnico) das atividades atléticas de seu filho.

Procure saber o que puder sobre os amigos e a vida social de seu filho. Conheça os pais de seus amigos. Receba seus colegas para dormir em sua casa. Ofereça-se para levar a criançada às festas, ao boliche, à patinação. Sintonize-se nas conversas deles. Ouça suas preocupações.

E, finalmente, reconheça que na vida em família há mil e uma oportunidades de aproximação ou de afastamento dos filhos. Você decide em muitos momentos corriqueiros se quer voltar-se para seus filhos ou lhes dar as costas. Digamos, por exemplo, que você está tentando ler, mas a música aos berros que vem do quarto de seu filho adolescente não deixa. Ao lhe pedir para diminuir o volume, você pode iniciar a conversa dizendo: "É incrível você chamar isso de música". Ou pode dizer: "Nunca tinha ouvido essa banda. Qual é?". A primeira fórmula é uma afronta, ao passo que a segunda é um convite, uma oportunidade de diminuir suas diferenças e continuar envolvido.

PROCURE EQUILIBRAR
VIDA PROFISSIONAL E VIDA FAMILIAR

Para muitos homens, arranjar tempo e energia para gastar com os filhos significa se dedicar menos ao trabalho. Porque é difícil, senão impossível, estar disponível física e emocionalmente para seus filhos se você trabalha 60 horas por semana, ou se está tão absorto em problemas do escritório que não consegue se concentrar nas preocupações de seus filhos.

Resolver esse conflito não é fácil para um homem cuja identidade primária é a do provedor da família. Ele foi educado para pensar que dando duro, ficando até tarde no escritório e sacrificando-se estará demonstrando sua dedicação à família. Mas agora, muitos homens acham que, se não mudarem, correm o risco de perder contato com suas esposas e seus filhos — exatamente as pessoas que dão sentido ao seu trabalho.

À medida que nossa sociedade for se conscientizando mais dessa ironia, espero que possamos ver mais algum progresso no sentido das condições de trabalho simpáticas à família. Há anos a mulher que trabalha vem lutando por flexibilidade no horário de trabalho, mais empregos de meio expediente (com benefícios substanciais), creches nos locais de trabalho e licença família adequada. Tais mudanças, quando vigorarem, beneficiarão também o homem que trabalha, sobretudo os que desejam se envolver mais com os filhos. Um estudo feito na Inglaterra com cientistas, por exemplo, mostrou que, em famílias em que o pai e a mãe trabalham, o tempo que o pai pode dedicar aos filhos aumentou consideravelmente com a introdução da flexibilidade do horário de trabalho.[70] Outro estudo mostrou que os trabalhadores com horário flexível não necessariamente passavam mais tempo com os filhos, porém queixavam-se menos de conflitos entre as responsabilidades do lar e as do trabalho, presumivelmente trazendo menos estresse para a família e proporcionando um ambiente mais feliz para os filhos.[71]

No entanto, muitas vezes se exige que o homem abra mão de um salário maior e da ascensão profissional para poder conciliar o trabalho com a vida familiar. Como verificou a socióloga Pepper Schwartz em sua pesquisa sobre casamentos equilibrados, o homem que divide com a mulher os afazeres domésticos e a assistência aos filhos não progride tanto na carreira quanto o que faz aquele papel mais tradicional de provedor principal.[72] O gerente que se recusa a mudar-se com a família para o outro extremo do país não sobe na empresa. E o vendedor que deixa de ir a um seminário de *marketing* para acampar com os escoteiros pode perder um bônus ou uma promoção.

Esteja ou não disposto a optar por ser aquele "paizão", trabalhando menos horas e ganhando um salário menor, o homem pode querer ao menos cogitar sobre como reduzir a tensão do trabalho. Um "dia ruim no escritório" atrás do outro pode prejudicar o relacionamento do pai com os filhos. Isso foi demonstrado num estudo feito com controladores de tráfego aéreo.[73] Após uma experiência infeliz no trabalho, esses pais ficavam mais agressivos com os filhos quando chegavam em casa. A satisfação com o trabalho, por outro lado, pode realmente realçar as habilidades paternais, mostram os estudos, embora também possa reduzir a disponibilidade de tempo para os filhos.

O pai ocupar um cargo que lhe dê autonomia faz uma grande diferença. Um grupo de pesquisadores verificou que o pai que tem independência no trabalho dá mais autonomia aos filhos.[74] Mas o que trabalha sob rígida supervisão parece esperar mais obediência dos filhos e é mais propenso a usar formas físicas de disciplina.

Mudar de carreira, ou pelo menos procurar maneiras de tornar seu atual emprego menos estressante, pode ser um passo importante.

PARTICIPE DA VIDA DE SEU FILHO
INDEPENDENTEMENTE DE SEU ESTADO CIVIL

Os pais podem ou não estar casados, mas a criança costuma ser mais feliz quando tanto seu pai quanto sua mãe se envolvem com sua vida. E, embora assumir em conjunto a educação dos filhos possa ser complicado para um casal que se separa, a criança sai ganhando quando a mãe e o pai vêem a criação de um filho como um projeto realizado em parceria.

Como analisamos no Capítulo 5, a separação e o divórcio podem prejudicar muito a criança. Mas algumas complicações podem ser evitadas se a criança puder estar regularmente com o pai e a mãe. E, como sugerem nossos estudos, os filhos de casais problemáticos costumam sair-se melhor quando os pais permanecem emocionalmente disponíveis para elas, sendo seus preparadores emocionais. Para surtir efeito, o trabalho de preparação emocional requer tempo, intimidade e conhecimento detalhado da vida da criança. Por isso aconselho o pai (90% dos pais vivem longe dos filhos após o divórcio[75]) a manter estreito contato com os filhos mesmo estando separado da mãe das crianças.

O pai divorciado e solteiro costuma ter dificuldade de permanecer envolvido com os filhos por uma série de razões, entre elas distância geográfica, novo casamento, problemas relacionados à pensão dos filhos e conflitos contínuos com a mãe deles. Vários estudos já mostraram que o contato do pai divorciado com os filhos vai diminuindo com o tempo, independentemente da qualidade de seu relacionamento com eles na época do divórcio. E, à medida que o pai vai perdendo contato com os filhos, vai também perdendo influência sobre eles. Sem os laços emocionais que nascem da interação diária com os filhos sobre milhares de coisas — tanto banais quanto importantes —, um pai obviamente não pode esperar ter muita influência nas grandes questões que sempre surgem na adolescência.

O que pode fazer o pai divorciado para evitar ir perdendo os filhos? Em primeiro lugar, pode tratar o relacionamento com a mãe das crianças como uma sociedade. Os pais não devem deixar que seus conflitos atrapalhem as decisões que devem tomar em conjunto a respeito dos filhos. E, como discutimos no Capítulo 5, os pais jamais devem "usar" a criança para agredir um ao outro. Um casal separado deve tentar se apoiar mutuamente para chegar a um entendimento sobre questões como limites e disciplina.

O pai deve procurar entrar num acordo justo e que ele possa cumprir em relação à pensão dos filhos. Estudos mostram que o pai que está em dia com a pensão dos filhos tem mais contato regular com eles. Inversamente, quando a pensão atrasa ou é motivo de conflito, é comum o pai deixar de ver os filhos. A mãe muitas vezes usa a pensão como pretexto para impedir o acesso do pai aos filhos. E o pai, que pode se sentir culpado ou inseguro por não conseguir pagar, também evita procurar os filhos. Enquanto isso, o tempo passa, com as crianças vendo na ausência do pai um sinal de indiferença.

Quando está com os filhos, seja num período de "visita", seja na parte que lhe cabe da custódia conjunta, o pai deve fazer com que esses momentos sejam tão "reais" quanto possível. A criança se adapta melhor ao divórcio se continua fazendo suas atividades normais, como trabalhos escolares, aulas particulares e tarefas domésticas. Em outras palavras, o pai deve evitar a síndrome do "Pai Disneylândia", que quer transformar o tempo que passa com os filhos numa eterna festa. A criança tira mais proveito de sua relação com o pai ajudando-o a preparar o jantar e a lavar a louça do que vendo-o pagar a conta do Burger King.

Mesmo que não esteja tanto com o filho quanto deseja, é bom o pai comunicar-se com ele por telefone duas ou três vezes por semana, digamos. A conversa vai fluindo melhor com a prática, sobretudo se o pai se esforçar para estar atualizado com os detalhes da vida do filho. Conhecer os amigos e professores da criança e assistir a eventos escolares e esportivos ajuda.

Manter alguma convivência com os filhos pode ser ainda mais complicado para o pai divorciado se ele ou sua "ex" torna a casar-se. Essa é uma complicação esperável, já que 75% das mulheres e 80% dos homens tornam a casar-se depois de divorciados.[76] Embora os estudos mostrem que um novo casamento da mãe às vezes ajuda muito os filhos em termos econômicos, os filhos depois acabam estando menos com o pai biológico. O casamento de um dos pais também causa ansiedade nos filhos (especialmente adolescentes), na medida em que eles têm de se esforçar para se adaptar a um padrasto ou uma madrasta, sem saber o que a presença dessa pessoa significa para o relacionamento deles com o pai ou a mãe verdadeiros.

Os psicólogos verificaram que é um grande erro mandar as crianças escolherem entre um pai e outro. E também que é mais aconselhável o padrasto não assumir o papel de disciplinador. A criança se adapta muito melhor quando o padrasto não se intromete e simplesmente apóia a mãe em suas decisões como mãe. A criança também se sai melhor quando os pais tornam a se casar se ela puder continuar tendo contato regular com o pai e a mãe biológicos.

Talvez o maior conselho que se possa dar ao pai que vive longe dos filhos é que ele tenha paciência com os filhos quando eles estiverem se adaptando às mudanças. Os pais já podem esperar que os dois primeiros anos após o divórcio sejam os piores. Além da mágoa e da raiva que o pai possa sentir da ex-mulher, as crianças também deverão estar manifestando muita negatividade. As crianças pequenas, que sempre têm mais dificuldade em qualquer tipo de transição, podem recusar-se a ir com o pai quando ele vem buscá-la. As maiores podem se fazer de más ou tristes, expressando uma profunda raiva pelo fato de o pai não ter arrumado a situação para que a família pudesse ficar junta. Como o homem costuma fugir dos relacionamentos quando os ânimos se exaltam, o pai pode ficar tentado a simplesmente parar de ver os filhos. Pelo futuro dos filhos, o pai não deve fazer isso. É importante concentrar-se em ajudar a criança a trabalhar os sentimentos negativos. As técnicas de preparação emocional discutidas no Capítulo 3 podem ajudar. Lembre-se de que, sabendo ouvir o filho, ajudando-o a rotular os sentimentos e ensinando-o a lidar com a raiva e a tristeza, o pai pode aproximar-se dele em épocas de crise emocional.

CAPÍTULO 7

PREPARANDO EMOCIONALMENTE SEU FILHO À MEDIDA QUE ELE CRESCE

VOCÊ JÁ OUVIU ESSA queixa de pais de primeira viagem? "Quando acho que entendi o bebê — a quantidade de comida que ele come, quantas horas ele dorme, como acalmá-lo quando ele chora — muda tudo!"

Essa queixa procede porque quando se cria um filho, as coisas estão sempre mudando. À medida que nossos filhos crescem, vamos nos adaptando às suas últimas necessidades, medos, interesses e competências. No entanto, a despeito de todas as mudanças, há uma constante: toda a criança quer ter contato emocional com adultos carinhosos e interessados.

Neste capítulo, explorarei cinco fases diferentes da infância: os primeiros meses, a fase do andar vacilante, a segunda infância, a terceira infância e a adolescência. Explicarei alguns dos mais importantes marcos do desenvolvimento infantil de cada fase e darei alguns conselhos para estimular a inteligência emocional de seu filho durante cada uma delas. Compreender o conceito de "normalidade" e prever os problemas importantes que surgem em cada idade podem ajudar você a compreender melhor seu filho ou sua filha. Isso, por sua vez, pode fazer de você um preparador emocional mais competente.

OS PRIMEIROS MESES

EM TORNO DOS TRÊS MESES

Quem pode precisar quando o bebê começa a se relacionar emocionalmente com os pais? Uns dizem que é ainda no ventre, quando reage aos estados de tensão e serenidade da mãe. Outros, que é logo após o nascimento, quando os pais o alimentam, embalam e acalmam. Outros ainda situam esse momento mágico algumas semanas após o nascimento, quando o bebê sorri pela primeira vez para a mãe ou o pai, compensando todo o trabalho que tiveram e as noites que passaram em claro.

Muitos pais haveriam de concordar, porém, que a graça mesmo começa aos três meses, quando o bebê já se interessa pela interação social face a face. Psicólogos do desenvolvimento falam dos olhos do recém-nascido "se iluminando" nessa idade, significando que o bebê começa a olhar realmente para os pais e a acompanhar o olhar deles. Por menor que seja, uma criança de três meses está, através de observação e imitação, aprendendo muito a respeito de interpretação e manifestação de emoções. Isso significa que os pais, com sua sensibilidade e atenção, podem dar início ao processo de treinamento da emoção de seus recém-nascidos — já nessa idade.

Pesquisas mostram que o pai e a mãe costumam fazer de tudo para atrair a atenção do bebê nessa fase inicial de troca de informações emocionais. Por exemplo, costumam usar uma linguagem que pode ser chamada de "maternês" (embora o pai também possa usá-la com toda a fluência). Caracteriza-se essa linguagem por tons agudos e cadência lenta com abundância de repetições e expressões faciais exageradas. Embora possa parecer cômica e exagerada, os pais têm uma boa razão para usá-la — ela funciona! O recém-nascido em geral se interessa e presta mais atenção quando ouve e vê os pais falando dessa maneira.

Muitos pais também se entretêm em "conversas" não-verbais face a face com os bebês, um fazendo caretas para o outro. A mãe ergue as sobrancelhas, por exemplo, e o bebê imita. O bebê bota a língua para fora, e a mãe faz o mesmo. Um arrulha ou gorgoleja e o outro imita, no mesmo tom e no mesmo ritmo. Essas brincadeiras costumam cativar o bebê, especialmente se o pai ou a mãe imita à sua moda o que ele faz. Por exemplo, se ele dá três batidas com o chocalho no chão, a mãe pode imitar esse ritmo com a voz, algo que fascina a criança.

Essas conversas imitativas são importantes porque dizem à criança que o interlocutor está atento a ela e reagindo aos seus sentimentos. É a primeira vez que ela se sente compreendida por outra pessoa. É o início da comunicação emocional.

Experiências realizadas com mães e seus bebês de três meses ressaltaram a criatividade e a competência dos recém-nascidos em matéria de comunicação emocional. Em uma experiência chamada de "Jogo da cara parada", o pesquisador Edward Tronick pedia que as mães olhassem para os bebês, mas se controlassem para não fazer as caras que os pais e as mães costumam fazer para seus filhos.[77] Diante dessa inesperada ausência de resposta das mães, os bebês ficavam em vão tentando iniciar a "conversa", fazendo uma sucessão de caras interessantes. Os pesquisadores observaram que os bebês usavam em média quatro estratégias diferentes com a mãe antes de desistir. Numa experiência para estudar os efeitos da depressão dos pais em bebês de três meses, Tronick pediu que as mães simulassem diante dos filhos estar um tanto tristes ou deprimidas. Mesmo essa ligeira mudança no humor das mães foi sentida pelas crianças. Elas ficaram emocionalmente mais negativas, mais retraídas e menos responsivas.

Isso dramatiza que os recém-nascidos não são personagens passivos na relação pais/filhos. Ao contrário, têm um papel muito ativo no jogo social. Querem ser estimulados, divertir-se e estar emocionalmente ligados aos pais.

O que acontece com o bebê quando os pais não são responsivos, ou só têm reações negativas? A pesquisadora Tiffany Field, que realizou um estudo com mães deprimidas e seus filhos, encontrou algumas respostas perturbadoras: o bebê de uma mãe deprimida tende a espelhar a tristeza, a falta de energia, a alienação, a raiva e a irritabilidade de sua mãe.[78] E se a depressão da mãe persiste por um ano ou mais, o desenvolvimento do bebê começa a se retardar.[79]

O período entre três e seis meses parece ser crucial no que tange ao modo como a depressão da mãe pode afetar o desenvolvimento do sistema nervoso do bebê, segundo os estudos de Field. Quando ela e seus colegas compararam dois grupos de bebês de três meses (um com mães depressivas e outro com mães não depressivas), quase não encontraram diferença entre ambos. Mas, quando estudaram bebês de *seis* meses, verificaram que os filhos de mães depressivas eram menos expressivos vocalmente e apresentavam desempenho mais fraco em testes de funcionamento do sistema nervoso.[80]

O estado depressivo da mãe pode até determinar se o cérebro da criança processa um evento emocional como experiência negativa ou positiva. Os cientistas podem aferir essas coisas analisando dados eletroencefalográficos (i.e., as "ondas cerebrais") de indivíduos com diferentes tipos de reações emocionais. As reações negativas são processadas em uma parte do cérebro e as positivas em outra. Usando essa tecnologia, a pesquisadora da Universidade de Washington, Geraldine Dawson monitorou reações de bebês contemplando bolas de sabão saindo de detrás de uma cortina. Surpreendentemente, os filhos de mães depressivas processavam esse acontecimento bastante neutro como emocionalmente negativo.[81]

Embora essa pesquisa anuncie conseqüências perturbadoras para os filhos de mães não responsivas e depressivas, há razão para esperança. Outros estudos de laboratório realizados por Field revelaram que os filhos de mães depressivas fizeram grandes progressos interagindo com as professoras do jardim-de-infância e com os pais não depressivos.[82] Estes efeitos opostos comprovam que os adultos que cuidam de uma criança pequena influem muito em seu desenvolvimento emocional.

Ao mesmo tempo em que está aprendendo a interpretar e a imitar insinuações emocionais de seus pais, o recém-nascido está se exercitando para dominar mais um importante marco do desenvolvimento: a capacidade de regular a excitação fisiológica provocada por suas interações sociais e emocionais. Muitos psicólogos do desenvolvimento acreditam que os bebês fazem isso ligando e desligando seu interesse nas pessoas. Ora estão prestando muita atenção em alguém e bastante responsivos às brincadeiras, ora desviam a vista, ignorando as tentativas que o adulto faz para entretê-los com brinquedos e falando como bebê. Embora os pais às vezes se espantem com a aparente inconstância do bebê, há indícios de que ele se desliga por necessidade. Pode sentir taquicardia e uma sensação física demasiado forte. Parece um cliente da K-Mart após a terceira promoção relâmpago. Está superexcitado e querendo um pouco de descanso. Então, desvia a vista e vira a cabeça, fazendo o que pode para evitar mais contato. O bebê está aprendendo a se acalmar.

Quem não tem experiência com bebês talvez não se dê conta de que eles precisam de períodos de sossego. A pessoa pode continuar tentando estimular a criança com brinquedos, falando como bebê ou sacudindo-a. Ela, obviamente, tem que se sujeitar. Não pode pedir ao parceiro autoritário que pare. Não pode mudar de quarto. Talvez nem tenha suficiente coordenação motora para cobrir a cabeça com a manta. Então, é obrigada a apelar para sua defesa mais certa e eficaz — começa a chorar.

Estes casos de "falta de coordenação" entre o bebê e os pais são bastante comuns. Alguns pesquisadores estimam que os pais não entendem as insinuações dos filhos em 70% das vezes![83] Mas isso não é motivo para preocupação. Os primeiros meses são uma fase de muita tentativa e erro por parte dos pais e dos bebês. Desde que os pais tenham sensibilidade para os filhos, a comunicação vai melhorando progressivamente e os erros de interpretação, rareando.

O conselho que dou aos pais preparadores emocionais, portanto, é que prestem atenção aos estados de espírito de seu bebê e reajam a eles. Se seu bebê subitamente perde o interesse na brincadeira após um período de interação, dê-lhe um pouco de sossego. Se a criança ficar mal-humorada depois que todo mundo a pega no colo e tenta falar com ela (numa reunião de família, por exemplo), leve-a de vez em quando para um quarto sossegado, onde ela possa se acalmar.

Se a criança parecer excitada demais para conseguir se acalmar por si mesma, faça o que puder para ajudá-la. E repito, este é um processo de tentativa e erro em que os pais e o bebê procuram estratégias mais adequadas ao temperamento do bebê. Entre as técnicas comuns, está a de diminuir a luz, embalar o bebê, falar baixinho ou passear com ele no colo transmitindo-lhe a cadência calma do andar. Os pais também têm tido sucesso com música tranqüila e canções de ninar, massagem ou festinhas suaves. Alguns bebês até parecem se acalmar com o barulho de uma lava-louças ou a estática de um rádio fora da estação.

Pesquisas mostram que os pais mais sensíveis aos estados de ânimo do bebê — aqueles, por exemplo, que percebem quando ele precisa passar de uma atividade altamente excitante a uma mais tranqüila — estimulam mais sua inteligência emocional. Este estilo de preparação emocional dá à criança mais oportunidades de experimentar passar de um estado de grande excitação a um mais calmo. Em outras palavras, esses pais estão ajudando os bebês a aprender a se acalmar e a regular seus estados fisiológicos.

Pais que reagem de forma tranqüilizadora às aflições de seus bebês estão lhes ensinando também coisas importantes. Em primeiro lugar, seus filhos estão aprendendo que suas emoções negativas fortes afetam o mundo — eles choram e os pais reagem. Em segundo lugar, estão aprendendo que podem acalmar-se depois de fortes emoções. Nesta idade, em geral os bebês são acalmados pelos pais. Mas, à medida que vão crescendo, vão internalizando os esforços dos pais e vão aprendendo formas de se acalmar sozinhos, o que é muito importante para o bem-estar emocional.

Do mesmo modo, os bebês precisam de muito estímulo para aprenderem como é ficar muito excitado e se acalmar. Como vimos no Capítulo 6, as brincadeiras muito físicas que os pais costumam fazer com os bebês os ajudam a adquirir essa experiência crucial.

Aconselho também os pais a inventarem brincadeiras que exercitem a capacidade do bebê de interpretar e expressar emoções diversas. Pesquisas mostram que uma maneira de se começar a fazer isso é imitar algum ato da criança. Ela bota a língua para fora ou tosse e o pai ou a mãe faz o mesmo. Ela repete o gesto e a brincadeira está inventada.

Brinque com seu bebê com ânimo e emoção, repetindo frases bobas e ações delicadas e rítmicas. Assim a criança vai percebendo rotinas lúdicas e aprende a antecipar as suas ações. É como se estivesse dizendo a si mesma: "Ih, lá vem aquela brincadeira de rodar o pé" ou "Oba, lá vem a brincadeira de cócegas". Quando gosta da brincadeira, ela aprende a comunicar sua alegria com sorrisos, gargalhadas, chutes excitados e gritinhos. Estas reações estimulam os pais a brincar mais ainda, criando uma espiral ascendente de interação amorosa e divertida, que fortalece os laços emocionais entre o pai ou a mãe e a criança.

ENTRE SEIS E OITO MESES

Esse é um período de enorme exploração para o bebê, uma época em que ele está descobrindo todo um mundo de coisas, pessoas e lugares. Simultaneamente, está descobrindo também novas maneiras de expressar e compartilhar com o mundo que o cerca sentimentos como alegria, curiosidade, medo e frustração. Este desabrochar da consciência continua abrindo novas oportunidades para a preparação emocional.

Entre os importantes saltos do desenvolvimento que em geral acontecem por volta dos seis meses, está a habilidade da criança para mudar o foco de sua atenção ao mesmo tempo em que ainda tem em mente a coisa ou a pessoa para a qual já não está mais olhando. Antes, ela só era capaz de pensar na coisa ou na pessoa em que estivesse prestando atenção. Mas agora pode olhar para um palhacinho, por exemplo, achar graça no brinquedo e depois olhar para a mãe ou o pai, compartilhando a sensação que o brinquedo provocou nela. Embora pareça simples, este feito apresenta um mundo novo de possibilidades de brincadeira e interação emocional. Agora a criança pode convidar você para brincar com as coisas que a fascinam. Pode compartilhar com você os sentimentos que estas coisas despertam nela.

Para estimular o desenvolvimento desta inteligência emocional, aceite os convites de seu bebê para brincar com objetos e imite suas reações emocionais. Isso provoca mais comunicação, mais expressão emocional.

Aos oito meses, o bebê começa a engatinhar e a descobrir seu ambiente. Mas o explorador também está aprendendo a diferenciar as pessoas que passam por ele, o que prepara o terreno para o surgimento do medo. O bebê começa a "estranhar". Uma criança que antes sorria indiscriminadamente para qualquer um na fila do mercado agora se esconde atrás do ombro da mãe. Enquanto se atirava nos braços de uma *baby-sitter* nova, ela agora já formou ligações específicas com os pais e pode ser que se agarre desesperadamente a eles quando a estiverem deixando num cenário novo cercada de estranhos.

Ao mesmo tempo, o bebê está entendendo muito mais as palavras faladas, o que também ajuda na comunicação emocional. Embora ainda possa levar alguns meses para falar, ele já entende muitas coisas e é capaz de seguir instruções do tipo "vá apanhar seu ursinho branco para mim". Lembro-me de estar com minha filha Moriah no colo quando ela tinha essa idade e dizer: "Querida, você está parecendo cansada. Por que não encosta a cabecinha no meu ombro e descansa?". E Moriah fazia isso.

Todas essas novidades no desenvolvimento da criança — mobilidade física, a capacidade de mudar o foco da atenção, a ligação especial do bebê com os pais, sua compreensão da língua falada e seu medo do desconhecido — compõem uma aptidão que os psicólogos chamam de "referenciação social". É a tendência da criança de se aproximar de um objeto ou acontecimento e, em seguida, virar-se para os pais em busca de informação emocional. Ao aproximar-se de um cão desconhecido, por exemplo, a criança pode ouvir a mãe exclamar: "Não, não vá aí!". A criança tem capacidade de "ler" a combinação das palavras, do tom de voz e da expressão facial da mãe e compreender o conceito de perigo em potencial. Por outro lado, ela pode se aproximar de um barulhento robô de brinquedo, olhar para a mãe e vê-la com um sorriso tranqüilo. Agora ela sabe que o robô é um brinquedo seguro. Neste sentido, a mãe adquiriu um papel importantíssimo na vida emocional da criança, o de "base de segurança". A criança sente-se livre para explorar, sabendo que pode voltar periodicamente a essa base para se tranqüilizar.

Quando um bebê pratica a referenciação social com seu pai ou sua mãe, é sinal de que ambos estão emocionalmente ligados e o bebê sente-se emocionalmente seguro. Tendo aprendido nos primeiros meses a imitar, a criança está apta a ler as insinuações emocionais dos pais. Sabe que pode confiar em sinais como expressão facial, linguagem corporal e tom de voz. (Aqui vai um comentário interessante sobre o modo como o conflito dos pais pode afetar este processo: os pesquisadores Susan Dickstein e Ross Parke descobriram que o bebê não pratica tanta referenciação social com o pai infeliz no casamento, embora continue praticando com a mãe infeliz nas mesmas condições.[84] Achamos que isso reflete o fato de que o homem muitas vezes se afasta emocionalmente dos filhos e da mulher quando o casamento começa a ir mal. A mulher malcasada, por outro lado, pode se afastar do marido, mas tende a continuar emocionalmente ligada aos filhos.)

Para fortalecer os laços emocionais com os bebês nessa idade, aconselho que os pais sejam um espelho para a criança. Isto é, que espelhem para ela os sentimentos que ela está expressando. Esta é uma parte importante do treinamento da emoção na primeira infância — ajudar a criança a colocar o que ela sente numa linguagem. Fale com palavras, além da expressão facial para dizer coisas como: "Você está triste (contente, assustada, etc.), não está?". Ou: "Você está ficando muito cansadinho. Quer sentar um pouco no meu colo?". Se você tiver percebido corretamente o que a criança sente, ela vai compreender o que você estiver dizendo e demonstrá-lo. Mas não se preocupe se interpretá-la mal de vez em quando. Isso acontece, e, felizmente, os bebês são muito tolerantes.

Lembre-se também de que seu bebê está esperando receber insinua-ções emocionais de sua parte. Você pode usar isso para ajudá-lo a lidar com a ansiedade da estranheza, que costuma surgir nessa idade. Se a mamãe está tranqüila junto da *baby-sitter* nova, talvez até lhe dando um abraço, o bebê pode entender que pode confiar nessa pessoa nova.

ENTRE NOVE E DOZE MESES

Esta é a fase em que a criança começa a entender que as pessoas podem compartilhar suas emoções. Ela dá um brinquedo quebrado ao pai, por exemplo, e o pai diz: "Ah, está quebrado. Que pena. Você está triste, não está?". Aos nove meses, a criança está começando a compreender que papai sabe como ela está "por dentro". Antes, quando o pai ou a mãe mostravam empatia, espelhando os sentimentos da criança com inflexões de voz, movimento facial ou linguagem corporal, a criança estava aprendendo sobre o mundo da expressão emocional. Mas não sabia que seus pais podiam sentir e pensar a mesma coisa que ela. Agora ela sabe que podem. Isso tudo fortalece os laços emocionais que vão se formando entre pais e filhos. Este novo entendimento é um importante salto em termos de preparação emocional porque é o que possibilita um diálogo sobre os sentimentos.

Ao mesmo tempo, a criança está começando a perceber que os objetos e as pessoas em sua vida têm uma determinada dose de permanência ou constância. O fato de a bola ter rolado para debaixo da cadeira e sumido não quer dizer que ela não exista. E, mesmo tendo saído do quarto e não podendo me ouvir, mamãe continua sendo parte de meu mundo e capaz de voltar.

À medida que vai explorando esse conceito de "permanência do objeto", a criança fica fascinada com jogos que lhe permitam tirar coisas de caixas e tornar a guardá-las, escondê-las e fazê-las aparecer novamente. Ou pode ficar jogando a colher no chão, quando está sentada na cadeira alta, e pedindo a você que vá buscá-la.

Esta compreensão incipiente da permanência dos objetos e das pessoas pode ser associada a outro importante acontecimento no desenvolvimento do seu bebê: sua ligação cada vez maior com pessoas específicas — a saber, seus pais. Agora que tem certeza de que vocês existem mesmo quando estão longe, o bebê pode sentir falta de vocês e pedir que fiquem com ele. Pode armar uma cena ao ver vocês vestindo a capa, ou ao sentir de alguma outra forma que vocês estão saindo. Quando vocês saem, ele sente que vocês devem estar *em algum lugar,* mas ele não sabe onde, e pode ficar aflito com isso. Ademais, ele tem muito pouca noção de tempo. E é difícil para ele compreender quanto tempo você vai ficar fora.

Psicólogos que estudam as ligações do bebê observaram a maneira como a criança de um ano reage ao ser cuidada por adultos desconhecidos, à ausência de seus pais e à volta deles. Verificaram que a criança que se sente segura pode ficar aflita com a volta dos pais, mas se deixa confortar, aninhando-se em seus braços enquanto eles falam com ela. Mas a criança que se sente insegura no que diz respeito à disponibilidade emocional dos pais não reage assim quando eles voltam. Costuma ter uma dessas reações: ou não dá trela aos pais e os evita, ignorando-os quando eles voltam e agindo como se estivesse perfeitamente bem — quando eles tentam confortá-la, pegando-a no colo, ela pode ficar crispada, em vez de aninhar-se em seus braços; ou fica nervosa e aflita, agarrando-se aos pais quando eles voltam e custando a se reconfortar. Se seu filho revela um desses sinais de insegurança, talvez esteja carente e precise que você seja mais disponível emocionalmente quando estiverem juntos. Em outras palavras, precisa que você reaja às suas expressões de emoção com empatia, interesse e afeição, o que fortalece os laços emocionais entre vocês.

Para ajudar uma criança dessa idade a enfrentar a "ansiedade da separação" que costuma acometê-la quando os pais têm de sair, assegure-lhe que vai voltar. Lembre-se de que embora não saiba falar direito, um bebê de um ano entende bastante a sua linguagem, logo o que você lhe garantir ajuda. Lembre-se de que ele procura insinuações emocionais em você, e, se você estiver demonstrando ansiedade ou receio quanto ao seu afastamento, ele pode captar essa emoção e senti-la também. Portanto, se for entregar seu bebê aos cuidados de alguém, que seja os de uma pessoa que o deixe tranqüilo. E, antes de sair, certifique-se de que você e seu filho já tiveram tempo de conhecer esta pessoa. Assim você se sente mais relaxada e o bebê também. E, finalmente, você pode ajudar seu filho a "treinar" ficar longe de você deixando-o explorar sozinho cômodos diferentes da casa. Se ele for engatinhando para uma sala (à prova de bebês), por exemplo, deixe-o por alguns momentos à vontade antes de ir buscá-lo. Se estiverem juntos num ambiente e você precisar ir para outro, diga-lhe aonde vai e que logo estará de volta. Aos poucos, ele vai se acostumando com a idéia de que os pais podem sair que nada de muito ruim acontece. Ademais, se os pais dizem que vão voltar, ele pode confiar que eles voltarão.

Lembre-se de que você pode ajudar seu filho a sentir-se mais seguro, mais unido emocionalmente a você, mostrando que você compreende o que ele pensa e o que ele sente. Isso pode ser feito a cada momento, quando você estiver cuidando dele ou brincando com ele. Ou você pode continuar a inventar jogos que estimulem a imitação e a expressão de uma ampla gama de emoções. Quando minha filha Moriah tinha essa idade, inventamos juntos um jogo que chamamos de "Os Caras". Toda noite eu pegava uma caneta e desenhava uma cara com uma expressão diferente em cada um dos dedos de uma das mãos dela. O polegar tinha sempre uma cara enfezada, o indicador, uma triste, o médio, uma assustada, o anular, uma surpresa e o mínimo, uma feliz. Aí Moriah vinha para o meu colo e ficávamos conversando com "os caras" sobre o nosso dia. O polegar podia dizer: "Ah, meu dia foi horrível. Estou tão danado que estou com vontade de chutar alguma coisa". E o indicador diria: "Ah, eu também tive um dia horrível, mas hoje eu estava triste, com vontade de chorar". Aí os dois viravam para Moriah e perguntavam: "Como foi o seu dia?". Ela pensava um pouco e depois pegava o dedo mais de acordo com o dia dela. Isso me dava a oportunidade de rotular o sentimento dela. "Ah, seu dia hoje foi triste". Quando seu vocabulário já era maior, esse gesto vinha acompanhado de suas próprias palavras. Ela podia dizer: "Senti falta da mamãe". Em seguida, eu podia acrescentar: "Ah, hoje você ficou triste porque sentiu falta da mamãe quando ela foi trabalhar", o que me permitia mostrar-lhe empatia. "Entendo o que você sentiu", eu poderia acrescentar. "Às vezes quando a mamãe vai trabalhar eu também fico triste porque sinto falta dela."

A FASE DO ANDAR VACILANTE
(Entre um e três anos)

Essa é uma fase divertida e excitante, quando seu filho começa a sentir-se como uma pessoa e a explorar sua autonomia. Mas há também uma boa razão pela qual essa fase é chamada de "os terríveis dois anos". É a época em que a criança se torna muito mais autoritária e começa a ficar teimosa. Exercitando sua incipiente habilidade lingüística, o que ela mais diz é "Não!", "Meu!" e "Eu faz sozinho!" ou "Eu faz!". A preparação emocional torna-se um instrumento importante que os pais podem usar para ajudar a criança a lidar com seu emergente senso de frustração e raiva.

Em qualquer etapa do desenvolvimento infantil, os pais devem olhar para os conflitos e problemas da perspectiva da criança. Como a criança nessa fase do andar vacilante tem como objetivo primordial estabelecer-se como uma criaturinha independente, tente evitar situações que a façam sentir-se impotente, sem deter o controle. Uma mulher em um de nossos grupos de pais descreveu sua tentativa de obrigar o filho de dois anos a tomar um conta-gotas cheio do remédio cor-de-rosa receitado para uma infecção de ouvido. Usando a tática que já usava desde que o filho era recém-nascido, ela o enrolou numa toalha, manteve-o deitado e tentou fazê-lo engolir o remédio.

— Mas ele lutou furiosamente e se recusou a tomar — explicou ela. Aí minha mãe entrou, tirou o conta-gotas da minha mão e disse ao meu filho: "Você quer fazer isso sozinho?" Meu filho balançou a cabeça, pegou o conta-gotas, espremeu-o na boca e tomou tudo.

Ele queria apenas ter um pouco de controle sobre a situação.

É bom dar à criança várias pequenas opções (mas reais) no seu dia-a-dia. Em vez de dizer: "Está muito frio na rua, você tem que vestir um casaco", diga "O que você vai preferir vestir hoje? A jaqueta ou o suéter?". Imponha limites apenas para questões relacionadas à sua paz de espírito e à segurança de seu filho. Proporcionar-lhe um ambiente estimulante e seguro facilita as coisas.

Ao mesmo tempo em que está aprendendo a ser autoritária, a criança nesta fase está se interessando cada vez mais por outras crianças. De fato, desde cedo ela parece identificar com precisão as pessoas mais parecidas com ela. O psicólogo e pesquisador T. G. R. Bower mostrou que meninos preferiam ver filmes com um menino atuando, enquanto meninas, aqueles com uma menina.[85] Por incrível que pareça, quando Bower fez um filme mostrando apenas pontos nas articulações das crianças que atuavam (um ponto no joelho, outro no cotovelo, e assim por diante), verificou que, mais uma vez, os meninos preferiam filmes do "ponto do menino" e as meninas, os do "ponto da menina".

Embora a criança nessa fase sinta-se extremamente atraída pelas outras crianças de sua idade, ela ainda não adquiriu qualidades de sociabilidade necessárias para brincar muito bem em conjunto. De fato, as tentativas nesse sentido costumam ser problemáticas, em virtude das "regras de propriedade da criança na primeira infância", que são: 1) o que eu vejo é meu; 2) se é seu e eu quero, é meu; 3) se é meu, é meu para sempre. Os pais precisam saber que este tipo de atitude não é fruto de mesquinharia. Apenas exprime o crescente senso de individualidade da criança. A criança dessa idade só é capaz de considerar seus próprios pontos de vista e não consegue entender que as outras pessoas sintam de outra forma. Conseqüentemente, o conceito de compartilhar não faz sentido nenhum para elas.

Há um lado positivo na briga das crianças por um brinquedo, e na fúria emocional que costuma vir daí. Episódios desse tipo fornecem excelentes oportunidades para treinar a emoção. Os pais podem ajudar seus filhos identificando e rotulando a raiva ou a frustração que eles sentem. ("Você fica furiosa quando pegam a sua boneca" ou "Você está frustrado porque não pode ter a bola agora".) Os pais também podem começar a procurar junto com os filhos soluções para os problemas familiarizando-os com o conceito de "alternância". Se um conflito termina em luta corporal, mostre aos contendores que "não se bate", nem se machuca um amiguinho por raiva, em seguida dê atenção à vítima, mostrando-lhe empatia e acalmando-a.

Lembre-se, também, de elogiar e estimular seu filho todas as vezes que o vir fazendo qualquer movimento, por menor que seja, no sentido de compartilhar o que é dele, mas não conte com que ele vá fazer isso. A "brincadeira paralela", em que cada criança fica no seu canto brincando sozinha, costuma funcionar melhor nessa idade.

A criança na primeira infância jamais deixará de brigar por causa do que ela acha que é seu. Mas para não enlouquecer, você deve minimizar esses episódios. Para isso, pode-se explicar à criança que ela só deve levar um brinquedo para a casa de um amiguinho ou para a creche se tiver intenção de emprestá-lo. E, quando seu filho estiver esperando os amiguinhos em casa, deixe-o escolher algumas coisas especiais que serão "inacessíveis" às visitas. Depois, com alguma formalidade, guarde essas coisas antes da chegada das visitas. Isso pode dar à criança a sensação de poder e controle que ela está procurando.

Além dessa crescente conscientização de si mesma como um ser separado dos outros, outro importante marco do desenvolvimento social da criança na primeira infância é seu interesse crescente por brincadeiras simbólicas e de faz-de-conta. Entre dois e três anos, a criança começa a representar atitudes que observou antes em outros membros da família. A novidade aqui é sua habilidade de guardar lembranças de atos e fatos e depois recuperá-los para imitá-los mais tarde. É engraçado ver uma criança de dois anos fingindo que está cozinhando, fazendo a barba, varrendo o chão ou falando ao telefone. E vê-la dando um carinhoso beijo de boa-noite no ursinho de pelúcia ou censurando rispidamente o mau comportamento das bonecas talvez lembre aos pais de forma pungente que é observando as pessoas que a cercam que as crianças aprendem muita coisa sobre como lidar com suas emoções.

SEGUNDA INFÂNCIA
(Entre quatro e sete anos)

Aos quatro anos, em geral a criança já está completamente desenvolta, fazendo novos amigos, vivendo numa variedade de ambientes diferentes, aprendendo milhares de novidades excitantes. Essas experiências são acompanhadas de complicações: a escola é divertida, mas as professoras logo querem que a gente fique sentado em grupo, calado e prestando atenção. A gente em geral sabe lidar bem com os amigos, mas eles ainda nos irritam e magoam de vez em quando. E agora que a gente já tem idade para compreender tragédias como incêndios, guerras, assaltos e morte, não pode deixar o medo dessas coisas nos perturbar.

Para vencer esses desafios é necessário saber regular as emoções, um dos mais importantes avanços no desenvolvimento da criança. Com isso, quero dizer que a criança precisa aprender a inibir atitudes impróprias, concentrar-se e se organizar para atingir um objetivo externo.

Em nenhuma outra situação, a criança tem tanta chance de desenvolver técnicas para regular suas emoções quanto em seu relacionamento com os colegas. É aí que ela aprende a se comunicar com clareza, a trocar informações e a esclarecer mal-entendidos. Aprende a ceder a vez para falar e brincar. Aprende a compartilhar. Aprende a aceitar regras para suas brincadeiras, a ter conflitos e a resolvê-los. Aprende a compreender os sentimentos, as vontades e os desejos do outro.

Como a amizade proporciona um terreno tão fértil para o desenvolvimento emocional da criança pequena, aconselho os pais a estimular e assegurar a convivência de seu filho com um amiguinho. Agora sabemos que até mesmo uma criança bem jovem é capaz de formar laços fortes e duradouros com outras. E agora sabemos que estas relações devem ser levadas a sério e respeitadas pelos pais.

Sessões de brincadeira com crianças dessa idade em geral funcionam melhor em duplas. Isso se deve ao fato de a criança na segunda infância ter uma certa dificuldade de administrar, ao mesmo tempo, mais de uma relação. Para os pais, isso pode ser aflitivo, sobretudo quando vêem duas crianças rejeitando uma terceira que tenta entrar na brincadeira. Mas é bom se ter em mente que a rejeição das crianças não é necessariamente fruto de mesquinharia. Elas simplesmente querem proteger a brincadeira que conseguiram criar em dupla. Incapazes de expressar isso em termos que a terceira criança possa compreender ou aceitar ("Sinto muito, Billy, mas a dupla é a maior unidade social com a qual sabemos lidar nessa fase do nosso desenvolvimento"), as crianças em geral recorrem a táticas mais cruas e diretas, como dizer: "Vai embora, Billy. Você não é mais nosso amigo!". Algumas crianças fazem isso também com os pais, dizendo, por exemplo: "Vai embora, papai! Eu não gosto mais de você. Só gosto da mamãe!". O que a criança realmente quer dizer, é que está curtindo a intimidade que estabeleceu naquela hora com a mãe. Nesse caso, o pai não deve levar a esnobada a sério. Na verdade, uma criança pode ser bastante volúvel. Não é nada incomum duas crianças rejeitarem uma terceira, e logo depois formarem um novo grupo, acolhendo a rejeitada em um novo jogo ou atividade.

Então qual é a melhor maneira de reagir quando você vê seu filho excluindo uma criança da brincadeira? Recomendo orientá-lo para que seja magnânimo em suas relações sociais, sobretudo se você achar que é importante incutir-lhe valores de bondade e sensibilidade para com os sentimentos dos outros. Você pode sugerir-lhe uma maneira simples de explicar a situação à terceira criança. Por exemplo, sua filha pode dizer: "Agora eu só quero brincar com a Jennifer. Mas espero que depois a gente possa brincar juntas".

Se seu filho é o que está sendo excluído, é importante identificar os sentimentos dele, sobretudo se ele estiver triste ou com raiva por causa da situação. Aí você pode ajudá-lo a encontrar uma solução para o problema, seja ela convidar outra criança para brincar ou se entreter sozinho com uma brincadeira divertida. O diálogo entre Megan e a mãe à p. 101 exemplifica como uma mãe usa as técnicas de treinamento da emoção para lidar bem com essa situação.

Além de ensinar importantes habilidades sociais, as amizades entre crianças pequenas também estimulam a fantasia, permitindo que a criança desenvolva sua criatividade, inventando personagens e, ao mesmo tempo, dramatizando situações. Os amiguinhos muitas vezes recorrem à fantasia para se ajudar mutuamente a enfrentar problemas complicados e lidar com as tensões da vida diária. Isso sugere que brincar de faz-de-conta facilita o desenvolvimento emocional da criança ajudando-a a ter acesso a sentimentos recalcados. Mais ou menos como as técnicas de hipnose e visualização ajudam o adulto. Minha ex-aluna Laurie Kramer descobriu, por exemplo, que brincar de faz-de-conta era o que mais ajudava a criança a se ajustar ao nascimento de um irmãozinho.[86] Colocando os amiguinhos no papel de recém-nascido, os novos "irmãos mais velhos" e "irmãs mais velhas" puderam explorar uma ampla gama de sentimentos em relação ao bebê, indo da hostilidade à ternura. No papel de pais, as crianças tinham a oportunidade de brincar com o bebê, ensinar-lhe, repreendê-lo e dar-lhe carinho.

Vi crianças em outros estudos também revelarem uma incrível profundidade de sentimentos através de brincadeiras de faz-de-conta. Vimos uma menininha "brincando de casinha" virar-se para a amiguinha e dizer:

— A gente não precisa ficar toda hora dando uma descansadinha feito a mamãe e o Jimmy (o namorado novo da mãe). A gente não se cansa como eles.

Então, pouco depois, a amiga perguntou:

— O que a sua mãe diz quando ela fecha a porta?

A outra respondeu:

— Ela fala: "Não pode entrar".

E, sem entender por que a mãe a excluía, acrescentou:

— Ela que me ver longe. Não gosta de mim.

Sabendo que a fantasia é uma válvula de escape para as idéias e preocupações da criança, os pais preparadores emocionais podem usar o faz-de-conta como uma forma de se comunicar com os filhos nessa idade. A criança costuma projetar idéias, desejos, frustrações e medos em objetos como bonecas ou outros brinquedos. Fazendo o papel de um segundo brinquedo, os pais podem estimular a exploração dos sentimentos da criança e tranqüilizá-la simplesmente a partir do que o primeiro brinquedo sugere. Eis aqui um exemplo de diálogo. Repare com que facilidade o pai incorpora a projeção da criança à conversa.

Criança: Esse ursinho é órfão porque os pais não querem mais ele.

Pai: Os pais do ursinho foram embora?

Criança: É, eles foram.

Pai: E vão voltar?

Criança: Nunca mais.

Pai: Por que eles foram embora?

Criança: Porque o ursinho foi mau.

Pai: O que foi que ele fez?

Criança: Ficou bravo com a mãe ursa.

Pai: Acho que às vezes é normal a pessoa ficar brava. Ela vai voltar.

Criança: É. Lá vem ela.

Pai: (pegando outro ursinho e imitando a voz da mãe ursa) Eu tive que ir botar o lixo na rua. Agora voltei.

Criança: Oi, mãe!

Pai: Você ficou bravo, mas tudo bem. Às vezes eu também fico brava.

Criança: Eu sei.

Estimular a criança a dramatizar tem toda uma técnica que, uma vez adquirida, pode ser posta em prática de maneiras simples e proveitosas. Por exemplo, seu filho talvez quisesse ser maior e mais forte, então pode dizer: "Eu era muito pequenininho, mas agora consigo levantar o sofá. Sabe que o Super-homem até voa?". É quase como se ele estivesse pedindo licença para virar o Super-homem para explorar sentimentos de poder e confiança. Você pode fazer sua parte para estimular a fantasia dizendo apenas: "Muito prazer em conhecê-lo, Super-homem. Você vai voar agora?".

A criança também intercala conversas sobre situações da vida real quando está brincando de faz-de-conta com você. Não se surpreenda se, no meio de uma brincadeira de Barbie ou Power Ranger, sua filha ou seu filho de repente sair-se com algo do tipo: "Estou com medo de ficar com essa *baby-sitter* de novo". Ou então: "Com quantos anos eu vou morrer?".

Embora a gênese de idéias como essa possa continuar um mistério para você, é óbvio que alguma coisa na brincadeira despertou uma emoção que a criança gostaria de compartilhar. A intimidade e a espontaneidade do faz-de-conta deu-lhe uma sensação de segurança e intimidade com você, então ela deixa esse assunto delicado vir à tona. Como ela interrompeu a dramatização para explorar a emoção, talvez seja melhor que você faça o mesmo e tenha uma conversa sincera sobre o medo que ela está experimentando.

Uma das razões pela qual o faz-de-conta é tão popular na segunda infância provavelmente tem a ver com sua eficácia para ajudar a criança a lidar com uma infinidade de ansiedades que aparecem nesta idade. Embora a criança pareça temer uma infinidade de coisas, na verdade seus temores baseiam-se em um pequeno conjunto de fatores:

O MEDO DA IMPOTÊNCIA. Certa vez escutei dois meninos de cinco anos conversando sobre "tudo que pode matar a gente". Falavam de "ladrões, gente má, monstros" e do que mais tinham pavor — "O Tubarão". Discutiram todas as formas que lhes permitiriam destruir essas coisas assustadoras. Depois comentaram como costumavam ter medo de "bobagens como o escuro" quando eram "nenéns". Mas agora que eram grandes, gabavam-se, já não tinham medo dessas tolices.

Essa conversa me fez pensar que, mesmo se pudéssemos de alguma forma poupar a criança do conhecimento de todos os perigos que realmente existem no mundo, ainda assim ela inventaria seus próprios monstros. Porque tais fantasias ajudam-na a lidar com seus sentimentos naturais de impotência e vulnerabilidade. Embora o poder dos monstros lhe dê medo e a afaste, ela gosta de fantasiar conquistar as coisas que teme. Isso faz com que ela se sinta mais poderosa e menos vulnerável.

Os pais preparadores emocionais também podem ajudar a criança a sentir-se mais poderosa. Como um bebê na primeira infância, a criança na segunda infância ganha mais auto-estima quando lhe é dado o poder de optar sobre o que vestir, o que comer, como brincar, etc. Outra importante estratégia é permitir que a criança faça as coisas para as quais já está preparada. Esteja ela aprendendo a lavar o cabelo ou a jogar um novo jogo de computador, a criança precisa que seus pais a estimulem e orientem sem ser invasivos. Se seu filho está frustrado tentando amarrar o sapato, por exemplo, contenha-se para não fazer isso por ele, um gesto que mostra que você não acredita na competência dele. Por outro lado, mostre sua compreensão dizendo coisas do tipo: "Esses cadarços grandes às vezes são difíceis". Então, mesmo que seu filho acabe precisando da sua ajuda, você mostrou que sabe o que ele está sentindo.

O MEDO DO ABANDONO. É natural que a criança nessa idade fique fascinada com histórias como a da Branca de Neve, onde um pai morre e deixa a filha à mercê de uma madrasta má, ou a de Oliver Twist, onde, para sobreviver, um menino órfão é obrigado a mendigar e a roubar. Histórias como essas articulam um medo comum à maioria das crianças dessa idade, que é o de poderem vir a ser abandonadas.

Sendo este um medo tão real e arraigado, aconselho os pais a não apelarem para ele como forma de ameaçar, disciplinar, ou mesmo "brincar" com os filhos. Sempre que ouvir seu filho expressando esse tipo de temor, você pode usar suas técnicas de preparador emocional para identificar os sentimentos dele. Tranqüilize-o dizendo que você sempre vai fazer o impossível para assegurar que ele tenha tudo de que precisa e que será amado e bem tratado.

O MEDO DO ESCURO. Para a criança, o escuro pode representar o grande desconhecido, o lugar onde moram todos os seus medos e seus monstros. Com a maturidade, a criança vê que o escuro não precisa ser tão assustador. Mas, na segunda infância, é perfeitamente razoável que ela procure o conforto da luz e a certeza de que você está por perto e disponível se necessário.

Esqueça a idéia de que, para fortalecer o caráter da criança, há que se negar seu medo do escuro. Conheço um pai que não admitia que, por mais que pedisse, o filho deixasse a luz acesa, por achar que o garoto estava ficando "frouxo". Muitas noites depois, o pai viu que o filho estava ficando ainda mais nervoso. Além de continuar com medo do escuro, o menino começou a recear perder a aprovação do pai. Também tinha medo de não conseguir funcionar bem na escola no dia seguinte, se passasse a noite em claro. Com o tempo, o pai cedeu, instalou uma lâmpada noturna, e agora a família toda está dormindo mais tranqüila.

O MEDO DOS PESADELOS. Os pesadelos são assustadores para quase toda criança, mas podem ser especialmente apavorantes para a criança pequena que não consegue distinguir bem esses sonhos da realidade. Se seu filho acorda chorando por causa de um pesadelo, experimente abraçá-lo e conversar com ele sobre o sonho, explicando que aquilo não é real. Fique com ele até ele se acalmar, assegurando-lhe que o pesadelo passou e que ele está a salvo e seguro.

Além disso, é bom a criança ouvir histórias que expliquem os conceitos de sonho e sono. Um livro especialmente recomendável é *The Annie Stories* [As histórias de Annie], de Doris Brett, que escreveu contos para ajudar a filha a lidar com os pesadelos.[87] Nele, Annie fala com a mãe sobre um tigre que anda perseguindo-a nos sonhos. A mãe dá à menina um anel mágico invisível de sonhos para ela levar para a cama quando for dormir. Então, quando o tigre começa a persegui-la novamente, Annie lembra do anel e enfrenta o tigre. Ao descobrir que o tigre quer apenas ser seu amigo, Annie agora tem um aliado com quem ela pode contar para enfrentar outros medos.

Quando contei as histórias de Annie à minha filha Moriah, ela resolveu rebatizar a personagem de Moriah. Um dia, encontrei-a no banheiro, trepada na privada para poder contar essas histórias a si mesma no espelho. O pavor que ela sentia de seus pesadelos mudou rapidamente depois disso. Ela ainda os tinha esporadicamente, mas já não a apavoravam tanto.

O MEDO DO CONFLITO ENTRE OS PAIS. Como discutimos no Capítulo 5, o conflito entre os pais pode deixar a criança muito aflita, com a sensação de que as brigas entre seu pai e sua mãe podem acabar com a sua segurança. Quando já tem idade para entender as conseqüências dessas brigas, a criança também pode ficar com medo de que o conflito entre seus pais termine em separação e divórcio. Ademais, a criança muitas vezes se responsabiliza pelo conflito, culpando-se pelos problemas. Pode vir a achar que está em seu poder solucionar o conflito, que seu papel é manter a família unida.

Os pais devem lembrar-se, então, de evitar que os filhos se envolvam em seus conflitos conjugais (Ver Capítulo 5). Devem ainda, quando brigarem na presença dos filhos, ajudá-los apontando-lhes também a solução do conflito. Como mostra o trabalho do psicólogo E. Mark Cummings, a criança pequena pode não entender muito bem as soluções verbais, mas é reconfortante para ela ver os pais darem um sincero abraço de perdão.[88]

O MEDO DA MORTE. A criança dessa idade já está familiarizada com a idéia de morte e pode lhe fazer perguntas diretas a esse respeito. É importante ser honesto e mostrar a ela que você entende suas preocupações, que não as considera bobas ou irrelevantes. Se seu filho perdeu um amigo, parente ou animal de estimação, você pode identificar a tristeza que ele sente com essa perda e oferecer-lhe carinho e consolo. Tentar ignorar ou minimizar os sentimentos de luto de seu filho não os eliminará. Apenas mostrará a ele que a morte é um assunto constrangedor para você e impedirá que, no futuro, ele venha lhe falar sobre sentimentos importantes.

Sejam quais forem os medos de seu filho, é bom lembrar que o medo é uma emoção natural que pode ter uma função saudável na vida dos pequeninos. O medo não deve tolher a curiosidade da criança, mas ela precisa saber que às vezes o mundo é perigoso. Neste aspecto, o medo serve para torná-la uma pessoa cuidadosa.

Lembre-se de usar as técnicas básicas do trabalho de preparação emocional quando conversar com seus filhos sobre o que os assusta. Isso significa ajudar a criança a identificar e rotular o medo quando ele se manifesta, mostrar empatia ao conversar sobre o que a assusta e pensar com ela em maneiras de lidar com as ameaças diversas. A discussão de estratégias para enfrentar perigos reais como incêndios, estranhos ou doenças propicia também a discussão da prevenção. Se seu filho diz que tem medo de incêndio, por exemplo, você pode comentar: "Pensar que nossa casa pode pegar fogo é uma coisa assustadora. Por isso a gente tem sempre um detetor de fumaça ativado para dar o alerta se alguma coisa estiver queimando".

E lembre-se de que a criança às vezes fala sobre seus medos de maneira indireta. Um menino que pergunta se ainda existem orfanatos provavelmente não está interessado numa aula sobre a política de assistência à criança. Está pensando é em seu medo do abandono. Portanto, procure ouvir o sentimento que está por trás da pergunta — sobretudo quando as perguntas de seu filho tocarem em questões ameaçadoras como o abandono e a morte.

TERCEIRA INFÂNCIA
(Entre oito e doze anos)

Nesta fase, a criança está começando conviver com mais pessoas e a saber o que é influência social. Pode começar a reparar quem é popular e quem não é entre os colegas. Ao mesmo tempo, está desenvolvendo seu lado cognitivo, aprendendo o poder do intelecto sobre a emoção.

Devido à crescente preocupação de seu filho com a influência social, você pode começar a perceber que uma de suas principais motivações é evitar constrangimentos custe o que custar. A criança nessa fase às vezes fica cheia de exigências sobre o estilo de suas roupas, de sua mochila, o tipo de atividades que os outros estão vendo que ela faz. Ela faz de tudo para evitar chamar atenção sobre si, especialmente para não atrair a implicância e a crítica dos colegas. Embora os pais que querem que seus filhos sejam líderes e não seguidores possam ficar irritados com esse conformismo, ele significa que a criança está se especializando em interpretar insinuações sociais, uma técnica que lhe será útil pela vida afora. E, na terceira infância, ela é particularmente importante porque a criança nessa fase pode ser impiedosa em suas implicâncias e humilhações. De fato, é a implicância que forja muitos padrões de comportamento nessa idade. As meninas são tão implicantes quanto os meninos, embora a implicância dos meninos às vezes chegue ao enfrentamento físico.

Com tanta coisa em jogo, a criança logo aprende que a melhor forma de reagir à implicância é não demonstrar qualquer emoção. Proteste, chore, vá fazer queixa ou fique irritado quando o líder da turma estiver roubando o seu chapéu ou xingando-o e você corre o risco de ser mais humilhado e rejeitado. Dê a outra face e tem boas chances de conservar a dignidade. Por causa dessa dinâmica, a criança realiza uma espécie de "emoçãotomia", extraindo os sentimentos das relações com os colegas. Muitas crianças dominam essa técnica mas, como revelaram nossos estudos, as mais competentes são as que aprendem mais cedo a regular as emoções.

Essa "frieza" no relacionamento com os colegas pode confundir os pais que deram um bom preparo emocional a seus filhos. Em nossos grupos de pais, verificamos que as mães e os pais costumam achar que, nessa idade, quando surge um conflito com colegas, basta uma criança se abrir com a outra e resolver a parada. Embora possa ser eficaz na pré-escola, esta estratégia às vezes é um desastre na terceira infância, quando não é bem-vista a criança que mostra seus sentimentos. A criança com preparo emocional deve ter desenvolvido a sensibilidade para perceber isso. Ela será capaz de interpretar as insinuações dos colegas e agir de modo apropriado.

Ao mesmo tempo em que está tentando abafar as emoções, a criança nesta fase está tendo mais noção do poder do intelecto. Por volta dos dez anos, o raciocínio lógico se desenvolve consideravelmente em muitas crianças. Gosto de compará-las ao Mr. Spock de *Jornada nas estrelas*, que reprime os sentimentos, mas se deleita com o mundo da lógica e da razão. Elas gostam de reagir como se raciocinassem como um computador. Mande uma criança de nove anos "pegar as meias", por exemplo, e ela é capaz de erguer cada uma delas e tornar a deixá-las onde estão, dizendo: "Você não disse que era para pegar *e guardar*".

Essa arrogância para com o mundo dos adultos é típica da criança que está encarando a vida em termos de preto e branco, ou/ou, certo ou errado. Constatando de uma hora para outra a arbitrariedade e a falta de lógica do mundo, o pré-adolescente pode começar a achar que a vida é uma grande revista *Mad.* Para ele os adultos são hipócritas, e zombar deles e ridicularizá-los passa a ser sua "emoção" predileta.

Deste criticismo exacerbado emerge o senso de valores da criança. Você pode reparar que nessa idade seu filho começa a se preocupar muito com o que é moral e justo. Ele pode conceber "mundos puros" onde as pessoas sejam tratadas como iguais, onde o Nazismo jamais poderia surgir, onde a tirania jamais poderia existir. Pode desprezar um mundo capaz de permitir atrocidades como o tráfico de escravos e a Inquisição. Vai começar a ter dúvidas, a desafiar, a pensar por si mesmo.

A ironia, naturalmente, é seu compromisso simultâneo com os padrões arbitrários e tirânicos de sua própria turma. Ao mesmo tempo em que está assumindo um direito individual à liberdade de expressão, a menina pode limitar seu guarda-roupa a um único estilo de camiseta. Ao mesmo tempo em que se preocupa profundamente com o tratamento cruel que a indústria de cosméticos impõe aos animais, pode estar participando de um complô cruel no recreio para excluir uma determinada colega do jogo de basquete.

Como, enquanto pais, vocês devem reagir a essas incongruências? Aconselho-os a deixá-las passar, reconhecendo que essa é uma época de exploração. Saibam que a adesão total do jovem às regras arbitrárias de sua turma faz parte de um desenvolvimento normal e saudável. Reflete sua capacidade de reconhecer em sua turma padrões e valores associados à aceitação, evitando ser rejeitado.

Se você descobrir que seu filho está, direta ou indiretamente, tratando injustamente outra criança, mostre-lhe o que sente em relação a isso. Aproveite a ocasião para transmitir-lhe seu conceito de bondade e espírito esportivo. Mas, a não ser que ele tenha feito realmente uma maldade, recomendo que se evitem reações ou castigos muito severos. É normal a criança nessa idade formar grupinhos e sofrer influência da turma.

Se seu filho foi excluído ou maltratado pela turma e vier se queixar, você pode usar técnicas do treinamento da emoção para ajudá-lo a lidar com sentimentos de tristeza e raiva. Em seguida, ajude-o a pensar em soluções para aquele problema. Explore, por exemplo, o que as pessoas fazem para cultivar as amizades. Não faça pouco do desejo dele de se enquadrar, de vestir-se e agir como todas as crianças de sua idade. Mas legitime seu desejo de aceitação e colabore para que ele realize esse desejo.

Quanto à troça que a criança faz das convenções dos adultos, aconselho os pais a não levarem as críticas dos filhos para o lado pessoal. Arrogância, sarcasmo e desprezo pelos valores dos adultos são atitudes normais na terceira infância. Mas se você realmente sentir que seu filho o tratou de forma rude, explicite isso a ele. ("Acho uma falta de respeito comigo você caçoar do meu penteado.") Repito, essa é uma maneira de transmitir à família valores como bondade e respeito mútuo. Como sempre, a criança dessa idade precisa sentir-se emocionalmente ligada aos pais e precisa da orientação amorosa que acompanha essa ligação.

ADOLESCÊNCIA

A adolescência é uma fase marcada por uma grande preocupação com questões de identidade. Quem sou eu? O que estou me tornando? Quem devo ser? Não se espante, portanto, se seu filho adolescente lhe parecer exageradamente preocupado consigo mesmo. Ele vai perdendo o interesse pela família enquanto o relacionamento com os amigos passa ao primeiro plano. Afinal de contas, é através dos amigos que ele vai descobrir quem ele é fora do âmbito familiar. No entanto, mesmo no âmbito da turma, o foco do adolescente costuma estar voltado para ele mesmo.

Ao realizar uma pesquisa sobre as amizades da criança, gravamos uma conversa entre duas adolescentes que resume o egocentrismo natural dessa fase. As duas tinham acabado de se conhecer, e uma delas contou que havia passado o verão trabalhando como conselheira numa colônia de férias para crianças emocionalmente problemáticas. Em vez de pedir-lhe que contasse detalhes de sua experiência, a outra menina simplesmente aproveitou aquela revelação para falar de si mesma.

— Puxa, é um trabalho interessantíssimo — disse. — Mas não daria nunca para mim. Não tenho paciência. Minha irmã deixa eu pegar o filhinho dela no colo e eu acho aquele bebezinho uma gracinha, mas, quando ele chora, devolvo na mesma hora para ela, como quem diz "Não, obrigada". E acho que eu nunca vou poder ser mãe. Não dá. Não tenho paciência. Não sei onde você foi arranjar paciência para ser conselheira dessas crianças. Acho que eu devia ser mais assim feito você, mas não sei se consigo. Você acha que dá para eu conseguir?

E assim prosseguiu o monólogo, com a menina se comparando à nova amiga, pensando alto sobre sua capacidade de mudar e crescer, analisando as características que apreciava e as que detestava nela mesma. Se permitiu que o foco das atenções mudasse, não foi para conhecer melhor a amiga, mas sim para servir-se dela para realçar as próprias qualidades. Como acontece com a maioria dos adolescentes, a menina estava usando aquela amizade como um veículo para explorar sua própria identidade.

Apesar de radical, esse exemplo mostra o que leva o jovem a preocupar-se consigo mesmo. O adolescente está numa viagem de autodescoberta e está sempre mudando de rumo, tentando encontrar o caminho certo. Faz experiências com novas identidades, novas realidades, novos aspectos de sua personalidade. Esta exploração é saudável na adolescência.

Mas o caminho nem sempre é fácil para o adolescente. As mudanças hormonais podem causar inesperadas mudanças de humor. As forças negativas do ambiente social podem explorar a vulnerabilidade do jovem, ameaçando-o com problemas de drogas, violência ou sexo sem segurança. No entanto, a exploração prossegue como uma parte natural e inevitável do desenvolvimento humano. Entre as empreitadas importantes que o adolescente enfrenta nessa exploração está a da integração da razão com a emoção. Se a terceira infância pode ser representada pela personagem altamente racional do Mr. Spock de *Jornada nas estrelas*, o melhor símbolo para a adolescência pode ser o Capitão Kirk. Em seu papel no comando da nave espacial *Enterprise*, Kirk está sempre tendo de tomar decisões em que seu lado humano e altamente sensível é confrontado com sua tendência para o raciocínio lógico e empírico. Obviamente, o bom capitão sempre encontra equilíbrio para exercer uma liderança impecável sobre sua tripulação. Ele usa o tipo de discernimento que gostaríamos que nossos adolescentes usassem em situações em que o coração ouve um apelo e a cabeça, outro.

O adolescente fatalmente vai ter de tomar decisões desse tipo em questões de sexualidade e auto-aceitação. Uma garota sente atração sexual por um garoto por quem ela não tem muito respeito. ("Ele é uma *gracinha*. Pena que, quando abre a boca, estraga tudo.") Um garoto percebe que está emitindo as opiniões do pai, que ele tanto criticava. ("Que incrível! Estou falando igual ao meu pai!") De repente, o adolescente percebe que o mundo não é tão preto e branco. É feito de muitos tons de cinza e, quer ele goste ou não, todas essas tonalidades estão contidas nele próprio.

Se é difícil para o adolescente encontrar o seu caminho, também é difícil ser pai ou mãe de adolescente. Porque o adolescente precisa aprender a se conhecer basicamente sem a ajuda dos pais. Como diz o terapeuta e escritor Michael Riera: "Até agora, você fez o papel de 'administradora' da vida de seu filho — organizando quem levava e quem buscava nos lugares, marcando consultas médicas, planejando passeios ou programas de fim de semana, ajudando-o e cobrando-o nos deveres de casa. Mantém-se informada sobre a vida escolar e costuma ser a primeira pessoa a quem seu filho recorre para as 'grandes' questões. De repente, tudo muda. Sem aviso prévio e sem consenso, você foi destituída do cargo de administradora. Agora precisa correr e preparar nova estratégia. Se quiser ser uma pessoa importante para seu filho na adolescência e pela vida afora, você precisa batalhar para ser contratada novamente como consultora".[89]

Essa, obviamente, pode ser uma transição extremamente delicada. Um cliente não contrata um consultor que o faça sentir-se incompetente ou ameace usurpar-lhe o negócio. Um cliente quer um consultor em quem possa confiar, que compreenda a sua missão e dê conselhos que o ajudem a atingir seus objetivos. E, nesta altura da vida, o principal objetivo do adolescente deve ser tornar-se independente.

Então como você pode exercer o cargo de consultora? Como pode continuar suficientemente próxima para ser uma preparadora emocional e, ao mesmo tempo, dar a seu filho a autonomia que um adulto completamente desenvolvido exige? Aí vão alguns conselhos, baseados em grande parte no trabalho do psicólogo e escritor Haim G. Ginott:

Aceite que a adolescência é a época em que os filhos se separam dos pais. Os pais devem aceitar, por exemplo, que o adolescente precisa de privacidade. Ouvir escondido as conversas de seu filho, ler o diário dele ou submetê-lo a interrogatórios são coisas que passam a mensagem de que você não confia nele. Isso, por sua vez, coloca uma barreira na comunicação. Seu filho pode começar a ver você como inimigo em vez de aliado nas horas difíceis.

Além de respeitar a privacidade do jovem, você deve respeitar seu direito à inquietação e ao descontentamento. Como escreveu o poeta e fotógrafo Gordon Parks a respeito de sua própria adolescência: "Em seu nome feito de dor, fui voluptuosamente infeliz".[90] Dê espaço para que seu filho sinta essas emoções profundas evitando perguntas óbvias como: "O que há com você?". Seu adolescente pode estar irritado ou nervoso ou triste, e esse tipo de pergunta apenas denota que você não aprova esses sentimentos.

Se, por outro lado, seu filho se abrir espontaneamente com você, tente não agir como se entendesse tudo imediatamente. Por estar começando a viver, o adolescente costuma achar que suas experiências são únicas. Fica ofendido quando os adultos acham seu comportamento transparente, suas motivações óbvias. Portanto, ouça-o com calma e de cabeça aberta. Não pressuponha que já sabe e compreende tudo o que ele tem a dizer.

Saiba que, por ser a adolescência uma fase de individuação, seu filho pode escolher um estilo de roupa, penteado, música e arte que você não goste. Lembre-se de que não precisa aprovar as escolhas de seu filho, basta aceitá-las.

Do mesmo modo, não tente emular as escolhas dele. Deixe que as roupas, a música, os gestos e as gírias dele componham uma afirmação dizendo: "Sou diferente de meus pais e me orgulho disso".

Mostre respeito por seu adolescente. Imagine só como seria se seu melhor amigo tratasse você do modo como muitos pais tratam os filhos adolescentes. Como seria ter alguém sempre corrigindo-o, apontando suas falhas, implicando com você por causa de assuntos delicados? E se seu amigo ficasse lhe dando lições de moral, querendo lhe ensinar como viver a sua vida? Provavelmente você acharia que essa pessoa não tinha muito respeito por você, não se importava com os seus sentimentos. Um dia, você se afastaria desse seu amigo, deixando de lhe fazer confidências.

Embora eu não diga que os pais precisem tratar seus adolescentes exatamente como amigos (as relações pais/filhos são bem mais complexas), naturalmente digo que o adolescente merece o mesmo respeito que dedicamos aos nossos amigos. Portanto, aconselho você a não implicar com ele, não criticá-lo nem humilhá-lo. Transmita seus valores a seu filho, mas faça-o de forma breve sem querer ser moralista. Ninguém gosta de receber sermão, muito menos o adolescente.

Quando o comportamento de seu adolescente for motivo de atrito, não o rotule com epítetos pejorativos (preguiçoso, ganancioso, desleixado, egoísta, etc.). Refira-se, sim, a atos específicos, dizendo a seu filho que o que ele fez afetou-o. ("Quando você sai sem lavar os pratos, fico chateada de ter que fazer o seu trabalho por você.") E obviamente não tente usar "psicologia reversa" com adolescentes. É uma coisa confusa, manipulativa, desonesta e raramente funciona.

Proporcione uma comunidade a seu filho. Há um ditado popular que diz que "para educar uma criança, é preciso uma aldeia inteira". Em nenhuma outra época isto é mais verdadeiro do que na adolescência. Por isso aconselho os pais a conhecerem as pessoas que convivem com o adolescente, inclusive os amigos e os pais dos amigos.

Uma vez ouvi uma mulher falar na sinagoga a que pertencia sobre o trabalho que sua filha universitária estava fazendo para ajudar no reassentamento dos refugiados etíopes. A mãe reconheceu que o trabalho da jovem era um ato de grande caridade e bondade, e que achava a filha um ser humano maravilhoso.

— Por mais que meu marido e eu quiséssemos ficar com o crédito pelo que nossa filha se tornou — disse a mulher —, acho que esse crédito realmente pertence a esta comunidade.

Explicou então que a filha teve uma adolescência difícil, que às vezes estava tão perturbada que nem falava com os pais. Mas, durante toda aquela turbulência, ela sabia que a filha estava em casa das amigas e conversando com os pais das amigas. E, porque todos pertenciam à mesma comunidade, ela sabia que as famílias tinham os mesmos valores.

— Confiei nesta comunidade e graças a isso nossa filha se tornou uma mulher de quem todos nos orgulhamos — disse a mãe. — Mas não a educamos sozinha. Esta comunidade inteira a educou.

Como não podemos ser tudo para nossos filhos — e especialmente na adolescência — aconselho os pais a darem aos filhos o apoio de uma comunidade. Esse apoio pode vir de uma sinagoga, uma igreja, uma escola ou uma associação de bairro. Pode simplesmente vir de seus parentes ou de uma rede informal de amigos. O importante é você garantir que seus filhos tenham acesso a outros adultos que tenham os mesmos valores éticos e os mesmos ideais que você. São estas as pessoas em quem seu filho pode confiar quando inexoravelmente se afastar de você, e ainda estiver precisando de orientação e apoio.

Estimule o adolescente a decidir sozinho e continue sendo seu preparador emocional. Certo, saber até que ponto devem se envolver na vida do filho é um dos maiores desafios que os pais podem enfrentar. Como sempre, estimular a independência significa permitir que o jovem faça o que ele está preparado para fazer. Agora é hora de ele tomar decisões sobre coisas importantes. É também um bom momento para praticar a afirmação "A escolha é sua". Manifeste confiança no critério de seu filho e não fique especulando sobre possíveis desastres como forma de alertá-lo.

Estimular a independência também significa permitir que seu filho tome decisões insensatas (mas não arriscadas) de vez em quando. Lembre-se de que o adolescente pode aprender com os erros tanto quanto com os acertos. Isso é especialmente verdadeiro se ele puder recorrer a um adulto que se interesse por ele e o apóie — alguém que o ensine a lidar com as emoções negativas que o fracasso desperta e pensar em maneiras de fazer as coisas mais bem-feitas no futuro.

Lembre-se de que nossos estudos indicam que o jovem com preparo emocional é mais bem-sucedido. É este o jovem que será mais inteligente emocionalmente, compreendendo e aceitando seus sentimentos. Que terá mais experiência de solucionar problemas sozinho e em conjunto. Conseqüentemente, é o que se sairá melhor nos estudos e no relacionamento com a turma. Com esses fatores de proteção, esse adolescente ficará mais imune aos riscos que todo pai teme quando seus filhos entram na adolescência — entre eles, drogas, delinqüência, violência e comportamento sexual de risco.

Portanto, fique atento ao que está acontecendo na vida de seu filho. Aceite e legitime suas experiências emocionais. Quando surgir um problema, escute com empatia e sem críticas. E seja seu aliado quando ele vier lhe pedir ajuda. Embora sejam simples esses passos, hoje sabemos que formam a base de uma vida de apoio emocional entre pais e filhos.

APÊNDICE

LIVROS INFANTIS RECOMENDADOS

LER ALTO É UMA excelente atividade para você praticar junto com seu filho desde os primeiros meses até a adolescência. É uma prática que mostra à criança que os adultos se interessam por ela o suficiente para desejarem compartilhar desses momentos de intimidade com ela. Ademais, os livros podem ser ótimos catalisadores para conversas íntimas.

Abaixo, uma lista de livros infantis que lidam com emoções como raiva, tristeza e medo. Ao lê-los com seu filho, reserve um tempo para conversar sobre os temas dos livros e as emoções que esses temas despertam.

LIVROS PARA A PRIMEIRA INFÂNCIA

Feelings, de Aliki, Greenwillow, 1984

Um catálogo de emoções com lindas ilustrações que podem ajudar a criança a desenvolver um vocabulário de sentimentos como tristeza, alegria, amor, ódio, orgulho, medo e frustração.

Going to the Potty, de Fred Rogers, com ilustrações de Jim Judkis, Putnam, 1986

O personagem de tevê Mister Rogers sempre ajuda os pimpolhos a classificarem seus sentimentos sobre uma transição importante da vida.

Entre os livros dessa série "Primeira Experiência" há ainda *Going to Day Care, Going to the Doctor* e *The New Baby.*

Holes and Peeks, de Ann Jonas, Greenwillow, 1984
Olhar uma coisa assustadora através de um furo de botão e outros espaços pequenos faz com que ela não pareça tão horrível.

The Runaway Bunny, de Margaret Wise Brown, com ilustrações de Clement Hurd, Harper & Row, 1972
O coelhinho fantasia que vai fugir da mãe. A cada fantasia, a mãe lhe assegura que estará sempre pronta para ir procurá-lo e protegê-lo.

LIVROS PARA A SEGUNDA INFÂNCIA

Alexander and the Terrible, Horrible, No Good, Very Bad Day, de Judith Viorst, com ilustrações de Ray Cruz, Atheneum, 1972
Tudo começa com uma caixa de cereal que não estava premiada, e a partir daí vai ladeira abaixo.

A série dos *Berenstain Bears*, de Stan e Jan Berenstain, Random House
Em cada livro, a Família Ursa encontra soluções racionais para problemas comuns da vida em família. Os tópicos incluem pesadelos, dizer a verdade, limitar o horário da televisão, conviver com os amigos, problemas de dinheiro, partir para a colônia de férias, entre outros.

Gila Monsters Meet You at the Airport, de Marjorie Weinman Sharmat, com ilustrações de Byron Barton, Macmillan, 1990
As chocantes fantasias de um garotinho sobre a mudança para uma nova cidade proporcionam às famílias uma oportunidade para falar sobre os medos de coisas reais e imaginadas.

Harry and the Terrible Whatzit, de Dick Gackenbach, Clarion, 1978
Uma bela história sobre um garotinho que vai para o porão atrás da mãe para protegê-la dos monstros que ele imagina que morem lá.

The Hating Book, de Charlotte Zolotow, com ilustrações de Ben Schecter, Harper, 1969
Uma historinha sobre os altos e baixos da convivência com um amigo íntimo.

Ira Sleeps Over, de Bernard Waber, Houghton Mifflin, 1972

Ira precisa resolver se vai levar o ursinho de pelúcia quando é convidado para dormir na casa de um amigo.

Julius, the Baby of the World, de Kevin Henkes, Greenwillow, 1990

Como a ratinha Lily lida com a raiva e o ciúme por causa do nascimento de um irmãozinho.

Little Rabbit's Loose Tooth, de Lucy Bate, com ilustrações de Diane de Groat, Crown, 1975

A marcante experiência de perder o dente na vida de um coelhinho.

My Mama Needs Me, de Mildred Pits Walter, com ilustrações de Pat Cummings, Lothrop, Lee & Shepard, 1983

Antes da chegada de sua nova irmãzinha, Jason fica preocupado, sem saber se será um bom irmão mais velho. Depois que a menina nasce, ele fica aliviado por ela passar quase o dia inteiro dormindo.

My Mom Travels a Lot, de Caroline Feller Bauer, com ilustrações de Nancy Winslow Parker, Puffin, 1981

As vantagens e desvantagens de se ter uma mãe que viaja.

No Nap, de Eve Bunting, com ilustrações de Susan Meddaugh, Clarion, 1990

Um livro divertido sobre uma garotinha com a energia louca da pessoa que está muito cansada, mas sem sono.

Outside Over There, de Maurice Sendak, Harper, 1981

Neste livro ricamente ilustrado, Ida entra num sonho para resgatar a irmãzinha, que foi seqüestrada.

Owen, de Kevin Henkes, Greenwillow, 1993

Owen e sua mãe se perguntam o que ele vai fazer com a naninha quando entrar no colégio.

Shy Charles, de Rosemary Wells, Dial, 1988

Este ratinho tímido não se sai bem na aula de dança e tem dificuldade de dizer obrigado para estranhos, mas sabe pedir socorro numa emergência. Depois que as coisas se acalmam, ele volta a ser aquela pessoa retraída de antes.

The Something, de Natalie Babbitt, Farrar, Straus, 1970
Receando que o "Something" entre pela janela à noite em seu quarto, Mylo esculpe uma figura de barro representando esse fantasma assustador. Ao encontrar sua criação num sonho, já não se sente intimidado por ela.

Uncle Elephant, de Arnold Lobel, Harper, 1981
A ansiedade de separação é o tema deste livro, que fala de um elefantinho que acha que seus pais se perderam no mar.

Where the Wild Things Are, de Maurice Sendak, Harper & Row, 1963
Um livro consagrado sobre Max, que é mandado para a cama sem jantar e sonha com monstros ferozes e assustadores mas simpáticos.

William's Doll, de Charlotte Zolotow, com ilustrações de William Pene du Bois, Harper, 1972
O pai, o irmão e os amigos de William tentam convencê-lo a não querer ganhar uma boneca. Mas a avó do garotinho analisa a importância daquela questão para toda a família.

LIVROS PARA A TERCEIRA INFÂNCIA

Afternoon of the Elves, de Janet Taylor, Scholastic, 1991
Questões de lealdade, amizade e privacidade são abordadas nesse conto que fala de duas meninas de quarta série. Uma é desajustada e atrai a outra para seu mundo de gnomos.

Anne of Green Gables, de Lucy M. Montgomery, Bantam, 1908, reeditado em 1983
As aventuras da órfã Anne Shirley, cujo gênio forte e personalidade exuberante complicam as coisas para sua família adotiva na Ilha do Príncipe Eduardo na virada do século.

The Bear's House, de Marilyn Sachs, Dutton, 1987
Uma desmazelada menina de dez anos, cuja mãe está doente e cujo pai as abandonou, sofre os insultos dos colegas. Para escapar do sofrimento,

ela se refugia no mundo da fantasia de uma casa de bonecas da sala de aula.

Best Enemies, de Kathleen Leverich, com ilustrações de Susan Condie Lamb, Greenwillow, 1989

Priscila Robin está na segunda série e aprende a se defender de uma colega ameaçadora.

Call it Courage, de Armstrong Sperry, Macmillan, 1940

Um conto dos Mares do Sul sobre um garoto que vence o medo do mar depois que os colegas implicam com ele.

A Gift for Tia Rosa, de Karen T. Taha, com ilustrações de Dee de Rosa, Bantam, 1991

Carmela adora sua vizinha hispânica, a velha tia Rosa, que a está ensinando a fazer tricô. Quando tia Rosa morre, Carmela tem de encontrar uma forma de demonstrar o quanto amava a amiga.

The Hundred Dresses, de Eleanor Estes, com ilustrações de Louis Slobodkin, Harcourt Brace, 1944

Uma menina polonesa imigrante e sensível luta para se adaptar aos colegas do primeiro grau.

Matilda, de Roald Dahl, com ilustrações de Quentin Blake, Viking, 1988

A brilhante e criativa Matilda tem de lidar com pais estranhamente cruéis e uma diretora de escola má. Ela vai buscar compensação na amizade de uma professora amorosa.

Sleep Out, de Carol Carrick, com ilustrações de David Carrick, Clarion, 1973

Christopher e seu cão vencem seus medos para acampar uma noite no mato sozinhos.

LIVROS PARA PRÉ-ADOLESCENTES E ADOLESCENTES

Are You There, God? It's Me, Margaret, de Judy Blume, Bradbury, Dell, 1970

Com quase doze anos, Margaret conversa freqüentemente com Deus ao enfrentar seus medos e ansiedades por estar crescendo.

Maniac Magee, de Jerry Spinelli, Little, Brown, 1990

Esta excitante história sobre um simpático órfão fugitivo de doze anos aborda questões de racismo, falta de moradia e violência na comunidade.

The Moonlight Man, de Paula Fox, Bradbury, 1986

Catherine aprende muito sobre si mesma nas férias que ela passa com o pai alcoólatra, pouco depois do divórcio dos pais.

My Brother is Stealing Second, de Jim Naughton, Harper & Row, 1989

A emocionante história da recuperação de um adolescente após a morte acidental de seu irmão.

One-Eyed Cat, de Paula Fox, Bradbury, 1984

Ned, um menino afastado dos amigos e da família, precisa lidar com sua culpa por ter atirado no olho de um gato selvagem.

Scorpions, de Walter Dean Myers, Harper & Row, 1988

Um menino de doze anos do Harlem enfrenta pressões em casa e na escola ao mesmo tempo que vira o chefe de uma gangue de rua.

NOTAS

CAPÍTULO 1
PREPARAÇÃO EMOCIONAL:
A CHAVE PARA A CRIAÇÃO DE FILHOS
EMOCIONALMENTE INTELIGENTES

1. Goleman, Daniel. *Inteligência Emocional*. Rio de Janeiro, Editora Objetiva, 1996, p. 204.

2. Gottman, John, Katz, Lynn e Hooven, Carol. *Meta-emotion: How Families Communicate Emotionally, Links to child peer relations and other developmental outcomes* [Metaemoção: Como as famílias se comunicam emocionalmente, vínculos para relacionamentos entre crianças e outras conseqüências do desenvolvimento].Nova Jérsei, Hillsdale, Lawrence Erlbaum, no prelo.

3. Ibid.

4. U.S. Bureau of the Census. "Live Births, Deaths, Mariages and Divorces: 1950 to 1992", *Statistical Abstract of the United States: 1994* [Nascimentos, Óbitos, Casamentos e Divórcios: 1950 a 1992, *Sumário estatístico dos Estados Unidos: 1994*]. 114ª edição, Washington, D.C., 1994.

5. Gottman, John e Katz, Lynn. "Effects of marital discord on young children's peer interaction and health", *Developmental Psychology* ["Efeitos das desavenças conjugais sobre as interações e a saúde da criança". Psicologia do desenvolvimento]. Vol. 57, 1989, p. 47-52.

6. Gottman, John, Katz, Lynn e Hooven, Carol. *Meta-emotion*.

7. Chadwick, B.A. e Heson, T. *Statistical Handbook on the American Family* [Manual estatístico da família americana]. Nova Iorque, Oryx Press, 1992.

8. Mackellar, Landis, F. e Yanagishita, Machiko. *Homicide in the United States: Who's at Risk* [Homicídio nos Estados Unidos: quem corre o risco]. Washington, D.C.: Population Reference Bureau, fevereiro, 1995.

9. De Lisser, Elena. "For Inner-City Youth, a Hard Life May Lead to a Hard Sentence" [Para jovens de áreas carentes da cidade, uma vida dura pode conduzir a uma pena dura]. *Wall Street Journal*, 30 de novembro de 1993.

10. Centro Nacional de Estatísticas de Saúde, "Advance Report of Final Natality Statistics" [Relatório avançado de estatísticas finais sobre a natalidade]. *Monthly Vital Statistics Report*, vol. 42, No. 3, Supl., Hyattsville, MD: Public Health Service, 1993.

11. U. S. Bureau of the Census. "Live Births, Deaths, Marriages, and Divorces: 1950 to 1992".

12. Chadwick e Heson. *Statistical Handbook on the American Family*.

13. Census of Population and Housing, 1990: Guide [Censo populacional e residencial, 1990: Guia]. Nova Iorque, Diane Publishing, Co.

14. U.S. Bureau of the Census. "Child Support — Award and Recipiency Status of Women: 1981 to 1989", *Statistical Abstract of the United States: 1994*, 114ª edição. Washington, D.C., 1994.

15. Furstenberg, F. F., et al. "The Life Course of Children of Divorce: Marital Disruption and Parental Contact" [A vida dos filhos do divórcio: dissolução do casamento e contato com os pais]. American Sociological Review, vol. 48, 1983, p. 656-668.

16. Daly, Martin e Wilson, Margo. "Child abuse and other risks of not living with both parents" [Abusos e outros perigos a que está sujeita a criança que não vive com ambos os pais]. *Ethology & Sociobiology,* vol. 6, 1985, p. 197-210.

17. Schor, Juliet B. "Stolen Moments" [Momentos roubados]. *Sesame Street Parents,* julho/agosto de 1994, p. 24.

18. Schor, Juliet B. *The Overworked American: The Unexpected Decline of Leisure* [O americano sobrecarregado: a inesperada queda do lazer]. Nova Iorque: Basic Books, 1995, p. 5.

19. Patterson, Gerald R. *Coercive Family Process* [Processo familiar coercitivo]. Eugen, OR, Castalia, 1992.

20. De Mause, Lloyd. "The Evolution of Childhood", *The History of Childhood* [A história da infância]. Nova Iorque, Harper Row, 1974.

21. Murphy, G., Murphy, L., e Newcomb, T. M. *Experimental Social Psychology* [Psicologia social experimental]. Nova Iorque, Harper and Brothers, 1931.

22. Baumrind, Diana. "Child Care Practices Anteceding Three Patterns of Preschool Behaviour" [Práticas para creche anteriores a três padrões de comportamento pré-escolar]. *Genetic Psychology Monographs,* vol. 75, 1975, p. 43-88; e Baumrind, Diana. "Current Patterns of Parental Authority" [Padrões correntes de autoridade parental]. *Developmental Psychology Monograph,* vol. 4, 1971.

23. Ginott, Haim G. *Between Parent & Child* [Entre pais e filhos]. Nova Iorque, Macmillan Publishing Company.

24. Faber, Adele e Mazlish, Elaine. *Liberated Parent/Liberated Children* [Pais liberados/filhos liberados]. Nova Iorque, Avon, 1975; *How To Talk So Kids Will Listen and Listen So Kids Will Talk* [Como falar para que as crianças escutem e como escutar para que as crianças falem]. Nova Iorque, Avon, 1980. *Siblings Without Rivalry* [Irmãos sem rivalidade]. Nova Iorque, Norton, 1987; *How to Talk So Kids Can Learn — At Home and in School* [Como falar para que as crianças aprendam — Em casa e na escola]. Nova Iorque, Rawson Associates, 1995.

CAPÍTULO 3
OS CINCO PASSOS FUNDAMENTAIS DA PREPARAÇÃO EMOCIONAL

25. Gottman, Katz e Hoover. *Meta-emotion.*

26. Ginott, Haim G. *Between Parent and Child* [Entre pais e filhos]. Nova Iorque, Macmillan, 1965, p. 10.

27. Para maiores informações sobre o uso do castigo da expulsão, recomendo o excelente livro de Carolyn Webster-Stratton, *The Incredible Years: A Trouble-Shooting Guide for Parents of Children Aged 3-8* [Os anos incríveis: um guia de soluções para os pais de crianças entre 3 e 8 anos]. Toronto, Umbrella Press, 1993. Este livro oferece um passo-a-passo para lidar com problemas de disciplina e controle, e a intervenção da autora foi bem pesquisada e mostrou-se eficiente. Para pré-adolescentes e adolescentes, recomendo dois livros baseados em pesquisas de Gerald Patterson e Marion Forgatch: *Parents and Adolescents Living Together: The Basics* [Pais e

adolescentes morando na mesma casa: instruções básicas]. Eugene, Oregon, Castalia Press, 1987; e *Parents and Adolescents Living together: Part 2*, Eugene, OR, Castalia Press, 1989.

28. Graziano, A. M. e Namaste, K. A. "Parental use of physical force in child discipline" [Uso de força física para disciplinar filhos]. *Journal of Interpersonal Violence,* vol. 5(4), 1990, p. 449-463.

29. Deley, W.W. "Physical punishment of children: Sweden and the U.S.A." [Punição corporal de crianças: Suécia e Estados Unidos]. *Journal of Comparative Family Studies,* vol. 19 (3), 1988; Gelles, R. J. & Edfelt, A. W. "Violence toward Children in the United States and Sweden" [Violência contra a criança nos Estados Unidos e na Suécia]. *Child Abuse & Neglect,* vol. 10 (4), 1986, p. 501-510.

CAPÍTULO 4
ESTRATÉGIAS DE PREPARAÇÃO EMOCIONAL

30. Hallowell, Christopher. *Father to the Man: A Journal* [Pai do homem: um diário]. Nova Iorque, Morrow, 1987.

31. Faber, Adele e Mazlish, Elaine. *Siblings Without Rivalry* [Irmãos sem rivalidade]. Norton, Nova Iorque, 1987, p. 36.

32. Os primeiros dois itens foram sugeridos por Alice Ginott-Cohen.

CAPÍTULO 5
CASAMENTO, DIVÓRCIO
E A SAÚDE EMOCIONAL
DE SEU FILHO

33. Gottman, John, Katz, Lynn e Hooven Carol. *Meta-emotion.*

34. Hetherington, E. Mavis. "Long-term outcomes of divorce and remarriage: The early adolescent years" [Conseqüências a longo prazo de divórcios e segundos casamentos: os primeiros anos da adolescência] *In* Masten, A. S. (presidente), "Family processes and youth functioning during the early adolescent years" [Os processos familiares e o jovem nos primeiros anos da adolescência], simpósio realizado no encontro da Society for Research in Child Development, Nova Orleans, Luisiânia, 1993, citado por E. Mark Cummings e Patrick Davies **in** *Children and Marital Conflict: The Impact of Family Dispute and Resolution* [Filhos e conflito conjugal: o impacto e a solução das desavenças familiares]. Londres, Guilford, 1994, pp. 131-132.

35. Hetherington, E. Mavis. "Coping with Marital Transitions: A Family Systems Perspective [Lidando com transições matrimoniais: uma perspectiva de sistemas de família]. *Monographs of the Society for Research in Child Development.* vol. 57, 1992, p. 6.

36. Cummings, E. M. "Coping with background anger in early childhood" [Vivendo num clima de animosidade na infância]. *Child Development,* vol. 58, 1987, p. 976-984; Cummings, E. M., Iannotti, R. J. e Zahn-Waxler, C. "The influence of conflict between adults on the emotions and aggression of young children" [A influência do conflito entre adultos sobre as emoções e agressividade das crianças]. *Developmental Psychology,* vol. 21, 1985, p. 495-507.

37. Shred, R., McDonnell, P. M., Church, G. e Rowan, J. "Infants' cognitive and emotional responses to adults' angry behavior" [Reações cognitivas e emotivas de bebês à ira dos adultos], trabalho

apresentado no encontro bienal da Society for Research in Child Development, Seattle, Washington, 1991, citado por E. Mark Cummings e Patrick Davies **in** *Children and Marital Conflict*, p. 131-132.

38. Whitehead, Barbara Dafoe. "Dan Quayle Was Right" [Dan Quayle estava certo]. *The Atlantic Monthly*, abril, 1993.

39. Zill, Nicholas, Morrison, Donna Ruane e Coiro, Mary Jo. "Long-Term Effects of Parental Divorce on Parent-Child Relationships, Adjustment and Achievement in Young Adulthood" [Efeitos duradouros do divórcio no relacionamento entre pais e filhos, ajuste e realizações no início da vida adulta]. *Journal of Family Psychology*, vol. 7, 1993, p. 91-103.

40. Friedman, Howard S. et al. "Psychosocial and Behavioral Predictors of Longevity" [Indicadores de longevidade psicossocial e comportamental]. *American Psychologist*, vol. 50, 1995, p. 69-78.

41. Gottman, J. M. C., *What Predicts Divorce?* [O que prenuncia o divórcio?], Lawrence Erlbaum Associates, Hillsdale, Nova Jérsei.

42. Gottman, John. *Why Marriages Succeed or Fail*, Simon & Schuster, Nova Iorque, 1994.

43. Para verificar seu ritmo cardíaco, coloque o indicador e o dedo médio sobre a artéria carótida, situada no pescoço, cerca de cinco centímetros abaixo da orelha, e pressione ligeiramente. Você deverá sentir seu pulso. Para calcular sua pulsação por minuto, conte o número de pulsações que você tem durante 15 segundos e multiplique por quatro. Para determinar a sua média, tome o pulso em três horas diferentes enquanto estiver sentado(a) numa posição confortável. Embora variando enormemente de indivíduo para indivíduo, a pulsação média da mulher fica entre 82 e 86 batidas por minuto, enquanto a do homem, entre 72 e 76.

44. Cummings, E. M. e Cummings, J. L., "A Process-Oriented Approach to Children Coping with Adults' Angry Behavior" [Uma abordagem processual ensinando a criança a lidar com o comportamento agressivo dos adultos], *Developmental Review*, vol. 8, 1988, p. 296-321.

45. Cummings, E. M. "Coping with Background Anger in Early Childhood", *Child Development*, vol. 58, 1987, p. 976-984.

CAPÍTULO 6
O PAPEL CRUCIAL DO PAI

46. Koestner, R, Franz, C. E., Weinberger, J. "The Family Origins of Empathic Concern: A 26 Year Longitudinal Study" [As origens familiares da empatia, um estudo abrangendo um período de 26 anos]. *Journal of Personality and Social Psychology*, vol. 58, 1990, p. 709-717.

47. Franz, C. E., McClelland, D., Winberger, J. "Childhood Antecedents of Conventional Social Accomplishment in Midlife Adults: A 26 Year Prospective Study" [Antecedentes infantis do sucesso social convencional de adultos na meia-idade: um estudo em perspectiva de 26 anos], *Journal of Personality and Social Psychology*, vol. 60, 1991, p. 586-595.

48. Popenoe, David. "American Family Decline, 1960-1990: A Review and Appraisal" [Declínio da família americana, 1960-1990: uma revisão e uma avaliação]. *Journal of Marriage and the Family*, Vol. 55, agosto de 1993, p. 527-555.

49. Griswold, Robert L. *Fatherhood in America: A History* [Paternidade na América: uma história], Basic Books, Nova Iorque, 1993.

50. Popenoe, David. "American Family Decline, 1960-1990: A Review and Appraisal". *Journal of Marriage and the Family,* vol. 55, agosto de 1993, p. 527-555.

51. Cherlin. A. *Marriage, Divorce, Remarriage.* Cambridge, Harvard University Press, 1981.

52. U.S. Bureau of the Census. "Births to Unmarried Women, by Race of Child and Age of Mother: 1970 to 1991" [Nascimentos de filhos de mães descasadas, por raça da criança e idade da mãe: 1970-1991], *Statistical Abstract of the United States: 1994,* 114ª Edição, Washington, 1994.

53. Hyland, S. L. "Helping Employees with Family Care" [Ajudando os empregados na assistência familiar]. *Monthly Labor Review,* vol. 113, 1990, p. 22-26; Christensen, K. *Flexible Staffing and Scheduling in U. S. Corporation* [Horários e quadros de funcionários flexíveis na empresa americana]. Nova Iorque, Conference Board, 1989.

54. Griswold, Robert L. *Fatherhood in America: A History,* p. 263.

55. Lamb, Michael E. "Introduction: The Emergent American Father" [Introdução: o pai americano emergente]. *In* Michael E. Lamb, ed., *The Father's Role: Cross Cultural Perspectives* [O papel do pai: Perspectivas multiculturais]. Lawrence Erlbaum, Hillsdale, Nova Jérsei, 1987, p. 3-25.

56. Pedersen, F. A., Rubinstein, J. e Yarrow, L. J. "Infant Development in Father-Absent Families" [Desenvolvimento do bebê em famílias em que o pai é ausente]. *Journal of Genetic Psychology,* vol. 135, 1979. p. 55-56.

57. Kotelchuck, M. "The Infant's Relationship to the Father, experimental evidence" [O relaciona-mento do bebê com o pai, prova experimental] *in* "The Role of the Father in Child Development: Past Presumptions, Present Realities, and Future Potential" [O papel do pai no desenvolvimento da criança: suposições passadas, realidades presentes e potencial futuro, trabalho apresentado numa conferência sobre paternidade e o pai solteiro]. Omaha, Nebraska, novembro, 1978.

58. Yogman, M., Dixon, S., Tronick, E., Als, H. e Brazelton, T. B. "The Goals and Structure of Face-to-Face Interaction Between Infants and Fathers" [Objetivos e estrutura da interação face a face entre o pai e o bebê], trabalho apresentado no Encontro Bienal da Society for Research in Child Development. Nova Orleans, LA, março, 1977.

59. MacDonald, K. e Parke, R.D. "Parent-Child Physical Play: The Effects of Sex and Age of Children and Parents" [Brincadeiras físicas entre pais e filhos: o efeito do sexo e da idade dos filhos e dos pais]. *Sex Roles,* vol. 7-B, 1986, p. 367-379.

60. Levant, Ronald F. *Masculinity Reconstructed: Changing the Rules of Manhood — At Work, In Relationships, and In Family Life* [Masculinidade reconstruída: mudando as regras da masculini-dade — no trabalho, nos relacionamentos e na vida familiar]. Nova Iorque, Dutton, 1995, p. 107.

61. O trabalho de Levant no Projeto Paternidade está resumido na obra de Ross D. Parke, *Fatherhood* [Paternidade]. Cambridge, Harvard University Press, no prelo.

62. Hennenborn, W. J., e Cogan, R. "The Effect of Husband Participation of Reported Pain and the Probability of Medication during Labor and Birth". *Journal of Psychosomatic Research,* vol. 19, 1975, p. 215-222.

63. Entwisle, D. R., e Doering, S. G. *The First Birth* [O primeiro filho], Baltimore, Johns Hopkins University Press, 1981.

64. Lind, R. "Observations After Delivery of Communications Between Mother-Infant-Father" [Observações sobre comunicação pós-parto entre mãe-bebê-pai], trabalho apresentado no Congresso Internacional de Pediatria, Buenos Aires, outubro, 1974.

65. Meltzoff, A. N. e Moore, M.K. "Newborn Infants Imitate Adult Facial Gestures" [Recém-nascidos imitam expressões faciais de adultos]. *Child Development*, 1983, p. 54, 722-29.

66. Beitel. A, e Parke, R. D., "Maternal Attitudes as a Determinant of Father Involvement" [Atitudes maternas como determinante do envolvimento do pai"], manuscrito não publicado, Universidade de Illinois, 1993.

67. Blanchar, R. W, e Biller, H. B. "Availability and Academic Performance among Third Grade Boys" [Disponibilidade do pai e desempenho acadêmico entre meninos de terceira série]. *Developmental Psychology,* vol. 4, 1971, p. 301-305.

68. Biller, H. B. *Father, Child and Sex Role,* D. C. Heath, Lexington, Mass, 1971, p. 59.

69. Levant, Ronald F. com Gini Kopecky. *Masculinity Reconstructed*. p. 197.

70. Lee, R. A. "Flextime and Conjugal Roles" [Flexibilidade de horário e papéis conjugais]. *Journal of Occupational Behavior,* vol. 4, 1983 p. 297-315.

71. Bohen, H. e Viveros-Long, A. *Balancing Jobs and Family Life: Do Flexible Work Schedules Help?* [Equilíbrio entre profissões e a vida familiar: a flexibilidade no horário de trabalho ajuda?]. Filadélfia, Temple University Press, 1981.

72. Schwartz, Pepper. *Peer Marriage: How Love Between Equals Really Works* [Casamento entre pares: como o amor entre iguais realmente funciona]. Free Press, Nova Iorque, 1994, p. 14.

73. Repetti, L. R. "Short-Term and Long-Term Processes Linking Perceived Job Stressors to Father-Child Interaction" [Processos a curto e a longo prazo associando fatores profissionais estressantes à interação pai-filho]. *Social Development,* vol. 3 (1994) p. 1-15.

74. Kohn, M. L. e Schooler. C. *Work and Personality: An Inquiry into the Impact of Social Stratification* [Trabalho e personalidade: uma investigação sobre o impacto da estratificação social]. Norwood, N. J. Ablex, 1983; Miller, R. D. e Swanson, G. E. *The Changing American Parent* [A transformação dos pais americanos]. Nova Iorque, Wiley, 1954.

75. Griswold, Robert L. *Fatherhood in America: A History* [Paternidade na América: uma história]. Nova Iorque, Basic Books, 1993, p. 263.

76. Glick, P. C. "Remarried Families, Stepfamilies and Stepchildren: A Brief Demographic Profile, Family Relations" [Famílias casadas de novo, padrastos, madrastas e enteados: um breve perfil demográfico, relações familiares]. vol. 38, 1989, p. 24-47.

CAPÍTULO 7
PREPARANDO EMOCIONALMENTE SEU FILHO
À MEDIDA QUE ELE CRESCE

77. Weinberg, M. K., Tronick, E. Z. "Beyond the Face: an Empirical Study of Infant Affective Configurations of Facial, Vocal, Gestural, and Regulatory Behaviors", *Child Development* (1994), p. 65, 1503-15.

78. Field, T., Healy, B. T., e LeBlanc, W. G. "Sharing and Synchrony of Behavior States and Heart Rate in Nondepressed Versus Depressed Mother-Infant Interactions" [Comunhão e sincronicidade de estados comportamentais e ritmo cardíaco em interações mãe-recém-nascido não depressivas versus depressivas]. *Infant Behavior and Development,* vol. 12, 1989, p. 357-76.

79. Field, T., Pickens, J., Fox, N. A., Nawrocki, T, *et al.* "Vagal Tone in Infants of Depressed Mothers" [Tonicidade do Vago em recém-nascidos com mães deprimidas]. *Development & Psychopathology,* vol. 7, 1995. p. 227-231.

80. Ibid.

81. Dawson, G. e Fischer, K. W. *Human Behavior and The Developing Brain* [Comportamento humano e o desenvolvimento do cérebro]. Nova Iorque, Guilford Press, 1994.

82. Palaez, N. M., Field, T., Cigales, M. e Gonzalez, A, *et al.* "Infants of Depressed Mothers Show Less 'Depressed' Behavior with Their Nursery Teachers" [Os filhos de mães deprimidas têm comportamento menos 'depressivo' com suas professoras]. *Infant Mental Health Journal,* vol. 15, 1994, p.
358-367; Hossain, Z, Field, T., Gonzalez, J., Malphurs, J., *et al.* "Infants of 'Depressed' Mothers Interact Better with Their Nondepressed Fathers" [Os filhos de mães 'deprimidas' interagem melhor com seus pais não deprimidos]. *Infant Mental Health Journal,* vol. 15, 1994, p. 348-357.

83. Tronick, E. Z., e Cohn, J. F. "Infant-Mother Face-to-Face Interaction: Age and Gender Difference in Coordination and the Occurrence of Miscoordination" [Interação face a face entre mãe e recém-nascido: diferença de idade e de sexo em termos de coordenação e a ocorrência de falta de coordenação]. *Child Development,* vol. 60, 1989, p. 85-92.

84. Dickstein, S. e Parke, R. D. "Social Referencing in Infancy: A Glance at Fathers and Marriage" [Referenciação social dos bebês: um olhar nos pais e no casamento]. *Child Development,* vol. 59, 1988, p. 506-511.

85. Bower, T. G. R. *The Rational Infant* [O bebê racional]. W. H. Freeman & Co., 1989.

86. Kremer, Laurie e Gottman, John. "Becoming a Sibling: With a Little Help from My Friends" [Virando um irmão: com uma ajudinha de meus amigos]. *Developmental Psychology,* vol. 28, 1992, p. 685-99.

87. Brett, Doris. *Annie Stories: A Special Kind of Storytelling* [Histórias de Annie: um tipo especial de narração]. Nova Iorque, Workman, 1986.

88. Cummings, E. M. "Coping with Background Anger in Early Childhood".

89. Riera, Michael. *Uncommon Sense for Parents with Teenagers.* Berkeley, Celestial Arts, 1995.

90. Parks, Gordon. "Adolescence", *Whispers of Intimate Things* [Sussurros de Intimidades], Nova Iorque, Viking Press, 1971.

1ª EDIÇÃO [2001] 69 reimpressões

ESTA OBRA FOI COMPOSTA EM GATINEAU E IMPRESSA EM OFSETE
PELA GRÁFICA BARTIRA SOBRE PAPEL PÓLEN NATURAL DA
SUZANO S.A. PARA A EDITORA SCHWARCZ EM JULHO DE 2023

A marca FSC® é a garantia de que a madeira utilizada na fabricação do papel deste livro provém de florestas que foram gerenciadas de maneira ambientalmente correta, socialmente justa e economicamente viável, além de outras fontes de origem controlada.